수학의 발견 중 3 해설서

차 례

STAGE 1
새로운 수를 발견해 보자

STAGE 2
참이 되는 값을 찾아보자

STAGE 3
비스듬히 던져 보자

"학생 참여 중심의 수업을 맛본 뒤부터 절대로 교사가 일방적으로 주도하는 주입식·설명식 수업으로 돌아갈 수 없었습니다. 이 대안 수학 교과서가 없었다면 나는 엉성한 학습지라도 다시 만들어 수업했을 것입니다. 지금 수학 교과서는 최악입니다."

실험학교 교사가 들려준 말이 아직도 귀에 쟁쟁합니다.

저는 교직을 떠난 지 7년이 지났습니다. 교직에 있는 27년 동안 무려 20년 넘게 교사가 주도하는 설명식 수업을 하다가 깨달은 바가 있어 마지막 7년 동안은 학생 배움 중심 수업을 했습니다. 제가 근무하던 학교는 혁신학교도 아니었고, 심지어 고등학교 3학년 교실에서조차 모둠 활동을 했던 기억이 납니다.

2004년부터 많은 수업을 컨설팅했습니다. 영어, 사회, 체육 등 다른 교과 수업을 컨설팅할 때는 즐거웠습니다. 그런데 정작 제 전공인 수학 수업을 컨설팅할 때는 항상 마음이 무거웠습니다. 수학 교사들이 하는 교수법이나 수업 전문성에 의심이 들었기 때문입니다. 그러다 늦게나마 깨달았습니다. 수학 교과서가 행동주의 교육철학에 기반을 두고 쓰인 탓에 구성주의에 따른 수업은 진행할 수가 없겠다는 것이었습니다.

수학 교과서는 70년 동안 멈춰 있었습니다. 안타까운 현실을 타개하기 위해 지난 2년간 집필진과 실험학교 교사들이 밤낮으로 머리를 맞대고 씨름했습니다. 수업을 바꾸고 싶은 교사들을 위해 대안 수학 교과서를 만들었습니다. 수업에 사용할 과제를 만들고 수업 디자인을 하는 것이 쉬운 일은 아닐 것이라 짐작했지만 정말 어려운 일이었습니다. 이제 첫발을 디뎠기 때문에 100% 만족스러운 수준은 아니지만 자신감을 가질 수준은 된다는 확신이 듭니다.

물론 개념 설명을 교사에게 맡기지 않는 《수학의 발견》이 가진 교육철학에 동의하지 않는 교사도 있을 것입니다. 그런 분들은 이 책을 사용하기 쉽지 않을 것입니다. 왜냐하면 가르칠 내용과 지식이 한 눈에 보이지 않을 뿐만 아니라 어떻게 수업을 진행해야 할지 선뜻 떠오르지 않기 때문입니다.

《수학의 발견》과 《수학의 발견 해설서》는 학생 참여 중심의 수업을 하려는, 즉 구성주의 교육철학을 가진 분들에게 알맞습니다. 수학 개념을 만들어 가는 학습에서부터 스스로 발견하고 찾아가도록 과제를 구성했습니다. 《수학의 발견》은 아이들이 왁자지껄 떠들며 수업을 이끌어가는 교실, 터져 나오는 아이들의 생각을 뒤에서 살피고 수정해 줄 수 있는 선생님이 있는 수학 수업을 꿈꿉니다. 이 책으로 진정한 과정 중심 평가가 이루어지기를 기대합니다.

사교육걱정없는세상 수학사교육포럼 대표 최수일

《수학의 발견 해설서》,
이렇게 활용하세요!

학생이 스스로 수학 개념을 찾아가도록 하기 위해서 《수학의 발견》은 개념을 탐구할 수 있는 질문들을 유기적으로 제공하고 학생 스스로 채울 수 있는 공간을 최대한 늘렸습니다. 대신 해설서는 자료들을 자세하게 제공하여 꼭 필요한 책으로 자리매김하고자 하였습니다. 《수학의 발견 해설서》는 기존 해설서가 제공하는 기본적인 정보 이외에 세 가지 특징을 가지고 있습니다.

탐구 활동의 과제 구성 의도를 자세하게 제공

 개념과 원리 탐구하기 1 _ 완전제곱식을 이용한 이차방정식의 풀이

교과서(상) 88쪽

탐구 활동 의도

- ① **이차항을 품은 등식**에서 제곱근을 이용한 이차방정식의 풀이, ② **이차식의 변신**에서 인수분해를 이용한 이차방정식의 풀이를 탐구했다. ③ **언제나 통하는 식**에서는 일반적인 방법으로 이차방정식을 푸는 공식을 발견하는 것이 목적이다.
- 이 탐구하기는 완전제곱식을 이용한 풀이가 왜 일반적인 방법인지 깨달을 수 있는 중간 과정이다.
- 기존에는 완전제곱식으로의 변형에서 상수항을 우변으로 이항하고 좌변을 완전제곱식으로 변형하는 방법을 주입했다. ①에서는 상수항을 우변으로 이항하기 전 ① **이차항을 품은 등식**과 ② **이차식**

탐구 활동의 의도를 알면 수업 구상이 쉬워집니다.

실험학교의 학생 반응 자료 제공

학생답안

> 일차방정식의 해의 개수는 1개 이하 (1개, 0개)이고, 이차방정식의 해의 개수는 2개 이하이다 (2개, 1개, 0개)

1년 동안 실험에 참여한 학생들의 과제에 대한 반응 자료를 제공하여 학생들의 반응을 예측하며 모둠 활동을 구상할 수 있습니다.

학생 중심 수업 진행 노하우 제공

수업 노하우

- ①에서 학생들이 완전제곱식을 이용해서 이차방정식을 푸는 방법의 필요성을 확실하게 깨닫는 것을 확인할 수 있었다. 기존에는 이차방정식을 푸는 절차로 인수분해, 제곱근, 완전제곱식, 근의 공식으로 나누어 각각의 방법만 가르쳤다면 여기서는 왜 완전제곱식을 이용한 풀이가 가장 일반적인 방법인지를 이해할 수 있게 했다.
- ①에서 완전제곱식으로 변형하는 절차를 숙달하기 보다는 '완전제곱식'과 '제곱근' 개념을 연결하고 '식의 변형' 개념을 이해할 수 있도록 했다.
- ① **이차항을 품은 등식**에서 일차항이 없는 경우에만 제곱근을 이용할 수 있다고 배웠다. 또는 좌변이 완전제곱식의 형태로 주어진 경우에만 해를 구하도록 했다. 여기서는 일차항이 있더라도 완전제곱식의 형태로 식을 변형하면 제곱근 개념을 이용하여 해를 구할 수 있음을 자세하게 탐구할 수 있다.
- **수학의 발견 중1**에서 등식의 성질을 탐구했다. ①에서는 우리가 원하는 목적을 얻기 위해 등식의 성질을 이용하여 식을 변형하는 것이 무엇인지 경험할 수 있도록 논의할 시간을 충분히 주며 탐구를 진행한다.
- ①(2) [식 1]은 정수의 범위에서 곱이 2가 되는 두 수를 찾은 후 해를 구할 수 있을 것 같아 계산을 시도하는 학생들이 있다. 이때 다음과 같이 진행할 수 있다.

학생 중심 수업을 진행하는 것은 쉽지 않습니다.
그래서 각 탐구 활동마다 수업 진행 노하우를 실었습니다.

《수학의 발견》 철학, 수학 학습원리

'수학'이라는 과목이 다섯 가지 영역으로 나눠져 있지만, 그 속에서 사용되는 수학 원리는 일관성을 유지하고 있습니다. 그래서 각 영역을 관통하는 연결성이 대단히 중요합니다. 생각이 터지는 수학 교과서 《수학의 발견》에는 기존 교과서에서는 볼 수 없었던 다섯 가지 〈수학 학습원리〉를 첫머리에 제시하고 있습니다.

수학 학습원리

끈기 있는 태도와 자신감 기르기
- 과제에 포함된 주어진 자료, 사실, 조건에 대해 주의를 기울인다.
- 문제를 적극적으로 해결했던 경험을 떠올리며, 또 다른 효율적인 방법이 없는지 계속 궁리한다.
- 스스로 과제를 해결해 가는 과정에서 자신감을 기른다.

관찰하는 습관을 통해 규칙성 찾아 표현하기
- 과제에 포함된 몇 가지 사실을 조사하여 규칙을 발견한다.
- 규칙을 발견한 뒤 이를 이용하여 결과를 예측해 본다.
- 비슷한 문제 상황에 적용할 수 있는지 판단해 보고 일반적인 규칙으로 표현한다.

수학적 추론을 통해 자신의 생각 설명하기
- 자신이 추론한 여러 가지 가설과 사례가 왜 맞는지 설명해 본다.
- 새로 탐구한 결과가 이미 알려진 사실에 어떻게 연결되는지 논리적으로 설명한다.
- 다른 사람의 주장이 맞는지 판단해 보고 만약 맞지 않는다면 하나 이상의 반례를 찾는다.

수학적 의사소통 능력 기르기
- 표, 수식, 그림, 그래프 등을 이용하여 주어진 조건을 분석하고 설명한다.
- 다른 사람에게 자신의 생각을 수학적 언어로 명확하게 설명한다.
- 다른 사람의 수학적 사고를 분석하고 평가해 본다.

여러 가지 수학 개념 연결하기
- 수학적 아이디어 혹은 개념 사이의 연결성을 인식하고 활용한다.
- 이미 알고 있는 개념에 새로운 개념을 연결하여 개념의 일관성을 키운다.
- 일상생활이나 다른 교과의 사례에서 수학을 인식하고 활용해 본다.

〈수학 학습원리〉가 왜 필요할까요?

아이들의 수학 공부 방법을 보면 많은 문제를 풀면서도 그 문제 해결에 필요한 개념 사이의 관계나 연결성을 되돌아보고 정리하는 면에서는 부족한 것을 느낍니다.

예를 들면, 분수의 사칙 계산을 공부하면서 덧셈은 덧셈대로 곱셈은 곱셈대로 서로 다른 공식을 적용하여 계산을 하지만 두 계산 사이에 어떤 관계가 있는지는 생각하지 않고 답을 구하는 방법에만 몰두하는 경향을 말합니다. 그렇게 되면 두 계산은 아무런 관계가 없이 별도의 공식과 개념으로만 남게 됩니다.

《수학의 발견》에서는 선생님이 아이들에게 〈수학 학습원리〉를 제시하고, 아이들이 그 원리들을 학습 중에 지속적으로 떠올릴 수 있도록 지도하기를 권장합니다. 그리고 '수학 학습원리 완성하기'를 통해 매 단원이 끝날 때마다 충분한 시간을 가지고 〈수학 학습원리〉를 되돌아볼 것을 추천합니다. 이 과정에서 아이들은 수학 개념의 연결성과 일관성을 느낄 수 있고, 이것이 수학 공부에 대한 내적인 동기 유발로 이어짐을 현장 실험 수업을 통해 경험했기 때문입니다.

연간 지도 계획

일반적으로 중학교 수학 교과는 34주를 기준으로 1학년과 2학년에서 각각 136시간, 3학년에서 102시간을 배정합니다. 하지만《수학의 발견》의 연간 지도 계획은 학교 상황에 따라 융통성 있게 운영할 수 있도록 89시간으로 배정하였습니다. 이를 참고하여 수학 교과의 이수 시기와 학교가 정한 수업 시수에 맞도록 적절히 증감하여 지도하시기 바랍니다.

중 3 l 상

중단원	소단원	소주제	교과서 쪽수	시간 배당	학기별 누계
STAGE 1 새로운 수를 발견해 보자	① 내 길이는 얼마일까	/1/ 새로운 수의 발견	13~26	7	7
		탐구 되돌아보기	27~29	1	8
	② 계산 규칙을 찾아라	/1/ 새로운 수의 계산	31~42	7	15
		탐구 되돌아보기	43~47	1	16
	개념과 원리 연결하기		48~49	1	17
	수학 학습원리 완성하기		50~51	1	18
STAGE 2 참이 되는 값을 찾아보자	① 이차항을 품은 등식	/1/ 참이 되게 하는 값	55~59	3	21
		탐구 되돌아보기	60~62	1	22
	② 이차식의 변신	/1/ 식도 수처럼 분해할 수 있을까	64~75	4	26
		/2/ 분해하면 보이는 근	76~83	3	29
		탐구 되돌아보기	84~86	1	30
	③ 언제나 통하는 식	/1/ 해를 구하는 식	88~94	4	34
		탐구 되돌아보기	95~97	1	35
	개념과 원리 연결하기		98~99	1	36
	수학 학습원리 완성하기		100~101	1	37
STAGE 3 비스듬히 던져 보자	① 생활 속의 곡선	/1/ 곡선이 나타내는 식	105~116	4	41
		탐구 되돌아보기	117~119	1	42
	② 같은 곡선 다른 곡선	/1/ 나도 그래프 전문가	121~133	6	48
		탐구 되돌아보기	134~139	1	49
	개념과 원리 연결하기		140~141	1	50
	수학 학습원리 완성하기		142~143	1	51

중 3 | 하

학생 참여 중심의 수학 수업

학생이 자기 주도적으로 개념을 구성해 나가며 진정한 배움이 일어나는 수학 수업에서는 나름의 수업 문화를 만들어야 합니다. 바로 경청, 공유, 실수를 통한 배움을 중요하게 생각하는 것입니다.

첫째로 아이디어를 바탕으로 문제 해결 방법에 대해 자유롭게 토론하기 위해서는 당연히 경청할 수 있는 태도를 지녀야 합니다. 다른 사람의 아이디어와 해결 방법을 존중하는 과정에서 모두가 배울 수 있을 뿐 아니라 바람직한 사회적 상호작용의 기초도 마련할 수 있기 때문입니다.

둘째로 스스로 찾은 해결 방법을 다른 학생들과 공유해 나가는 문화를 조성해야 합니다. 서로 아이디어를 공유하고 자신에게 좋은 정보를 받아들이는 것에 자율성과 책임이 함께 있기 때문에 이를 강조해야 합니다.

마지막으로 학습 과정에서 일어나는 실수를 부정적으로 생각하지 않도록 해야 합니다. 실수를 통해 배운 내용을 다시 확인하고 그것을 수정하기 위해 서로 돕는 과정에서 학습이 진전됨을 아이들이 경험으로 알 수 있을 것입니다.

《수학의 발견》과 《수학의 발견 해설서》는 학생이 참여할 수밖에 없는 과제, 그리고 그 과제로 수업을 할 때 나타나는 다양한 양상, 그리고 그러한 학생들의 반응을 조율하며 수학 개념을 탐구할 수 있도록 하는 안내를 하고 있습니다. 과제를 처음부터 모둠별로 하라고 제시하는 것은 아닙니다. 학생의 개별 활동과 모둠 활동, 전체 공유 활동을 교사가 다음과 같이 조율해 갈 필요가 있습니다. 이것에 대한 구체적인 안내는 〈수업 노하우〉에 실었습니다.

교과서 과제

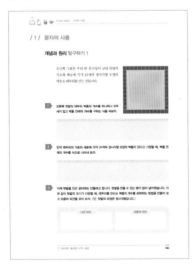

학생 참여 수업의 진행

수업 진행	학생 활동	교사의 역할
수업 전		예상하기
1번 과제	개별 활동	점검하기
2번 과제	개별 활동	점검하기
3번 과제	모둠 활동	선정하기 계열짓기
마무리	전체 공유 활동	연결하기

STAGE 1

새로운 수를 발견해 보자
- 제곱근과 실수

이 단원에서는 기존에 알지 못했던 새로운 수를 발견하고 그 수의 특징을 탐구하는 것에 집중합니다. 중학교 2학년의 피타고라스 정리를 이용하여 제곱근을 도입할 수 있습니다. 그래서 보다 간단한 방법을 사용하여 수직선 위에 수를 나타낼 수 있을 것입니다.

제곱근을 구하는 계산보다는 제곱근이 어떤 '수'인지 직관적인 감각을 가지도록 하는 것에 많은 시간을 할애했습니다. 기존과 다른 방식으로 $\sqrt{2}$가 순환하지 않는 무한소수임을 찾도록 합니다. 그리고 $\sqrt{2}$가 순환하지 않는 무한소수임을 깨달은 후에는 계산기를 이용하여 제곱근의 어림값을 찾는 활동을 합니다. 이런 활동을 통해 새로운 수도 실제로 존재하는 수임을 인식하고 유리수에서 수를 확장하여 실수를 이해하도록 합니다.

제곱근의 계산은 곱셈과 나눗셈에 이어 덧셈과 뺄셈을 다루는 전통적인 순서를 따르지 않았습니다. 근호를 포함한 식의 곱셈은 결국 덧셈과 연결되어 있고, 나눗셈은 역수의 곱셈으로 추론하게 합니다.

제곱근을 처음 배우는 학생들에게 제곱근에 익숙해질 수 있도록 새로운 수를 다양한 관점에서 분석하고 탐구할 수 있는 기회를 제공하는 방향으로 수업을 진행할 수 있습니다.

1 내 길이는 얼마일까 (제곱근과 실수)

/ 1 / 새로운 수의 발견

1차시	개념과 원리 탐구하기 1 제곱근 표현의 필요성
2차시	개념과 원리 탐구하기 2 제곱근의 뜻
3차시	개념과 원리 탐구하기 3 $\sqrt{2}$의 어림값
4차시	개념과 원리 탐구하기 4 무리수의 뜻

5차시	개념과 원리 탐구하기 5 실수의 수직선 표현
6차시	개념과 원리 탐구하기 6 실수의 대소 관계
7차시	게임하며 탐구하기 7 수학자를 맞혀라.
8차시	탐구 되돌아보기

• 교과서 각 소단원마다 제시된 탐구 되돌아보기는 개념과 원리 탐구하기와 연계하여 수업 시간 내 또는 수업 시간 이후 복습으로 활용할 수 있습니다.

/1/ 새로운 수의 발견 (제곱근과 실수)

1 새로운 수를 발견하는 방법으로 제곱근을 도입한다. 길이를 이용하여 제곱근을 다루고 표현하면서 기존에 알던 수와 공통점과 차이점에 대하여 생각해 보고 새로운 수를 표현하는 방법을 생각해 볼 수 있다.

2 '제곱하여 □가 되는 수'라는 표현을 통해 제곱근의 뜻을 이해한다. 이를 말로 표현해 보면서 루트 기호가 붙은 수의 의미를 보다 잘 이해한다.

3 다양한 방법으로 $\sqrt{2}$의 어림값을 찾는 과정에서 유리수가 아니면서 순환하지 않는 무한소수로 나타나는 수를 발견하고 다른 제곱근의 값도 같은 방법으로 추론할 수 있다.

4 제곱근과 무리수의 개념을 연결하고 제곱근이 순환하지 않는 무한소수로 나타나는 무리수임을 이해한다. 또 제곱근표를 통해 제곱근의 어림값을 찾는 방법을 알 수 있다.

5 유리수를 나타내는 점들만으로 수직선을 모두 채울 수 없다는 것을 이해하고, 수직선에 무리수를 나타내는 방법을 발견할 수 있다. 이를 이용하여 수직선이 유리수와 무리수, 즉 실수를 나타내는 점들로 빈틈없이 채워지는 모습을 직관적으로 이해할 수 있다.

6 유리수의 대소 관계를 확장하여 실수의 대소 관계에 적용할 수 있다.

• 제곱근의 뜻을 알고, 그 성질을 이해한다.
• 무리수의 개념을 이해한다.
• 실수의 대소 관계를 판단할 수 있다.

1 제곱근과 무리수는 피타고라스 정리를 이용하여 도입할 수 있다.

2 한 변의 길이가 1인 정사각형의 대각선의 길이 등을 이용하여 직관적으로 무리수의 존재를 이해하게 할 수 있다.

3 실생활에서 사용되는 무리수의 예를 찾아보는 활동을 통해 무리수의 필요성과 유용성을 인식하게 한다.

사칙계산 이외의 이항연산 문제는 다루지 않는다.

제곱하여 2가 되는 수는 무엇이고 그 수의 특징은 무엇일까?

탐구 활동 의도

- 중학교 2학년에서 피타고라스 정리를 다루었으므로 이를 이용하여 제곱근의 필요성을 경험하고 그 개념을 발견하도록 하는 탐구 과제다.

- ①에서는 제곱근을 '길이'로 다루고 표현한다. 두 점 사이의 거리를 비교할 때 기존 방법으로 표현할 수 없는 경우를 제시하여 어떻게 표현할 수 있을지를 고민해 보게 한다. (1)에서 어떤 것이 더 긴지를 선택하게 함으로써 학생들이 보다 쉽게 이 문제에 도전할 수 있도록 했다. (2)에서는 제곱해서 29가 되는 수를 찾기 어려운 이유를 직접적으로 고민하여 제곱근의 필요성을 깨닫게 한다.

- 특히 (2)에서 제곱근은 이차방정식의 해이기도 하므로 제곱근의 개념과 이차방정식을 연결하는 전 단계로서 다루기 위함이다. (3)에서 반복해서 표현하는 과정을 통해 제곱근의 개념을 직관적으로 이해할 수 있도록 하고 본격적인 것은 **탐구하기 2**에서 다룬다.

예상 답안

1 (1) • 자로 재면 $\overline{AD}$의 길이가 가장 길다.

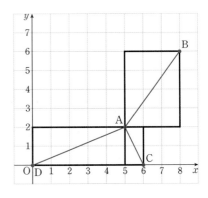

- 오른쪽 그림과 같이 직사각형을 그려서 그 대각선의 길이를 피타고라스 정리를 이용하여 구하면

$$\overline{AD}^2 = 5^2 + 2^2 = 29$$
$$\overline{AB}^2 = 3^2 + 4^2 = 25$$
$$\overline{AC}^2 = 1^2 + 2^2 = 5$$

이므로 $\overline{AD}$의 길이가 가장 길다.

따라서 소연이는 점 A를 점 D와 오른쪽 그림과 같이 직사각형의 대각선이 되도록 연결해야 가장 큰 점수를 얻을 수 있다.

학생 답안

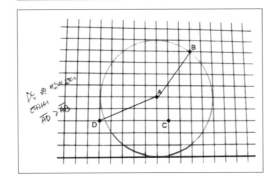

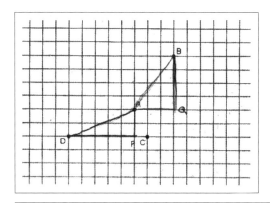

△ADP에서 ∠APD가 직각이므로 $\overline{AP}^2 + \overline{DP}^2 = \overline{AD}^2$ $\overline{AD}^2 = 4 + 25 = 29$

△ABQ에서 ∠BQA가 직각이므로 $\overline{BQ}^2 + \overline{AQ}^2 = \overline{AB}^2 = 16 + 9 = 25$

$\overline{AD}^2 > \overline{AB}^2$ 그러므로 $\overline{AD} > \overline{AB}$

(2) 제곱해서 29가 되는 정확한 수는 표현할 수 없기 때문에 제곱한 값을 이용하여 선분 AD의 길이를 표현했다.

(3) $\overline{AB}^2 = 25$, $\overline{AB}$는 제곱해서 25가 되는 수, 즉 $\overline{AB} = 5$다.

$\overline{AC}^2 = 5$, $\overline{AC}$는 제곱해서 5가 되는 수

$\overline{AD}^2 = 29$, $\overline{AD}$는 제곱해서 29가 되는 수

$\overline{BC}^2 = 40$, $\overline{BC}$는 제곱해서 40이 되는 수

$\overline{BD}^2 = 100$, $\overline{BD}$는 제곱해서 100이 되는 수, 즉 $\overline{BD} = 10$이다.

$\overline{CD}^2 = 36$, $\overline{CD}$는 제곱해서 36이 되는 수, 즉 $\overline{CD} = 6$이다.

학생답안

① $\overline{AC}^2 = 5$, $\overline{AC}$는 제곱해서 5가 되는 수

⑤ $\overline{BD}^2 = 100$ ($\overline{BD} = 10$), $\overline{BD}$는 제곱해서 100이 되는 수

② $\overline{AD}^2 = 29$, $\overline{AD}$는 제곱해서 29가 되는 수

⑥ $\overline{CD}^2 = 36$ ($\overline{CD} = 6$), $\overline{CD}$는 제곱해서 36이 되는 수

③ $\overline{AB}^2 = 25$ ($\overline{AB} = 5$), $\overline{AB}$는 제곱해서 25가 되는 수

④ $\overline{BC}^2 = 40$, $\overline{BC}$는 제곱해서 40이 되는 수

$AD^2 = 29$ $AB^2 = 25$ $6 < \overline{BC} < 7$
$BA^2 = 25$ $BD^2 = 100$ $5 < \overline{AD} < 6$
$AC^2 = 5$
$CD^2 = 406$

- $\boxed{1}$(1)에서 피타고라스 정리를 이용할 수도 있지만 어림값으로 구하려고 할 수도 있다. 학생들이 길이를 다양하게 표현할 수 있도록 한다.
- $\boxed{1}$(1)에서 예상 답안 외에 다음과 같이 피타고라스 정리를 이용하여 계산하지 않고, 대소만 비교할 수도 있다.

> 1. 가로로 더 칸수가
> 많기 때문이다.
> 2. $\overline{AB}$길이를 구해보면 5cm마다
> (한칸의 1cm) $\overline{AD}$는 5칸에 대각선으로
> 있기 때문에 당연히 $\overline{AD}$가 더 길다.

- 어림값으로 구할 때 다음과 같은 오답을 제시할 수도 있다. 제곱했을 때 5가 되는 수를 2.5라고 할 수 있다. 이때 이런 추측이 옳은지 점검해 보도록 할 수 있다.

> ① $\overline{BD}^2 = 100 \Rightarrow 10$
> ② $\overline{AC}^2 = 5 \Rightarrow 2.5$

- $\boxed{1}$(1)에서는 자로 잰다고 답한 수준이 가장 낮다고 볼 수 있다. 직사각형의 대각선의 길이를 비교할 때, 피타고라스 정리를 어떻게 사용했는지 발표시킬 수 있다. 이때 상위 수준의 답을 먼저 소개하여 다른 의견이 묻히지 않도록 하는 것이 좋다. 하위 수준의 발표를 한 학생도 다른 의견을 듣고 자기의 풀이를 보다 구체적으로 발전시킬 수 있는 시간이 필요하다.
- 다음과 같은 표현에서 수업 중 참과 거짓을 밝히는 것에 많은 에너지를 쏟지 않아도 된다. 여기서는 제곱근의 뜻을 경험하는 것이 목표이므로 참과 거짓을 분석하다가 학생들이 길을 잃을 가능성도 있다. 적당한 선에서 옳은 설명으로 간주할 수 있다. 정사각형의 넓이와 한 변의 길이로 설명하는 정도로 그친다.

> $\overline{AD}^2 > \overline{AB}^2$ 그러므로 $\overline{AD} > \overline{AB}$

- $\boxed{1}$(2)와 (3)에서는 선분의 길이인데 음수가 나올 수도 있다고 생각할 수 있다. 실제로 이상하다고 질문하는 학생이 있었다. 이에 대해 생각해 볼 기회를 제공할 수 있다.

참고

수업 중 학생들이 피타고라스 정리를 떠올리지 못한다면 다음과 같이 간단히 제시하는 것도 좋다.

> 직각을 낀 두 변의 길이가 a, b이고 빗변의 길이가 c인 직각삼각형의 세 변의 길이 사이에는 $a^2+b^2=c^2$인 관계가 성립한다. 피타고라스 정리를 이용하면 직각삼각형의 두 변의 길이를 알고 있을 때 나머지 한 변의 길이를 구할 수 있다.
>
>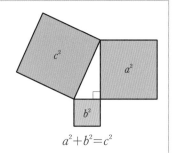
>
> $a^2+b^2=c^2$

발표 순서를 정하는 것은 『효과적인 수학적 논의를 위해 교사가 알아야 할 5가지 관행』에서 '계열 짓기'를 참고한다.
- 학생들의 반응을 예상하여 어떤 순서로 계열을 지어 공유할 것인지에 대하여 미리 고민해야 한다.
- 보다 구체적으로 발전시킬 수 있는 시간이 필요하다.
- 일반적으로는 구체적인 전략에서 시작하여 추상적인 전략으로 연결하는 것을 권장한다.
- 오류를 통해 배울 점이 있다면 소개하는 것도 좋다.

개념과 원리 탐구하기 2 _ 제곱근의 뜻

교과서(상) 14쪽

탐구 활동 의도

- **탐구하기 1**에서 직관적으로 이해한 제곱근의 뜻을 수학적으로 표현하고, 귀납적으로 제곱근의 특징을 탐구한다.
- 1은 **탐구하기 1**에서 학습한 내용을 다른 예에 적용하여 확인하는 과제다. '제곱해서 □가 되는 수'라고 표현한 것과 식을 연결하고, □를 찾아 비교함으로써 제곱근의 특징을 추론할 수 있다. 학생들은 양수 a의 제곱근, 0의 제곱근의 특징을 발견할 수 있다.
- 1을 끝내면 제곱근의 뜻을 이해하고, 자신의 방법으로 표현하게 할 수 있다.
- 2는 학생들이 혼란스러워 하는 예를 이용하여 1에서 정리한 제곱근의 뜻을 보다 분명하게 이해할 수 있도록 하는 탐구 과제다. 제곱과 제곱근의 의미를 정의에 충실하게 이해할 수 있도록 했다.

예상 답안

1   (1) ① $\sqrt{8}$, $-\sqrt{8}$ ② 3, -3 ③ 4, -4
       ④ 없다.   ⑤ 0

(2)

나의 생각	모둠의 의견
• 제곱해서 8이 되는 수는 $+$, $-$ 두 가지다. • 제곱해서 8이 되는 수는 두 가지가 나올 때도 있고, 한 가지가 나올 때도 있다. • 제곱해서 9와 16이 되는 수는 $+$, $-$ 두 가지다. • 제곱해서 -9가 되는 수는 없다. • 제곱해서 0이 되는 수는 한 개다.	• 어떤 수를 제곱하여 양수가 될 때, 그 어떤 수는 $+$, $-$ 두 가지다. • 제곱하여 음수가 되는 수는 없다. • 제곱하여 0이 되는 수는 0뿐이다.

2   (1) 옳지 않다.

왜냐하면 보현이의 말대로 □ 안에 2를 대입하면 $\sqrt{2^2}=\sqrt{2\times2}=2$이기 때문이다. $4=\sqrt{16}$이므로 $□^2=16$이다. 따라서 □ 안에 들어갈 수는 4와 -4다.

학생
답안

> 2를 제곱하면 4가 되므로 $\sqrt{4}$가 된다. $\sqrt{4}$는 2이므로 거짓이다. $\sqrt{\boxed{4\ \text{또는}\ -4}^2}=4$ □ 안에 들어갈 수는 4 또는 -4이다.

> 거짓, 왜냐하면 $\sqrt{4}$가 되는데 $\sqrt{4}=2$이므로 거짓이다.

(2) ① ○, $(-\sqrt{8})^2=(-\sqrt{8})\times(-\sqrt{8})=\sqrt{8}\times\sqrt{8}=8$이다.

    ② ○, $-\sqrt{64}$는 64의 음의 제곱근이므로 -8이다.

    ③ ○, $\sqrt{8^2}=\sqrt{64}$이다. $\sqrt{64}$는 64의 양의 제곱근이므로 8이다.

    ④ ×, 제곱하여 0이 되는 수는 0뿐이므로 0의 제곱근은 한 개다.

학생
답안

> ① $(-\sqrt{8})^2=8$ $(-\sqrt{8})\times(-\sqrt{8})=+(\sqrt{8})^2=8$
>
> ② $-\sqrt{64}=-8$ $-\sqrt{8\times8}=-\sqrt{8}$
>
> ③ $\sqrt{8^2}=8$ $\sqrt{8\times8}=8$
>
> ④ 모든 수의 제곱근은 두 개다. (양)   반례) 0 , 음수 (숙답X)

> ① $(-\sqrt{8})^2=8$ 옳다. $-\sqrt{8}$을 제곱했으므로 양수가 되고 $(\sqrt{8})^2=8$이기 때문이다.
>
> ② $-\sqrt{64}=-8$ 옳다. $\sqrt{64}=8$이고 앞에 음의 부호가 있기 때문이다.
>
> ③ $\sqrt{8^2}=8$ 옳다. $8^2=64$이므로 $\sqrt{64}=8$이다.
>
> ④ 모든 수의 제곱근은 두 개다. 옳지 않다. 0의 경우는 제곱근이 1개이기 때문이다.

3   (1) 6, $\sqrt{(-6)^2}=6$, $(-6)^2$은 36이므로 $\sqrt{(-6)^2}$은 36의 양의 제곱근 6이다.

    (2) -3, $-\sqrt{3^2}=-3$, 3^2은 9이므로 $-\sqrt{9}$는 9의 음의 제곱근 -3이다.

    (3) 5, $(-\sqrt{5})^2=5$, $-\sqrt{5}$는 5의 음의 제곱근이므로 제곱해서 5가 된다.

    (4) -7, $-\sqrt{49}=-7$, $-\sqrt{49}$는 49의 음의 제곱근이므로 -7이다.

수업 노하우

• 1 에서 학생들은 다음과 같은 답변을 하는 것을 볼 수 있었다. 답을 적고 나서 바로 채점하지 않고, 학생들이 자신의 답에 대해 다시 한번 돌아볼 수 있도록 발문한다.

  • 자연수만 쓴 경우

- $\sqrt{}$ 기호만 이용한 경우

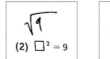

- $\sqrt{}$ 기호와 자연수를 이용한 경우

- 1 에서 다양한 표현이 골고루 나올 수 있도록 답변을 전부 들어 보고, 서로의 주장을 반박하고 보완하면서 여러 가지 논의를 해볼 수 있도록 한다. 학생들이 다음과 같이 논의를 이어가기도 했다.

> ①~⑤의 결과를 두고 왜 이렇게 나왔는지 연결해 보자.
> $\sqrt{9}$, $-\sqrt{9}$, 3, -3의 네 가지 결과에서 $3=\sqrt{9}$임을 알아내게 한다.

- 1 (1) ①에서 처음부터 $\sqrt{8}$, $-\sqrt{8}$ 두 가지를 모두 적기는 어렵다. 하지만 ② $(\boxed{})^2=9$에서 제곱수인 9의 제곱근을 적으면서 $(\boxed{})^2=8$의 결과에 대해 다시 생각해 볼 수 있다. 모두 찾은 것인지 자신의 결과를 되돌아 보도록 한다.
- 2 (2)에서 따로 강조하지는 않지만 3 을 통하여 제곱근이 2개라는 사실과 이어질 수 있도록 한다.
- 2 , 3 은 제곱근의 뜻을 이해할 수 있도록 하는 과정이다. 예를 들어 $\sqrt{2}$는 제곱하여 2가 나오는 수, $\sqrt{2^2}$는 제곱하여 2^2이 나오는 '수'라는 구조를 볼 수 있게 안내한다. 제곱해서 8^2이 나오는 양수는 8임을 바로 이해하기는 쉽지 않다. 8^2을 64로 변환해서 생각해 볼 수 있지만, 8^2을 8을 제곱한 수로 볼 수 있도록 안내한다.

 ## 개념과 원리 탐구하기 3 _ $\sqrt{2}$의 어림값

교과서(상) 16쪽

탐구 활동 의도

- $\sqrt{2}$의 어림값을 찾는 과정에서 유리수가 아닌 순환하지 않는 무한소수로 나타나는 수를 발견하도록 한다.
- 1 은 조리개에 쓰여 있는 수의 패턴을 관찰하여 한 칸이 약 1.4배, 두 칸이 2배임을 발견하여 $\sqrt{2}$가 1.4 정도의 어림값이라는 사실을 직관적으로 이해하기 위함이다.
- 2 는 1 또는 직접 자로 잰 값인 1.4에서 시작하여 제곱해서 2가 되는 값을 계산기를 이용하여 발견하도록 했다. 학생들이 계산기를 이용하여 수치를 계산하여 보다 2에 가까운 값을 찾는 과정에서 $\sqrt{2}$가 순환하지 않는 무한소수임을 경험할 수 있다.

1

- 짝수 번째 칸은 2, 4, 8, 16, 32로 2의 거듭제곱이다.
- 홀수 번째 칸은 약 두 배씩, 짝수 번째 칸은 정확히 두 배씩 커진다.
- 오른쪽으로 한 칸씩 갈 때마다 약 1.4배씩 커진다.

학생답안

$$\boxed{1.4} \quad \boxed{2} \quad \boxed{2.8} \quad \boxed{4} \quad \boxed{5.6} \quad \boxed{8} \quad \boxed{11} \quad \boxed{16} \quad \boxed{22} \quad \boxed{32}$$

○ = 2의 배수
△ = 그 수에 2를 곱한 수

2

(1) 약 1.4 cm이다.

(2) $1.4 \times 1.4 = 1.96$으로 한변의 길이가 1.4인 정사각형은 넓이가 정확히 2는 아니다. 2에 가까운 값이다.

학생답안

약 1.41 이다

넓이 $= (1.41)^2 = 1.9881 < 2$.

$\Rightarrow$ 2가 아니다

1.5가 나오지만 2.25가 나와 수가 떨어지지 않는다. 정확하지 않다.

(3)

나의 생각	모둠의 의견
$1.4 \times 1.4 = 1.96$ $1.5 \times 1.5 = 2.25$ • 한 변의 길이가 1.4이면 넓이가 2보다 작고, 1.5이면 2보다 크기 때문에 1.4와 1.5 사이의 값이 정사각형의 한 변의 길이이다. • 1.41부터 1.42까지 차근차근 제곱해서 2에 가까운 값을 찾아간다.	$1.41^2 = 1.9881$ $1.42^2 = 2.0164$ $1.411^2 = 1.990921$ $1.412^2 = 1.993744$ $1.413^2 = 1.996569$ $1.414^2 = 1.999396$ $1.415^2 = 2.002225$ $1.4141^2 = 1.99967881$ $1.4142^2 = 1.99996164$ $\vdots$ 소수점 아래의 수가 길어질수록 2에 가까워지지만 정확한 값은 찾을 수 없다.

학생답안

$(1.4)^2 = 1.96$.
$(1.41)^2 = 1.9881$
$(1.42)^2 = 2.0164$ (×)
$(1.411)^2 = 1.990921$
$(1.412)^2 = 1.993744$
$(1.413)^2 = 1.996569$
$(1.414)^2 = 1.999396$

$(1.4141)^2 = 1.99967881$
$(1.4142)^2 = 1.99996164$
$(1.4143)^2 = 2.00024449$ (×)
$(1.44421)^2 = 1.9999809241$
$(1.44422)^2 = 2.000182084$ (×)
$(1.414211)^2 = 1.99999275262$
$(1.414212)^2 = 1.99999658094$
$(1.44213)^2 = 1.9999964936$
$(1.414214)^2 = 2.00000123779$ (×)

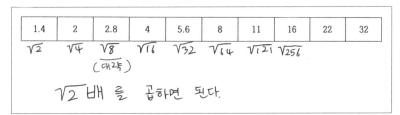

나의 생각	모둠의 의견
소숫점 아래로 계속 내려간다.	나타낼 수 없다

가장 정확한 √2의 어림값을
소수점 아래의 수가 길어질수록 원하는 수에 가깝다.

3. $1.414^2 = 1.9994$이므로 거의 2에 가깝다. 소수점 아래의 자리 수를 더 늘리면 보다 정확한 값을 찾을 수 있다. $\sqrt{2}$는 약 1.414라고 할 수 있다.

1.4^2은 2에 가까우므로 조리개의 수치는 한 칸 건너가면 $\sqrt{2}$배씩 커진다고 할 수 있다. 그러므로 두 칸 건너가면 2배씩 커진다.

1.4	2	2.8	4	5.6	8	11	16	22	32
$\sqrt{2}$	$\sqrt{4}$	$\sqrt{8}$ (대략)	$\sqrt{16}$	$\sqrt{32}$	$\sqrt{64}$	$\sqrt{121}$	$\sqrt{256}$		

$\sqrt{2}$배를 곱하면 된다.

수업 노하우

- 2 에서 전체가 공유할 것은 정확한 $\sqrt{2}$의 어림값을 찾는 과정이 끝이 없다는 것을 이해하는 것이다.
- [참고]와 같이 검정교과서의 수직선 표현은 논리적이지만 학생들이 소수점 아래의 수가 무한하다는 실제적인 경험은 하지 못한다. 여기서는 논리적인 방법은 아니더라도 학생들이 최대한 자신만의 방법으로 $\sqrt{2}$에 가까운 값을 찾아보게 함으로써 이를 더 수월하게 이해하는 것을 관찰했다. 이 이후에 논리적인 방법을 제시하는 것이 더 효과적이다.
- 학생들이 다음과 같이 처음에는 논리 없이 찾지만 시간을 주면 어떻게 하면 더 효율적으로 찾을 수 있을지를 고민하기 시작했다. 어떻게 찾는 것이 좋을지 서로 이야기를 나누게 할 수 있다.

- 우리가 표현하려는 어림값 자체가 소수의 형태일 것이고, 분수로 표현하는 학생은 거의 없다. 자연스럽게 소수 표현을 사용한다. 그래서 그 어림값의 표현은 무리수라는 것을 알려줄 수 있다. 소수점 아래의 수가 길어질수록 원하는 수에 가까워진다. 따라서 $\sqrt{2}$는 순환하지 않는 무한소수라는 결론에 도달할 수 있다.

<table>
</table>

참고

검정교과서의 일반적인 방법

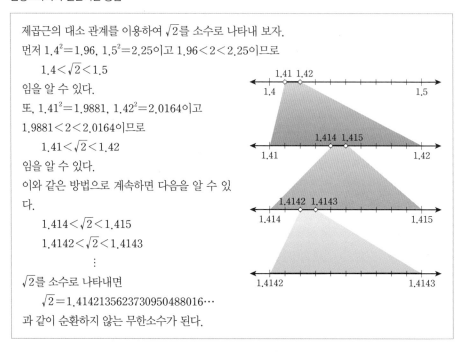

제곱근의 대소 관계를 이용하여 $\sqrt{2}$를 소수로 나타내 보자.

먼저 $1.4^2=1.96$, $1.5^2=2.25$이고 $1.96<2<2.25$이므로

$$1.4<\sqrt{2}<1.5$$

임을 알 수 있다.

또, $1.41^2=1.9881$, $1.42^2=2.0164$이고

$1.9881<2<2.0164$이므로

$$1.41<\sqrt{2}<1.42$$

임을 알 수 있다.

이와 같은 방법으로 계속하면 다음을 알 수 있다.

$$1.414<\sqrt{2}<1.415$$

$$1.4142<\sqrt{2}<1.4143$$

$$\vdots$$

$\sqrt{2}$를 소수로 나타내면

$$\sqrt{2}=1.4142135623730950488016\cdots$$

과 같이 순환하지 않는 무한소수가 된다.

- ③에서 **중학교 2학년** 때 다룬 닮음비와 넓이의 비를 연결할 수 있다. 조리개의 수치는 $\sqrt{2}$배이므로 넓이는 그 제곱배인 2배다. 그런데 그림을 보면 갈수록 조리개의 넓이가 작아지므로 조리개의 넓이는 2배가 아니라 그 역수인 $\dfrac{1}{2}$배라고 추측할 수 있다.

탐구 활동 의도

- ①은 **탐구하기 3**을 복습하고 $\sqrt{2}$뿐만 아니라 다른 제곱근도 순환하지 않는 무한소수라는 것을 다시 한번 확인하는 과제다.
- ②는 제곱수, 소수, 합성수 등을 이용하여 제곱근의 성질을 탐구하는 과제다. 근호 안의 수가 제곱수가 아닌 경우에는 소수로 표현했을 때 무한소수가 된다. 무한소수를 아무리 길게 적어도 정확한 값이 아니다. 제곱한 값을 비교하여 확인할 수 있도록 한다.
- 단순히 제곱근표를 이용하여 값만 구하는 것이 아니라 제곱근표의 어림한 값은 공학적 도구를 이용하여 구할 수 있음을 알게 한다. 제곱근표에 나와 있는 모든 값이 어림한 값은 아니며 그 중에서 참값인 것도 있음을 알 수 있다.
- ③은 제곱근의 표현과 무리수를 연결하는 탐구다. 지금까지의 수는 유리수를 의미했지만 무리수를 도입하고부터는 수의 개념을 실수로 확장할 수 있다.

예상 답안

1 $3=\sqrt{9}$, $4=\sqrt{16}$이므로 $3<\sqrt{10}<4$이다.

$3.1^2=9.61$

$3.2^2=10.24$

$3.11^2=9.6721$

$3.12^2=9.7344$

$3.13^2=9.7969$

$3.14^2=9.8596$

$3.15^2=9.9225$

$3.16^2=9.9856$

$3.17^2=10.0489$

$\vdots$

따라서 $\sqrt{10}$의 값은 약 3.16이다.

학생
답안

$\sim\!\!\textcircled{p}\ 3<x<4$

$3<\sqrt{10}<4$ $(3.1)^2-9.61$, $(3.2)^2=10.24$

$9<\textcircled{2}^2<10$ $(3.16)^2=9.9856$, $(3.17)^2=10.0489$

$(3.162)^2=9.998244$, $(3.163)^2=10.004569$

넓이가 10인 정사각형.

$3.16 \rightarrow 9.9856$

$3.17 \rightarrow 10.0489$

$3.16277766016 \rightarrow 9.9999999994$

$3.1622777660117 \rightarrow 10$

2 (1)

	숙영이의 방법	여진이의 방법
$\sqrt{29}$	$5.3851648 \times 5.3851648 = 28.999999923$	$\sqrt{29} \times \sqrt{29} = 29$
$\sqrt{6}$	$2.4494897 \times 2.4494897 = 5.99999979$	$\sqrt{6} \times \sqrt{6} = 6$
$\sqrt{100}$	$10 \times 10 = 100$	$\sqrt{100} \times \sqrt{100} = 100$

학생
답안

$\sqrt{29}$	$5.3851648 \times 5.3851648 =$ $28.9999999 2315904$	$\sqrt{29} \times \sqrt{29} = 29$
$\sqrt{100}$	$10 \times 10 = 100$	$\sqrt{100} \times \sqrt{100} = 100$

(2) • 숙영이의 방법으로 계산하면 $\sqrt{29}$와 $\sqrt{6}$은 순환하지 않는 무한소수라서 어림값으로 표현할
수 밖에 없다.

　　어림값은 실제 값과는 차이가 있기 때문에 제곱해도 차이가 있다.

　　여진이는 주어진 제곱근 자체를 제곱했기 때문에 항상 근호 안의 수가 된다.

• 근호 안의 수가 제곱수일 때는 두 사람의 결과가 같아진다.

• 근호 안의 수가 제곱수가 아닐 때는 순환하지 않는 무한소수이므로 소수점 아래의 수가 많아
지더라도 그 수는 정확한 값이 아니기 때문에 두 사람의 결과는 같지 않다.

학생
답안

> • 근호 안의 수가 제곱수가 아닌 경우에는 소수로 표현했을 때 무한소수가 된다.
> 　그래서 무한소수를 아무리 길게 적더라도 원래 그 값과 완전히 같은 값이 될 수 없다.
> • 근호 안의 수가 제곱수 일때는 두사람의 결과가 같아진다.

> 루트 안의 수가 제곱수 일때는　　　근호안의 수가 제곱가 아닌 경우에는
> 계산기와 계산기 없이 가깝다.　　　소수로 표현 했을때, 무한소수가 된다.
> 　└ 두사람 결과　　　　　　　　무한 소수를 아무리 길게 적더라도
> 　　　　　　　　　　　　　　　원래 그값과 완전히 같은 값의 된수노
> 　　　　　　　　　　　　　　　없는 것이다.

3 (1) • $\sqrt{2.35}$의 어림값은 1.533이다.

　　• 제곱해서 2.35가 나오는 수는 1.533에 가까운 값이다.

　　• 1.533을 제곱하면 2.35에 가까운 값이 나온다.

학생
답안

> 1.533을 제곱하면 ~~2.35가 된다~~
> $\sqrt{2.35}$의 값이 1.533이다

> $1.533^2 = 2.35$

(2) ① $\sqrt{3.51} = 1.873$　　　② $\sqrt{17} = 4.123$　　　③ $\sqrt{2.8} = 1.673$

(3)

	유리수	무리수
구분	$\sqrt{1}, \sqrt{4}, \sqrt{9}$	$\sqrt{2}, \sqrt{3}, \sqrt{5}, \sqrt{6}, \sqrt{7}, \sqrt{8}, \sqrt{10}$
이유	$\sqrt{1} = \sqrt{1^2} = 1$, $\sqrt{4} = \sqrt{2^2} = 2$, $\sqrt{9} = \sqrt{3^2} = 3$ 이와 같이 어떤 수의 제곱은 루트 안에 있더라도 유리수가 된다. 루트 안의 수가 제곱수 아닌 경우는 무리수가 된다.	

유리수 : $\sqrt{1}$, $\sqrt{4}$, $\sqrt{9}$
무리수 : $\sqrt{2}$, $\sqrt{3}$, $\sqrt{5}$, $\sqrt{6}$, $\sqrt{7}$, $\sqrt{8}$, $\sqrt{10}$

$\sqrt{1}$ = 숫자 1이라같고 $\sqrt{4}$는 2, $\sqrt{9}$=3 이여서 유리수이고
$\sqrt{2}$,$\sqrt{3}$,$\sqrt{5}$,$\sqrt{6}$,$\sqrt{7}$,$\sqrt{8}$,$\sqrt{10}$는 모두정수로 나타낼수 없기여서 이8개의
무리수이다.

유리수 : $\sqrt{4}$,$\sqrt{1}$,$\sqrt{9}$ 무리수 : $\sqrt{2}$,$\sqrt{3}$,$\sqrt{5}$,$\sqrt{6}$,$\sqrt{7}$,$\sqrt{8}$,$\sqrt{10}$
계산기로 나누면 된다
예) $\sqrt{4}$를 $\sqrt{4}$로나누면 2가 나온다.
1.예) $\sqrt{2}$를 $\sqrt{2}$로 나누면 어림값으로 1.4142356237 이다

수업 노하우

- $\boxed{2}$ 에서 여진이는 $\sqrt{29}$를 제곱하여 29를 얻었고, 숙영이는 $\sqrt{29}$의 계산기 값을 제곱하여 28.99999992를 얻었다. 처음 계산기로 얻은 값이 5.3851648…이므로 $\sqrt{29}$의 어림값이라고 할 수 있다. 그래서 제곱해도 약간의 차이가 생겼다. 더 정교한 계산기를 사용한다면 차이가 줄어들 것이다.

- $\boxed{2}$ 에서 학생들은 여진이의 방법이 편하다는 이야기를 했다. 숙영이의 방법은 계산기가 있어야만 계산이 가능하다고 표현하기도 했다.

1. 숙영이는 a면 $\sqrt{x}$면 x의 어림값으로 계산.
2. 여진이는 $\sqrt{}$의 성질($\sqrt{}$)을 이용해 계산.
3. 숙영이의 방법은 대변 계산기가 필요하다.
4. 제곱하는 2가지의 방법이 같다.

여진이의 방법이 훨씬 심플하다.
숙영이의 방법이 어렵다.
$\sqrt{a} \times \sqrt{a} = a$ 이다
제곱수면 2당 나온다.

- $\boxed{3}$ (1)에서 간략하게 표만 읽은 경우가 있다. 이 경우 제곱근의 뜻을 적용하여 설명할 수 있도록 안내한다.

$\sqrt{2.35}$의 어림값이 1.533

- 다음과 같은 오답도 많았다. 제곱근의 개념에서 루트 기호와 수를 분리해서 생각하지 않고 하나의 수로 볼 수 있도록 안내할 수 있다.

$\sqrt{2.35}$를 $\sqrt{}$ 에서 꺼면 값이 대략 1.533

- $\boxed{3}$ (3)에서 $\sqrt{1}$을 무리수라고 생각하는 오답이 생각보다 많았다. 이를 통해 제곱근 기호가 그만큼 학생들에게 낯설게 느껴지고 1을 제외한 다른 모든 수가 $a \neq \sqrt{a}$이기 때문이라는 생각을 해 보게 된다. 형태보다는 제곱근의 뜻을 이용하여 $\sqrt{1}$이 무엇인지 생각해 볼 수 있는 발문을 해 보는 것도 좋다.

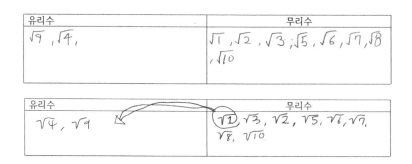

유리수	무리수
$\sqrt{9}$, $\sqrt{4}$,	$\sqrt{1}$, $\sqrt{2}$, $\sqrt{3}$, $\sqrt{5}$, $\sqrt{6}$, $\sqrt{7}$, $\sqrt{8}$, $\sqrt{10}$

유리수	무리수
$\sqrt{4}$, $\sqrt{9}$	$\sqrt{1}$, $\sqrt{3}$, $\sqrt{2}$, $\sqrt{5}$, $\sqrt{6}$, $\sqrt{7}$, $\sqrt{8}$, $\sqrt{10}$

개념과 원리 탐구하기 5 _ 실수의 수직선 표현

교과서(상) 20쪽

탐구 활동 의도

- 여기서는 유리수만으로 수직선을 가득 채울 수 없다는 것을 알게 된다. 또한 수직선에 대응하는 수를 표시해 보면서 이후 이를 바탕으로 **탐구하기 6**에서 실수의 대소 관계를 구분할 수 있는 발판을 마련한다.

- 1은 유리수를 수직선 위에 나타내고 수직선 위에 유리수가 무수히 많다는 사실을 이해하는 것이 목표다.

- 2는 무리수가 실제 존재하지 않는 수라는 학생들의 오해를 해소하기 위한 것이다. 무리수를 수직선에 나타내는 방법을 생각해 보고 그 위치로 무리수의 크기를 유추할 수 있도록 한다.

- 피타고라스 정리를 이용하면 $\sqrt{2}$, $\sqrt{5}$의 길이를 작도할 때 정사각형을 이용하지 않아도 된다. 바로 직각삼각형의 빗변의 길이로 작도할 수 있다. 이 과정을 이용하여 $\sqrt{7}$을 어떻게 작도할 수 있을지 고민하며 모든 무리수도 크기를 비교할 수 있음을 직관적으로 이해하게 한다.

- 3은 무리수를 수직선에 모두 표시할 수 있다는 것을 추론할 수 있도록 한 과제다. 모든 무리수가 각각 수직선 위의 한 점에 대응하고 결과적으로 유리수와 무리수에 대응하는 점을 수직선에 나타내다 보면 수직선에 더 이상 나타낼 수 있는 공간이 없다는 사실을 눈으로 확인할 수 있다.

예상 답안

1 (1) ①
② ③

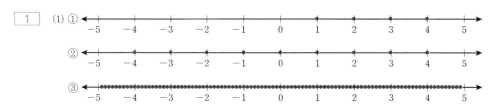

학 생
답 안

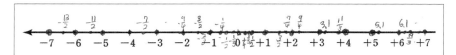

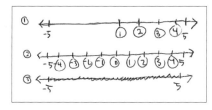

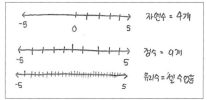

(2) • 주어진 범위에서 자연수와 정수는 유한 개고 유리수는 무한 개다.

　　• 자연수, 정수, 유리수만으로는 수직선을 빈틈없이 채울 수 없을 것 같다.

　　• 무리수도 크기가 있으므로 유리수만으로는 빈 자리가 있어야 한다.

학 생
답 안

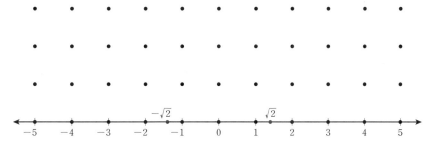

2　(1) • $\sqrt{2} = 1.414\cdots$의 근삿값을 이용하여 수직선에 표시하는 경우

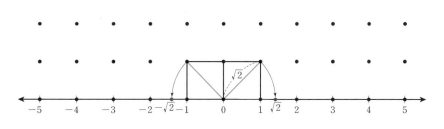

　　• 한 변의 길이가 1인 정사각형의 대각선의 길이(피타고라스 정리)를 이용하여 표시하는 경우

• 넓이가 2인 정사각형의 한 변의 길이를 구하여 표시하는 경우

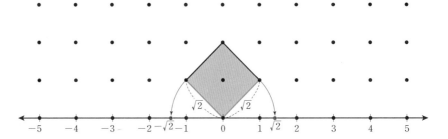

(2) • $\sqrt{5}=2.236\cdots$의 근삿값을 이용하여 수직선에 표시하는 경우

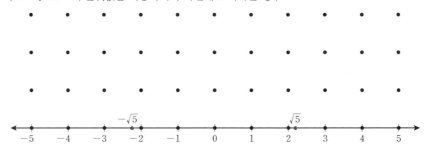

• 직각을 낀 두 변의 길이가 1, 2인 직각삼각형의 빗변의 길이(피타고라스 정리)를 이용하여 표시하는 경우

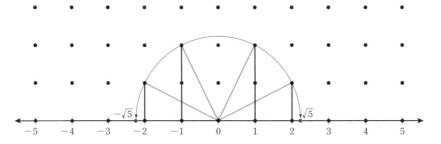

• 넓이가 5인 정사각형의 한 변의 길이를 구하여 표시하는 경우

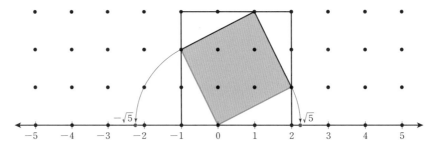

(3) 표시할 수 있다.

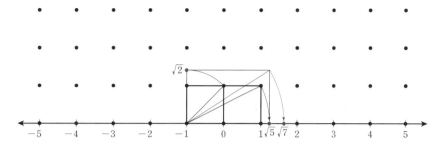

√2와 √5를 수직선에 표시할 수 있으므로 밑변과 높이가 √5와 √2인 직각삼각형을 그리면 그 대각선의 길이는 피타고라스 정리에 의해서 √7이 된다. 이 길이를 컴퍼스로 재서 수직선에 옮기면 √7을 표시할 수 있다.

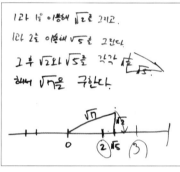

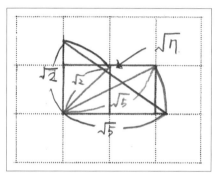

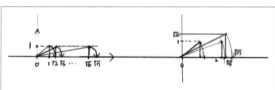

3 모든 무리수는 수직선에 표시할 수 있다.

이미 수직선에 표시한 √2, √5, √7 등을 이용하여 다른 무리수도 얼마든지 수직선에 표시할 수 있다. 일반적으로 수직선은 유리수와 무리수, 즉 실수에 대응하는 점들로 완전히 메울 수 있음이 알려져 있다.

- ①은 다음과 같은 활동을 할 수 있다. 우선 칠판 전체를 가로지르는 큰 수직선을 그린다. 학생들 중 유리수의 뜻을 기억 못하는 학생들도 있어서 반 전체 학생들이 한 명씩 유리수를 큰 소리로 부르도록 하고, 다른 친구가 부른 유리수를 각자 활동지에 있는 수직선에, 교사는 칠판 위의 수직선에 표시하도록 했다. 한두 명이 먼저 시작하면 그 의미는 금방 눈치로도 알 수 있어서 반 전체가 두 번 정도 돌아가고 나면 −5와 5 사이에 손으로 표시할 수 있는 유리수는 거의 다 나온다. 그러면서도 아직도 끝없이 유리수를 부를 수 있다는 사실도 알게 된다. 이렇게 진행하면서 유리수가 수직선 위에 많이 있다는 사실을 함께 느낄 수 있었다.

- ①(2)에서 다음과 같이 연속에 대한 아이디어를 설명한 학생도 있었다.

> 유리수는 연속성이 있다.
> 정수와 자연수는 불연속적이다.
>
> 유리수 만으로 수직선 모두 채울 수있다.
> 자연수는 정수에 포함된다.
> 정수는 유리수에 포함된다

- ②는 검정교과서에서 흔히 주어지는 문제다. 하지만 무리수를 주고 수직선에서 그 위치를 정확히 찾도록 하는 문제에서 학생들은 교사들과 의견이 달랐다.
  교사들은 계산기로 알아낸 값은 어림값이고, 작도한 위치는 정확한 표시라고 생각했다. 학생들은 작도 자체가 정확한 방법이 아니라고 생각했다. 연필심의 두께, 컴퍼스를 이용하면서 생기는 흔들림 등 그 오차가 계산기로 어림값을 계산하는 것보다 크다고 생각했다. 그래서 수직선만 제시하고 $\sqrt{2}$의 정확한 위치를 찾자고 제안했을 때, 작도를 선택하는 학생들이 거의 없었다. 보통 어림값으로 표시하려고 했다.

- ②(1), (2)에서 정확한 값을 찾는다기보다는 어떻게 작도해야 할 것인지 물을 수 있다. 그리고 이는 생각보다 막막하게 느껴질 수 있다. 피타고라스 정리를 이용하면 보다 간편할 수도 있지만 제곱근 원래의 뜻을 떠올려 넓이가 2인 정사각형을 모눈종이에 그리는 아이디어가 작도하기 편리할 수도 있다. $\sqrt{2}$나 $\sqrt{5}$보다는 제곱해서 2나 5가 되는 값이라고 표현하여 원래의 뜻을 상기시키는 발문을 할 수 있다.

- 근삿값으로 접근했던 학생들은 쉽게 위치를 표시한다. 하지만 순환하지 않는 무한소수라는 개념으로 이해한 학생들은 끝이 없어서 정확히 알지도 못하는 수를 도대체 어떻게 수직선 위에 나타낼 수 있는 거냐며 의문을 표시하기도 했다.

- ②(3)에서 $\sqrt{7}$을 한 변의 길이로 하는 정사각형을 만들어 작도할 수 있다고 답한 경우도 있다. 그러나 생각보다 이는 쉽지 않으므로 다른 방법이 있는지 생각해 보게 할 수 있다.

> 0을 중심으로 한변 $\sqrt{7}$인 정사각형을 만들고 그면을 따라
> $0-\sqrt{7}$, $0+\sqrt{7}$ 을 만들어 수직선에 점을 찍는다

- 이 탐구하기는 **수학의 발견 중2 STAGE 1**의 21쪽 ③과 연결된다.

> 유리수는 $\dfrac{a}{b}$ $(a, b$는 정수, $b \neq 0)$의 꼴로 나타내어지는 수입니다. 즉, 분자, 분모가 모두 정수인 분수 꼴로 나타낼 수 있습니다.
> 유리수를 소수로 고쳤을 때, 순환하지 않는 무한소수가 나올 수 있을지 판단해 보고 그렇게 생각한 이유를 써보자.

참고   ②의 예상 답안 중 근삿값을 이용하여 표시한 경우도 답안으로 인정하는 이유는 무리수의 정확한 값을 찾는 것보다 수직선 위의 존재 여부가 더 중요한 의도를 가지는 탐구이기 때문이다. ③에서 근호 안에 자연수 n이 들어가는 $\sqrt{n}$ 꼴의 무리수를 길이로 가지는 유명한 그림(테오도로스의 바퀴)에서도 찾아볼 수 있다. **탐구 되돌아보기** ⑤와 연결할 수 있다.

탐구 활동 의도

- **1**에서는 근호(루트)를 사용한 수의 크기를 어림하는 감각을 키우려는 것이다. 예를 들어 4와 $\sqrt{4}$ 를 혼동하기 때문에 다양한 수를 어림값으로 수직선 위에 나타내어 볼 필요가 있다. (3)은 학생마다 선호하는 형태가 있기 때문에 다른 학생들의 예를 표시해 보게 했다.

- **2**는 두 실수의 크기를 비교하는 방법에 대해 생각해 보도록 한다. 유리수에서와 마찬가지로 실수에서도 수직선 위의 오른쪽에 있는 점에 대응하는 수가 왼쪽에 있는 점에 대응하는 수보다 크다는 것을 연결하게 하기 위함이다.

- **3**에서는 3과 4 사이에 있는 무리수를 찾는다. 7개 이상을 찾도록 함으로써 근호 안에 자연수만 들어가는 형태가 아닌 다양한 형태의 무리수가 등장할 수 있도록 했다.

예상 답안

1 (1) $\overline{AB}=5$, $\overline{AC}=\sqrt{5}=2.2360\cdots$, $\overline{AD}=\sqrt{29}=5.3851\cdots$, $\overline{BC}=\sqrt{40}=6.3245\cdots$, $\overline{BD}=\sqrt{100}=10$, $\overline{CD}=6$

학생
답안

(2)

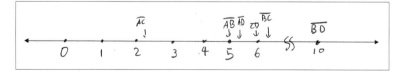

(3) 내가 만든 수 : $\sqrt{8}$, $\sqrt{121}$, $\sqrt{25}$

계산기를 이용해 보면

$\sqrt{8}=2.828\cdots$, $\sqrt{121}=11$, $\sqrt{25}=5$다.

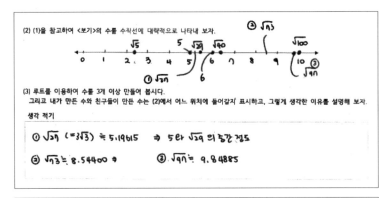

(3) 루트를 이용하여 수를 3개 이상 만들어 봅시다.
그리고 내가 만든 수와 친구들이 만든 수는 (2)에서 어느 위치에 들어갈지 표시하고, 그렇게 생각한 이유를 설명해 보자.

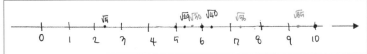

2

- $-\sqrt{10}$은 약 -3.3 정도야. 수직선에 찍어 보면 -10보다 $-\sqrt{10}$이 더 오른쪽에 있기 때문에 더 크지.

- $\sqrt{10}$은 제곱하면 10이 되니깐 당연히 $\sqrt{10}$은 10보다 작은 수야. 그런데 -10과 $-\sqrt{10}$은 둘 다 음수기 때문에 결과는 반대가 되는 거지. 즉, -10이랑 $-\sqrt{10}$을 비교하면 $-\sqrt{10}$이 더 큰 수야.

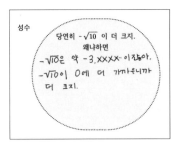 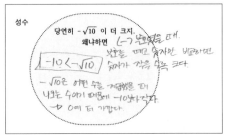

3

학생들의 답은 다양할 수 있다.

- 수 : 9.1, 10, 11, $11\frac{1}{2}$, 12, 13, 14, 15

- 방법 : $3<\sqrt{\square}<4$는 $\sqrt{9}<\sqrt{\square}<\sqrt{16}$이므로 $\square$에 알맞은 수는 9와 16 사이에 있는 수(정수가 아닌 유리수 포함)가 가능하다.

수업 노하우

- 공학용이나 스마트폰 계산기를 사용하는 방법은 다음과 같다. 수업 중에 사용할 계산기를 미리 확인한다.

> $\boxed{\sqrt{}}$ → $\boxed{5}$ → $\boxed{=}$
>
> 하지만 시중에 판매되는 계산기 중에는 숫자를 먼저 누르고 난 후 $\boxed{\sqrt{}}$를 누르면 결과가 나오는 것도 있다.
>
> : 간단한 계산기의 경우 '$\boxed{x^2}$'이나 '$\boxed{\sqrt{}}$'가 없는 경우도 있다.
>
> 기종에 따라서 이 버튼이 없더라도 3의 제곱의 경우 : '3 * =', 루트 3의 경우 : '3÷='으로 값을 구할 수도 있다.

- ③에서 ▢ 안에 들어갈 수 있는 수가 하나뿐일 거라고 생각하기 쉽다. 학생들이 가능한 여러 가지를 찾아보도록 일부러 7개까지 찾도록 안내했다. 6개 또는 그 이하를 찾으라고 하면 다음과 같이 자연수만 쓰는 경향을 보인다.

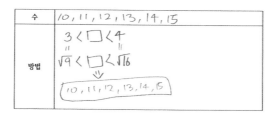

- 제곱근에 익숙해질 수 있도록 매시간 자유롭게 계산기를 사용하도록 했더니 학생들이 다음과 같은 질문을 했다.

> "어떤 수 하나를 눌러도 루트를 계속 누르면 결국엔 1이 돼요. 왜 그럴까요?"

- 학생들과 구체적인 예를 대입해서 '루트' 버튼을 누를 때마다 어떤 수로 바뀌는지 생각해 보도록 토론할 수 있다. 학생들이 루트라는 것이 어떤 수를 표현하기 위한 기호 정도로만 생각하다가 이 문제에 대하여 이야기하면서 '곱하기'같은 계산, 즉 '제곱'이라는 계산의 역연산이라는 결론에 이르기도 하였다.
- 제곱근표를 이용하여 어림값으로 계속 추적해 나갈 수도 있다. 이런 과정을 통해 제곱근을 여러 가지 관점에서 해석하고 하나의 수로 받아들일 수 있었다.

수업 연구

　① (3)과 같이 질문에서 3개를 만들어 보도록 한 것은 『색다른 학교수학』에서 나온 아이디어다. 답을 한 개만 만들도록 하면 자신이 생각하는 '예 공간(example space)'에서 전형적인 예를 가져온다. 하나씩 추가로 더 만들도록 하면서 기존에 자신이 가지고 있던 예 공간을 확장해 보는 경험을 하게 되는 것이다.

게임하며 탐구하기 7 _ 수학자를 맞혀라.

탐구 활동 의도

- 제곱근에 관한 문제들을 경험한다.
- 수학자들에 대한 간단한 이야기를 읽어 보고 답을 찾아 수학자들에 대한 관심을 갖도록 한다.

예상 답안

1 (1) 제곱해서 10이 되는 수는 $\pm\sqrt{10}$이고 넓이가 10인 정사각형의 한 변의 길이는 양수이므로 $\sqrt{10}$이다.

(2) $-5=-\sqrt{25}$이므로 $-\sqrt{29}$보다 -5가 더 큰 수다.

(3) 피타고라스 정리에 의해 한 변의 길이가 2인 정사각형의 대각선의 길이의 제곱은 $2^2+2^2=8$이므로 대각선의 길이는 $\sqrt{8}$이다.

(4) $\pm\sqrt{7}$ 중 음수인 것은 $-\sqrt{7}$이다.

문제	(1)	(2)	(3)	(4)
정답	$\sqrt{10}$	-5	$\sqrt{8}$	$-\sqrt{7}$
문자	데	카	르	트

2 (1) $\sqrt{4}=2$이고 $\sqrt{9}+1=3+1=4$이므로 유리수다. $\sqrt{6}$은 무리수다.

(2) 직각삼각형에서 피타고라스 정리를 이용하면
$(\sqrt{2})^2+x^2=(\sqrt{10})^2$이므로 $x^2=8$
이고 x는 양수이므로 $x=\sqrt{8}$이다.

(3) $-\sqrt{36}=-\sqrt{6^2}=-6$

문제	(1)	(2)	(3)
정답	$\sqrt{6}$	$\sqrt{8}$	-6
문자	페	르	마

3 (1) $\sqrt{25}=5$이므로 5의 음의 제곱근은 $-\sqrt{5}$다.

(2) 직각삼각형의 밑변의 길이는 2이고 높이는 $\sqrt{12}$이다. 피타고라스 정리를 이용하면
$2^2+(\sqrt{12})^2=x^2$, $4+12=x^2$이므로 $x^2=16$
이고 x는 양수이므로 $x=\sqrt{16}=4$다.

(3) $3<\sqrt{10}<4$이므로 $2<\sqrt{10}-1<3$이다. $\sqrt{10}-1$보다 3이 더 크다.

문제	(1)	(2)	(3)
정답	$-\sqrt{5}$	4	3
문자	오	일	러

수업 노하우

- 학생들에게 다른 수학자들을 더 찾아볼 수 있는 시간을 주고, 프로젝트 형식이나 신문 형식으로 수학자들의 이야기를 찾아볼 수 있도록 한다.

탐구 되돌아보기 예상 답안

교과서(상) 27~29쪽

1   개념과 원리 탐구하기 1, 2

(1) • 제곱해서 6이 되는 수다.
  • 무리수다.
  • 순환하지 않는 무한소수다.
  • 2보다 크고 3보다 작다.
  • $\dfrac{(정수)}{(0이 아닌 정수)}$ 꼴로 바꿀 수 없다.

(2) • 4다.
  • 유리수다.
  • $\dfrac{(정수)}{(0이 아닌 정수)}$ 꼴로 바꿀 수 있다.

(3) $\sqrt{6}$은 무리수고 $\sqrt{16}$은 4이므로 유리수다.

2   개념과 원리 탐구하기 2

(1) ± 8, $\pm\sqrt{64}$, $\pm\dfrac{16}{2}$, $\cdots$

(2) ± 16, $\pm 4^2$, $\cdots$

(3) $\dfrac{4}{25}$, $\dfrac{8}{50}$, $\left(\pm\dfrac{2}{5}\right)^2$, $\dfrac{16}{100}$, 0.16, $\cdots$

(4) $(\pm 3.6)^2$, $\left(\pm\dfrac{18}{5}\right)^2$, 12.96, $\dfrac{324}{25}$, $\cdots$

> 참고　다양한 답이 존재하므로 학생들이 수를 다양하게 표현하는 것을 익힐 수 있도록 한다.

3   개념과 원리 탐구하기 2, 3

넓이가 4인 정사각형의 한 변의 길이는 제곱해서 4가 되는 수 중 양수인 2이고, 이것이 $\sqrt{4}$와 값이 같다. 즉, $\sqrt{4}=2$다. 4의 제곱근은 제곱해서 4가 되는 수로 ± 2다. 즉, 4의 제곱근 중 양수인 것이 넓이가 4인 정사각형의 한 변의 길이이고 $\sqrt{4}$다.

4   개념과 원리 탐구하기 4

(1) 넓이가 45 m²인 정사각형의 한 변의 길이는 제곱해서 45가 되는 수 중 양수인 수이므로 $\sqrt{45}$ m이다. 제곱근표에서 $\sqrt{45}$의 값은 6.708이므로 정사각형의 한 변의 길이를 약 6.7 m로 그리면 좋을 것이다.

(2) 모든 무한소수는 무리수라는 영호의 주장은 옳지 않다.

무한소수에는 순환소수와 순환하지 않는 무한소수가 있다. $\sqrt{45}$는 순환하지 않는 무한소수기 때문에 무리수다. 하지만 모든 순환소수는 유리수다. 따라서 모든 무한소수가 무리수인 것은 아니고 순환하지 않는 무한소수가 무리수다.

간단하게 반례를 하나만 들어도 영호의 주장이 옳지 않음을 밝힐 수 있다. 예를 들어 $\dfrac{1}{3}=0.3333\cdots$ 으로 무한소수지만 $\dfrac{1}{3}$은 무리수가 아니다.

5   개념과 원리 탐구하기 5

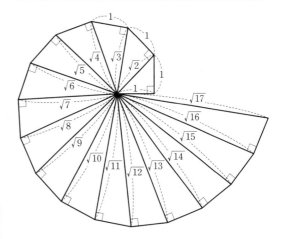

가장 작은 직각삼각형의 빗변의 길이부터 차례로 $\sqrt{2}$, $\sqrt{3}$, $\sqrt{4}$, $\sqrt{5}$, $\sqrt{6}$, $\cdots$, $\sqrt{17}$로 변한다. 즉, $\sqrt{}$ 안에 있는 수가 1씩 커진다. 이를 통해 $\sqrt{3}$, $\sqrt{5}$, $\sqrt{7}$ 등이 실제 길이로 존재한다는 것을 알 수 있다.

6   개념과 원리 탐구하기 6

(1) $\sqrt{5}<\sqrt{7}$
  양수는 근호 안의 수가 큰 것이 큰 수다.

(2) $25>\sqrt{500}$
  $25=\sqrt{625}$이므로 $25>\sqrt{500}$이다.

(3) $\sqrt{13}<4$
  $4=\sqrt{16}$이므로 $\sqrt{13}<4$이다.

(4) $-\sqrt{6}>-\sqrt{7}$
  음의 제곱근은 근호 안의 수가 작은 것이 큰 수다.

학생
답안
1

어느 수학나라 10과 $\sqrt{15}$이라는 이름의 사람들이 있었다.
"10은 $\sqrt{15}$에게 "내 이름이면 좋다 커!."라고 말한다.
$\sqrt{15}$도 10에게 "무래, 내 이름이 더 커!"라고 말한다.
지나가는 형이 말했다. "10이 $\sqrt{15}$보다 더 크다."
그래서 $\sqrt{15}$은 반문해서 말했다. "왜? 어차피 10이랑 $\sqrt{15}$은 크기 비교
같아요!" 지나가는 형이 다시 말한다. "옳소리, 유리수다 우리의 어림보는
확인하면 된다. 즉, $(\sqrt{15})^2 = 15 < 10^2 = 100$ 이므로 $\sqrt{15} < 10$ 이라는 소리다."
그래서 $\sqrt{15}$은 "그게 나 사고 10의 완패로라야, 나는 그른 10이야!"라고 여기며
생각했다. 지나가는 형이 말한다. "명확한 완성계야만."

학생
답안
2

제목 : 실수 마을

  실수 마을에 살고있는 유리수 10이 어느날 루트($\sqrt{}$)에게 놀러왔다.
(유리수 10): 나는 무리수가 되고싶어

루트$\sqrt{}$가 말했다. 그러면 10의 제곱근이 되면 무리수가 될수있어
유리수 10이 말했다. 10의 제곱근이 무리수라고?
루트$\sqrt{}$가 말했다. 10의 제곱근은 $\sqrt{10}$ 이야, 무리수라구
우리 둘이 합쳐지면 $\sqrt{10}$ 이될수있어.

  (푹처전) $\sqrt{10}$ 이되었다.
  와 드디어 나도 $\sqrt{10}$ 이되었어 무리수가되었다구!

② 계산 규칙을 찾아라 (근호를 포함한 식의 계산)

단원 지도 계획

/ 1 / 새로운 수의 계산

1차시
개념과 원리 탐구하기 1
제곱근의 뜻 (문자 표현)

2차시
개념과 원리 탐구하기 2
근호를 포함한 식의 곱셈 (1)

3차시
개념과 원리 탐구하기 3
근호를 포함한 식의 곱셈 (2)

4차시
개념과 원리 탐구하기 4
근호를 포함한 식의 덧셈과 뺄셈

5차시
개념과 원리 탐구하기 5
근호를 포함한 식의 나눗셈

6차시
개념과 원리 탐구하기 6
분모의 유리화

7차시
게임하며 탐구하기 7
근호를 포함한 식의 계산

8차시
탐구 되돌아보기

9차시
개념과 원리 연결하기

10차시
수학 학습원리 완성하기

• 교과서 각 소단원마다 제시된 탐구 되돌아보기는 개념과 원리 탐구하기와 연계하여 수업 시간 내 또는 수업 시간 이후 복습으로 활용할 수 있습니다.

/1/ 새로운 수의 계산 (근호를 포함한 식의 계산)

개념과 원리 탐구하기 1 _ 제곱근의 뜻 (문자 표현)

 교과서(상) 31쪽

탐구 활동 의도

- ① **내 길이는 얼마일까**에서는 구체적인 예를 통해서 제곱근의 뜻과 성질을 탐구했다. 여기서는 문자를 사용하여 제곱근의 뜻과 특징을 일반화하려고 했다.
- 학생들이 처음 배우는 $\sqrt{}$ 기호와 문자가 결합된 표현에 익숙해질 수 있도록 수로 표현한 제곱근과 문자를 사용한 표현으로서의 일반화하는 과정으로 분리했다.
- ①은 양수 a의 제곱근의 뜻을 문자를 이용하여 표현하고 설명할 수 있도록 하는 것이 목적이다.
- ②에서는 ①에서 학습한 제곱근의 뜻과 성질을 문자를 이용하여 일반화할 수 있도록 했다. 특히 양수의 제곱근을 다루는 이유, 왜 a가 양수라는 조건이 필요한지 추론하게 한다.

예상 답안

[1] 학생들의 답은 다양할 수 있다.
- 어떤 수 x를 제곱하여 a가 될 때, 즉 $x^2=a$일 때 x를 a의 제곱근이라고 한다. 이때 양수든 음수든 제곱하면 항상 양수가 되므로 a는 양수다.
- 양수 a의 제곱근은 항상 양수와 음수 두 개가 있다. 이중 양수인 것을 양의 제곱근, 음수인 것을 음의 제곱근이라고 한다.
- 양수 a의 양의 제곱근은 $\sqrt{a}$, 양수 a의 음의 제곱근은 $-\sqrt{a}$다.
- $\sqrt{a}$를 제곱근 a 또는 루트 a라고 읽는다.

학생
답안

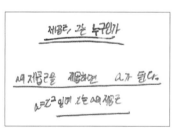

[2] (1) $\sqrt{a}$는 a의 양의 제곱근을 뜻한다.
　a의 양의 제곱근은 제곱하면 a가 나오는 수다.
　이것을 식으로 나타내면 $(\sqrt{a})^2=a$가 된다.

(2)	나의 생각	모둠의 의견
	옳다. $\sqrt{a^2}$을 제곱하면 a^2이 나온다. 제곱해서 a^2이 되는 수는 a다.	(1)과 마찬가지로 여기서도 a가 양수라는 조건이 필요하다. • 이유 : $\sqrt{a^2}$은 a^2의 양의 제곱근을 뜻한다. a^2의 제곱근은 제곱하여 a^2이 되는 수다. 제곱하여 a^2이 되는 수는 $+a$와 $-a$가 있다. 그런데 $\sqrt{a^2}$은 a^2의 양의 제곱근이고 $a>0$이면 $\sqrt{a^2}=a$지만 $a<0$이면 $\sqrt{a^2}=-a$다.

학생
답안

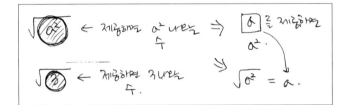

- ① **내 길이는 얼마일까**에서는 새로운 '수'인 무리수를 발견하고 그 뜻과 특징을 살펴보았다. $\sqrt{2}$ 등 구체적인 사례를 통해 제곱근의 뜻, 크기, 수직선에서의 위치, 유리수와의 관계 등 실수로서의 무리수를 탐구하는 데 중점을 두었다.
- 여기서는 무리수를 하나의 '대상'으로 보는 관점을 갖게 할 것이다. $\sqrt{a}$, $-\sqrt{a}$ 등 문자를 사용하여 나타낸 무리수의 표현을 이해할 수 있는 기회를 제공한다. 특히 문자를 사용하면서 문자의 범위를 양수로 제한하는 이유를 관찰하고 발견할 수 있도록 한다.
- 학생들이 a의 제곱근, a의 양의 제곱근, a의 음의 제곱근, 제곱근 a 등의 표현을 혼란스러워 한다. 왜냐하면 '제곱근'이라는 용어가 개념과 기호 모두에 동일하게 사용되기 때문이다. 학생들의 혼란을 줄이기 위해 '제곱근 a'라는 표현보다는 '루트 a'라는 표현을 사용하는 것도 좋다.
- ② (2)에서 다음과 같은 점을 논의해 볼 수 있다.

> 왜 a가 양수인가?

문자 표현에서 유의할 점은 그 문자의 범위다. 검정교과서는 해당 내용에 대하여 다음과 같이 특별한 조건이 없거나, 양수라는 것을 당연하게 제시하고 있다. 왜 a가 양수이어야만 하는지에 대한 고민을 하게 하지 않는다.

이와 같이 어떤 수 x를 제곱하여 a가 될 때, x를 a의 **제곱근**이라고 한다. 즉, $$x^2=a$$ 를 만족하는 x의 값이 a의 제곱근이다.	**제곱근의 성질** $a\geq0$일 때 1. $(\sqrt{a})^2=a$, $(-\sqrt{a})^2=a$ 2. $\sqrt{a^2}=a$, $\sqrt{(-a)^2}=a$

- ② (2)는 제곱근의 성질을 제곱근의 정의와 연결할 수 있는 과제다. 논리적으로 학생들이 설명할 수 있도록 격려한다. 암기가 아닌 설명을 할 수 있는 기회를 제공한다.

> '제곱과 루트가 만나면 사라진다.'와 같은 공식으로 알고 있는 이 식을 제곱근의 정의와 어떻게 연결할 수 있을까?

개념과 원리 탐구하기 2 _ 근호를 포함한 식의 곱셈 (1)

탐구 활동 의도

- 근호를 포함한 식의 곱셈이 필요한 경우를 제시하여 학생들이 곱셈을 어떻게 해야 할지 동기를 유발하고자 했다.
- ①은 가로와 세로의 길이를 곱한 식과 넓이를 연결하여 제곱근의 곱셈 규칙을 직관적으로 발견할 수 있게 한다. 직사각형의 넓이는 다양한 방법으로 표현할 수 있으며 분배법칙을 이용하여 계산할 수도 있다. 여기서는 계산보다는 곱셈으로 나타내고 그 결과 값을 어떻게 계산해 볼 수 있을지를 유추하는 것이 목적이다.
- ②는 ①에 비해 상황을 단순화했다. 직사각형의 넓이를 구하는 공식을 이용하여 근호를 포함한 식의 곱셈 규칙을 만드는 활동이다.
- 근호를 포함한 식의 곱셈에 대한 일반화는 **탐구하기 5**에서 다루며 여기서는 다양한 수치를 통해 계산해 보면서 익숙해질 수 있도록 했다.
- ①과 ②를 통해 제곱근의 곱셈을 기계적으로 연습하기보다는 제곱근의 뜻으로부터 곱셈을 하는 방법을 추론할 수 있다.

예상 답안

① 학생들의 답은 다양할 수 있다.

내가 구한 식	모둠에서 구한 식
$\sqrt{2} \times \sqrt{8} = 4 = \sqrt{16}$ (그림: 직사각형의 긴 변 $\sqrt{8}$, 짧은 변 $\sqrt{2}$)	• 피타고라스 정리에 의해 직사각형의 두 변의 길이를 각각 구한다. 긴 변의 길이는 $\sqrt{2^2+2^2}=\sqrt{4+4}=\sqrt{8}$, 짧은 변의 길이는 $\sqrt{1^2+1^2}=\sqrt{1+1}=\sqrt{2}$다. 따라서 직사각형의 넓이를 구하는 식은 $\sqrt{8} \times \sqrt{2}=4$ • 긴 변의 길이는 $\sqrt{2}$의 2배이므로 $2\sqrt{2}$고 짧은 변의 길이는 $\sqrt{2}$이므로 직사각형의 넓이는 $2\sqrt{2} \times \sqrt{2}=4$ • 분배법칙을 이용하여 다음과 같이 계산한다. $\sqrt{2} \times (\sqrt{2}+\sqrt{2})=(\sqrt{2})^2+(\sqrt{2})^2=2+2=4$

학생 답안

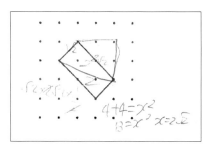

넓이가 2인 정사각형의 가로, 세로의 길이는 $\sqrt{2}$ 이다.
제곱끼리 곱하면 ($\overline{PS} \times \overline{SR} = (\sqrt{2}+\sqrt{2}) \times \sqrt{2} = 2+2 = 4$ 서경)
제곱이 벗겨지기도 한다.

2 (1) 학생들의 답은 다양할 수 있다.

왼쪽과 오른쪽의 두 직사각형은 넓이가 같다.

$2 \times 3 = 6$이므로 $\sqrt{4} \times \sqrt{9} = \sqrt{4 \times 9} = 6$

그런데 $6 = \sqrt{36}$이므로 $\sqrt{4} \times \sqrt{9} = \sqrt{4 \times 9}$다.

$3 \times 5 = \sqrt{9} \times \sqrt{25} = \sqrt{9 \times 25} = \sqrt{225} = 15$

따라서 제곱근끼리 곱할 때는 루트 안에서 루트 안의 수끼리 곱하면 된다.

학생답안

$\sqrt{4}$는 2이고 $\sqrt{9}$는 3이고 곱하면 6이다
2항 근호를 넣어서 바꾸면 $\sqrt{4} \times \sqrt{9} = \sqrt{36}$이어야 한다.

근호안에 있는 숫자끼리 곱해 값을 구한다

제곱근 안의 수끼리 곱한 뒤 $\sqrt{}$를 써준다.

$\sqrt{}$ 안의 수를 곱해준다.

루트 안에 있는 수를 곱하고 루트를 씌운다

(2)

	$\sqrt{2} \times \sqrt{8}$	$-\sqrt{2} \times \sqrt{8}$
결과	$\sqrt{16} = 4$	$-\sqrt{16} = -4$
이유	제곱근의 곱셈은 루트 안에서 수끼리 곱하면 된다. $\sqrt{2 \times 8} = \sqrt{16} = 4$	$-\sqrt{2}$는 $-1 \times \sqrt{2}$라고 볼 수 있다. $-\sqrt{2} \times \sqrt{8} = -1 \times \sqrt{2} \times \sqrt{8}$ $= -1 \times \sqrt{2 \times 8}$ $= -\sqrt{16} = -4$

학생답안

① $\sqrt{2} \times \sqrt{8} = \sqrt{16} = 4$
근호안에 있는 숫자를 곱해 $\sqrt{16}$이 되는 $\sqrt{16} = 4$이다

② $-\sqrt{2} \times \sqrt{8} = -\sqrt{16} = -4$
먼저 부호를 보면 $(-) \times (+)$이기에,
$(-)$이고 $2 \times 8 = 16$이니 -4이다

수업 노하우

• 1에서 근호를 사용한 식으로 표현하지 않고, 한 변의 길이가 3인 정사각형의 넓이에서 둘러싼 삼각형의 넓이를 빼서 계산한 경우도 있었다. 이 경우에는 근호를 사용하여 나타내도록 발문할 수 있다.

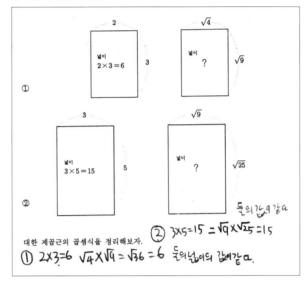

둘레는 선사각형님이 - 삼각형요리

$9 - (\frac{1}{2} \cdot \frac{1}{2} + 2 + 2)$

$9 - 5 = ①$

• ②(1)은 ①보다 제한된 상황을 제시하여 근호를 사용한 식의 곱셈 규칙을 만들어 보는 과정이다. 다음은 학생들이 규칙을 만들기보다는 두 직사각형의 넓이가 같다는 것에만 초점을 둔 답이다. 이를 통해 규칙을 만들어 보도록 안내할 수 있다.

대한 제곱근의 곱셈식을 정리해보자.   ② $3 \times 5 = 15 = \sqrt{9} \times \sqrt{25} = 15$ 둘의 값이 같다

① $2 \times 3 = 6$ $\sqrt{4} \times \sqrt{9} = \sqrt{36} = 6$ 둘의 넓이의 값이 같다.

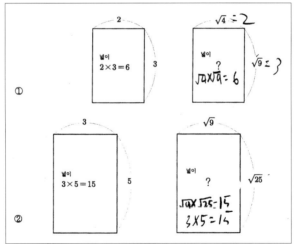

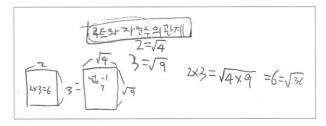

루트와 자연수의 관계

$2 = \sqrt{4}$

$3 = \sqrt{9}$

$2 \times 3 = \sqrt{4 \times 9} = 6 = \sqrt{36}$

• 2(1)에서 위와 같이 다양한 표현을 했을 때 다음과 같은 표현으로 정리할 수 있다. 이때 관찰을 통해 어떤 규칙을 만들 수 있는지 발문한다.

$$\sqrt{4} \times \sqrt{9} = 6$$
$$\rightarrow \sqrt{4} \times \sqrt{9} = \sqrt{36}$$

• 2(2)에서 (1)의 규칙을 이용하여 계산하고 어떻게 계산했는지 설명하도록 한다. 이때 $-\sqrt{2}$를 이해하기 쉽지 않을 수 있다. 이때 학생들이 $-\sqrt{2}$에 대하여 어떻게 생각하는지 발문해 볼 수 있다. 학생들은 $-\sqrt{2}$를 주로 다음과 같이 설명했다.

$$-\sqrt{2} = -1 \times \sqrt{2}$$
$$\sqrt{2}에\ 마이너스\ 부호를\ 붙인\ 것$$

$-\sqrt{2}$를 2의 음의 제곱근이라고 답하는 학생은 거의 없었다. 이에 대하여 논의하고 다양하게 해석하며 음의 제곱근을 이해할 수 있는 기회를 제공한다.

참고

제곱근의 곱셈
$a > 0$, $b > 0$일 때 다음이 성립한다.
(1) $\sqrt{a}\sqrt{b} = \sqrt{ab}$
   $\sqrt{a}\sqrt{b}$의 값을 알기 위해 이 식을 제곱하면
   $(\sqrt{a}\sqrt{b})^2 = (\sqrt{a}\sqrt{b}) \times (\sqrt{a}\sqrt{b}) = (\sqrt{a}\sqrt{a})(\sqrt{b}\sqrt{b}) = (\sqrt{a})^2(\sqrt{b})^2 = ab$
   즉, $\sqrt{a}\sqrt{b}$는 ab의 제곱근이고, $\sqrt{a}\sqrt{b} > 0$이므로 $\sqrt{a}\sqrt{b}$는 ab의 양의 제곱근이다.
   따라서 $\sqrt{a}\sqrt{b} = \sqrt{ab}$가 성립한다.
(2) $\sqrt{a^2 b} = a\sqrt{b}$
   두 양수 a, b에 대해 일반적으로 $\sqrt{a}\sqrt{b} = \sqrt{ab}$이고, $\sqrt{a^2} = a$이므로
   $\sqrt{a^2 b} = \sqrt{a^2 \times b} = \sqrt{a^2} \times \sqrt{b} = a\sqrt{b}$가 성립한다.

탐구 활동 의도

- ①은 제곱근의 곱셈의 원리를 이용하여 루트 안의 수에 제곱인 인수가 있는 경우 그 인수를 밖으로 꺼낼 수 있고, 또 루트 밖의 양수를 제곱하여 루트 안에 넣을 수 있다는 제곱근의 성질을 발견하는 과제다. 소인수분해를 하듯이 루트 안의 수를 여러 개의 수의 곱으로 쪼개 보면서 발견할 수 있도록 한다.
- 제곱근의 성질을 이용하여 루트 안의 수를 간단히 나타내는 방법을 터득할 수 있다.
- ③은 음의 제곱근의 개념과 제곱근의 곱셈의 원리를 연결하는 과제다. 학생들이 음의 제곱근의 개념을 잘 이해하지 못하므로 따로 이를 분리하여 탐구할 수 있도록 했다.

예상 답안

① (1) 학생들의 답은 다양할 수 있다.
$$\sqrt{1} \times \sqrt{12}, \ \sqrt{2} \times \sqrt{6}, \ \sqrt{3} \times \sqrt{4}, \ \sqrt{2} \times \sqrt{2} \times \sqrt{3}$$

학생 답안

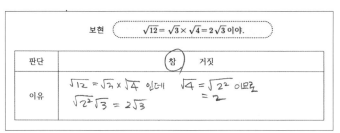

(2) 보현이의 말은 참이다.
$$\sqrt{12} = \sqrt{4 \times 3} = \sqrt{4} \times \sqrt{3} = 2 \times \sqrt{3} = 2\sqrt{3}$$

학생 답안

보현 $\sqrt{12} = \sqrt{3} \times \sqrt{4} = 2\sqrt{3}$ 이야.

판단	참 / 거짓
이유	$\sqrt{12} = \sqrt{3} \times \sqrt{4}$ 인데 $\sqrt{4} = \sqrt{2^2}$ 이므로 $\sqrt{2^2}\sqrt{3} = 2\sqrt{3}$

$\sqrt{4}$ 는 2 이므로
$2 \times \sqrt{3}$ 에 곱하기는 생략이 되므로
$2\sqrt{3}$

12를 소인수분해를 하면 2×2×3 나온다. $\sqrt{2 \times 3}$
2가 제곱이어서 근호 밖으로 나갈 수 있다
∴ $2\sqrt{3}$

(3) $\sqrt{72}=\sqrt{2\times36}=\sqrt{2}\times\sqrt{36}=\sqrt{2}\times6=6\sqrt{2}$

    $=\sqrt{3\times24}$

    $=\sqrt{4\times18}=\sqrt{4}\times\sqrt{18}=2\times\sqrt{18}=2\sqrt{18}$

    $=\sqrt{6\times12}$

    $=\sqrt{8\times9}=\sqrt{8}\times\sqrt{9}=\sqrt{8}\times3=3\sqrt{8}$

학 생
답 안

$$\sqrt{72}=\sqrt{4}\times\sqrt{18}=2\sqrt{18}$$
$$=\sqrt{9}\times\sqrt{8}=3\sqrt{8}$$
$$=\sqrt{36}\times\sqrt{2}=6\sqrt{2}$$

$$\sqrt{72}=\sqrt{8\times9}=\sqrt{8}\times\sqrt{9}=\sqrt{8}\times3=3\sqrt{8}$$
$$\sqrt{2\times36}=\sqrt{2}\times\sqrt{36}=\sqrt{2}\times6=6\sqrt{2}$$
$$\sqrt{24\times3}$$
$$\sqrt{4\times18}=\sqrt{4}\times\sqrt{18}=2\times\sqrt{18}=2\sqrt{18}$$
$$\sqrt{6\times12}$$
$$\sqrt{72\times1}=\sqrt{72}\times\sqrt{1}=\sqrt{72}$$

(4)

가장 간단한 표현	$6\sqrt{2}$
이유	• 근호 안의 수가 가장 작은 수로 표현되었기 때문이다. • $\sqrt{72}=\sqrt{2^3\times3^2}$이고 근호 안에 있는 제곱인 인수를 모두 근호 밖으로 꺼내면 $6\sqrt{2}$가 된다.

학 생
답 안

$$\sqrt{72}=\sqrt{36\times2}=6\sqrt{2}$$
$$\sqrt{72}=\sqrt{18\times4}=2\sqrt{18}=2\sqrt{9\times2}=2\times3\times\sqrt{2}=6\sqrt{2}$$
$$\sqrt{72}=\sqrt{24\times3}=\sqrt{6\times4\times3}=2\sqrt{6\times3}=2\sqrt{3\times3\times2}=6\sqrt{2}$$
$$\sqrt{72}=\sqrt{6\times12}=\sqrt{6\times6\times2}=6\sqrt{2}$$
$$\sqrt{72}=\sqrt{8\times4}=3\sqrt{8}=3\sqrt{2\times4}=6\sqrt{2}$$

2   (1) ○, $\sqrt{5}\times\sqrt{2}=\sqrt{5\times2}=\sqrt{10}$이다.

    (2) ×, 고치면 $2\sqrt{2}=2\times\sqrt{2}=\sqrt{4}\times\sqrt{2}=\sqrt{8}$이다.

    (3) ×, 고치면 $\sqrt{24}=\sqrt{4\times6}=\sqrt{4}\times\sqrt{6}=2\sqrt{6}$이다.

학 생
답 안

	친구들의 생각	O, X	틀린 것은 고치기
(1)	제곱근끼리의 곱셈은 $\sqrt{5}\times\sqrt{2}=\sqrt{10}$ 처럼 루트 안에 있는 수끼리 곱하면 되네!	O	
(2)	$2\sqrt{2}=2\times\sqrt{2}$라서 $\sqrt{2}$의 2배라는 뜻이고, $\sqrt{8}$과는 다른 값이야.	X	$2\sqrt{2}$는 즉 $\sqrt{2\times2}$ 이고 $\sqrt{8}$ 이다
(3)	루트 안의 수 크면 $\sqrt{24}=4\sqrt{3}$처럼 루트 안의 수를 간단히 할 수도 있어.	X	$\sqrt{24}$ 는 $\sqrt{2^2\times6}$ 이고, $2\sqrt{6}$ 이다.

048   수학의 발견 해설서

$\boxed{3}$　(1) $-\sqrt{45}=-\sqrt{3}\times\sqrt{15}=\sqrt{3}\times(-\sqrt{15})$

$\qquad\qquad\qquad =-\sqrt{9}\times\sqrt{5}=\sqrt{9}\times(-\sqrt{5})=(-3)\times\sqrt{5}=-3\sqrt{5}$

(2)

가장 간단한 표현	$-3\sqrt{5}$
이유	• 근호 안의 수가 가장 작은 수로 표현되었기 때문이다. • $\sqrt{45}=\sqrt{3^2\times5}$이고 근호 안에 있는 제곱인 인수를 근호 밖으로 모두 꺼내면 $3\sqrt{5}$가 되며 음의 부호는 그대로 따라서 붙여 주었다. • $-\sqrt{45}=-1\times\sqrt{45}$라는 뜻이므로 $\sqrt{45}$를 앞에서와 같은 방법으로 정리하고 앞에 -1을 곱해 주면 된다.

학생
답안

$$-\sqrt{5}\times\sqrt{9}=-\sqrt{5}\times3=-3\sqrt{5}\;\Big]\atop{or}$$
$$\sqrt{5}x-\sqrt{9}=\sqrt{5}x-3=-3\sqrt{5}$$

이유: 루트안의 수가 제일 간단함

수업 노하우

- $\boxed{1}$(1)에서 **수학의 발견 중1 STAGE 1 탐구하기 5**의 곱셈기차 만들기(소인수분해)와 연결해서 다양한 표현이 가능했다. (3)에서 본격적으로 앞의 원리를 적용해서 다양하게 나타내 보았는데 학생들은 다음의 세 수가 모두 같은 수라는 것을 신기해 했다. 이런 경험은 수에 대한 감각을 키우는 데 도움이 된다.

$$\sqrt{72}=\sqrt{2}\times\sqrt{36},\;\sqrt{3}\times\sqrt{24},\;\sqrt{4}\times\sqrt{18},\;\sqrt{6}\times\sqrt{12},\;\sqrt{8}\times\sqrt{9}$$
$$=6\sqrt{2},\;\sqrt{3}\times2\sqrt{6},\;2\sqrt{18},\;\sqrt{6}\times2\sqrt{3},\;3\sqrt{8}$$
$$=6\sqrt{2},\;2\sqrt{18},\;3\sqrt{8}$$
$$=6\sqrt{2}$$

- 이중 간단한 표현을 고르는 활동에서 제곱인 인수를 모두 근호 밖으로 꺼내어 나타내는 원리와 이유를 깨달을 수 있다.

- $\boxed{3}$에서 45의 음의 제곱근을 간단하게 나타내는 과정에서 논의해야 할 점은 음의 부호였다. 음의 부호를 어떻게 할 것인지 학생들이 혼란스럽고 설명을 정확하게 하지 못했다. 습관적으로 계산을 해 왔던 학생들도 다음과 같이 이유를 생각해 볼 수 있도록 안내한다.

  - 음의 부호를 -1이 곱해져 있다고 생각한 경우

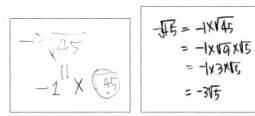

$$-\sqrt{5}\times3=-1\times\sqrt{5}\times3=-1\times\sqrt{5}\times\sqrt{9}\;\Big]\atop{-\sqrt{45}}$$
루트와 마이너스는 따로 원인 존재

$$-\sqrt{45}$$
$$-1\;{}^{||}\times\boxed{45}$$

$$-\sqrt{5}=-1\times\sqrt{45}$$
$$=-1\times\sqrt{9}\times\sqrt{5}$$
$$=-1\times3\times\sqrt{5}$$
$$=-3\sqrt{5}$$

• 음의 부호를 따로 분리한 한 후, 둘 중의 하나의 수에 붙인 경우

$$-\sqrt{45} = -\sqrt{1 \times 45} \qquad -\sqrt{3 \times 15} \qquad -\sqrt{5 \times 9}$$
$$\downarrow \qquad\qquad \downarrow \qquad\qquad \downarrow$$
$$-\sqrt{1} \cdot \sqrt{45} \qquad -\sqrt{3} \times \sqrt{15} \qquad -\sqrt{5} \times \sqrt{9}$$

$$\sqrt{1} \times -\sqrt{45} \qquad \sqrt{3} \times -\sqrt{15} \qquad \sqrt{5} \times -\sqrt{9}$$

📖 개념과 원리 탐구하기 4 _ 근호를 포함한 식의 덧셈과 뺄셈

탐구 활동 의도

• 1 은 근호 안의 수가 같은 수의 덧셈을 할 수 있는 상황을 주어 근호를 포함한 식의 덧셈과 뺄셈의 원리를 발견할 수 있도록 했다. 주어진 상황은 유리수와 마찬가지로 분배법칙을 사용하여 계산할 수도 있고 기본 길이의 배수로서 표현할 수도 있다. 덧셈을 다양한 관점에서 시도해 볼 수 있도록 했다.

• 2 는 근호를 포함한 식의 덧셈의 원리를 곱셈과 비교하여 차이점을 발견하고, 그 결과에 대해 신기하게 느낄 수 있는 과제다.

• 3 은 1 과 2 를 통해 발견한 제곱근의 덧셈의 원리를 정리하고, 4 에서 이를 적용하여 주어진 계산이 올바른지 판단하는 과정을 통해 제곱근의 덧셈의 원리에 대한 이해를 보다 강화하도록 했다.

• 5 는 단순히 계산하는 것보다 직접 문제를 만들어 원리를 이해했는지 적용해 볼 수 있게 했다.

예상 답안

1 (1) $\overline{AB} = \sqrt{2}$

(2) $\overline{BC} = \sqrt{2} + \sqrt{2} = \sqrt{2} \times 2 = 2\sqrt{2}$

(3) $\overline{CD} = \sqrt{2} + \sqrt{2} + \sqrt{2} = \sqrt{2} \times 3 = 3\sqrt{2}$

학생 답안

(1) $\overline{AB} = \sqrt{2}$

(2) $\overline{BC} = \sqrt{2 \times 2} = \sqrt{8}$

(3) $\overline{CD} = \sqrt{2 \times 3} = \sqrt{18}$

(1) $\overline{AB} = \sqrt{2}$

(2) $\overline{BC} = \sqrt{2} + \sqrt{2}$

(3) $\overline{CD} = \sqrt{2} + \sqrt{2} + \sqrt{2}$

· $\overline{AB} = \sqrt{2}$

· $\overline{BC} = \sqrt{2} + \sqrt{2} = 2\sqrt{2}$

· $\overline{CD} = \sqrt{2} + \sqrt{2} + \sqrt{2} = 3\sqrt{2}$

050   수학의 발견 해설서

☐2 오정이의 의견은 참이다.
$$\sqrt{2}+\sqrt{2}=\sqrt{2}\times2=\sqrt{2}\times\sqrt{4}=\sqrt{2\times4}=\sqrt{8}$$

학생 답안

• 좌변과 우변을 간단히 하여 비교한다.

> $\sqrt{8}=\sqrt{4\times2}=2\sqrt{2}$
> $\sqrt{2}\times2=2\sqrt{2}$

• 양쪽을 서로 고쳐서 비교한다.

> 와~! $\sqrt{2}+\sqrt{2}=\sqrt{8}$ 이야!! (참) 거짓)
> － 그렇게 생각한 이유;
> $2\sqrt{2}=\sqrt{4}\sqrt{2}=\sqrt{8}$

> － 그렇게 생각한 이유: $\sqrt{2}$를 2로 두면 $2+2=2\times2$ 가 되므로
> $\sqrt{2}+\sqrt{2}=2\sqrt{2}$가 된다.

• 그림에서 설명한 경우 : 큰 직각삼각형의 빗변의 길이를 피타고라스 정리를 이용하여 확인한다.

> $\therefore\ \sqrt{2}+\sqrt{2}=\sqrt{4+4}=2\sqrt{2}$

☐3 학생들의 답은 다양할 수 있다.
$$2\sqrt{2}+3\sqrt{2}=\sqrt{2}+\sqrt{2}+\sqrt{2}+\sqrt{2}+\sqrt{2}=\sqrt{2}\times5=5\sqrt{2}$$
또는 $2\sqrt{2}+3\sqrt{2}=2\times\sqrt{2}+3\times\sqrt{2}=(2+3)\times\sqrt{2}=5\sqrt{2}$

학생 답안

• $\sqrt{2}$를 곱한 횟수로 계산한 경우

> $2\sqrt{2}+3\sqrt{2}=5\sqrt{2}$
> $2\sqrt{2}$는 $\sqrt{2}$가 2번 더해졌고
> $3\sqrt{2}$는 $\sqrt{2}$가 3번 더해져있으므로
> 총 5번
> $2\sqrt{2}+3\sqrt{2}=5\sqrt{2}$

• 분배법칙을 이용한 경우

> $2\sqrt{2}+3\sqrt{2}=\sqrt{2}(2+3)\longrightarrow$ 분배법칙
> $=5\cdot\sqrt{2}$
> $=5\sqrt{2}$
> $\overline{BC}+\overline{CD}=5\sqrt{2}$

> $2\sqrt{2}+3\sqrt{2}=(2\times\sqrt{2})+(3\times\sqrt{2})$
> $=\sqrt{2}(2+3)$

☐4 학생들의 답은 다양할 수 있다.

수연 : ×

$\sqrt{2}$와 $\sqrt{7}$은 루트 안의 수가 다르므로 더할 수가 없다.

제곱근표에서 $\sqrt{2}=1.414$, $\sqrt{5}=2.236$, $\sqrt{7}=2.646$이므로 어림값으로 비교해 보면

$\sqrt{2}+\sqrt{5}=3.65\neq2.646$이므로 $\sqrt{2}+\sqrt{5}\neq\sqrt{7}$이다.

지은 : ×

　[이유 1] $\sqrt{20}-\sqrt{5}=2\sqrt{5}-\sqrt{5}=\sqrt{5}$다.

　[이유 2] 제곱근표에서 $\sqrt{20}=4.472$, $\sqrt{5}=2.236$, $\sqrt{15}=3.873$이므로

　　　　　$\sqrt{20}-\sqrt{5}=2.236\neq3.873$이므로 $\sqrt{20}-\sqrt{5}\neq\sqrt{15}$다.

• 어림값을 이용한 경우

친구들의 생각	O, X	이유
(1) 수연: $\sqrt{2}+\sqrt{5}=\sqrt{7}$	X	$\sqrt{2}$는 약 1.4이고 $\sqrt{5}$는 약 2.2 이라고 하고 더하면 3.6 인데 $\sqrt{7}$은 약 2.xx이기 때문에 다르다
(2) 지은: $\sqrt{20}-\sqrt{5}=\sqrt{15}$	X	$\sqrt{20}$은 $2\sqrt{5}$이고 $2\sqrt{5}-\sqrt{5}=\sqrt{5}$이기 때문에 아니다

• 양변을 제곱하여 크기를 비교한 경우

친구들의 생각	O, X	이유
(1) 수연: $\sqrt{2}+\sqrt{5}=\sqrt{7}$	X	$(\sqrt{2}+\sqrt{5})^2=2+5+2\sqrt{10}$ $(\sqrt{7})^2=7$
(2) 지은: $\sqrt{20}-\sqrt{5}=\sqrt{15}$	X	$\sqrt{20}=2\sqrt{5}$ $2\sqrt{5}-\sqrt{5}=\sqrt{5}$ 가 맞다

• 문자식의 덧셈과 관련지어 설명한 경우

친구들의 생각	O, X	이유
(1) 수연: $\sqrt{2}+\sqrt{5}=\sqrt{7}$	X	$\sqrt{2}+\sqrt{5}$의 값은 $\sqrt{2}+\sqrt{5}$이다. $a+b$가 $a+b$이듯 $\sqrt{2}$와 $\sqrt{5}$로 다른수가 형태나+
(2) 지은: $\sqrt{20}-\sqrt{5}=\sqrt{15}$	X	$\sqrt{20}-\sqrt{5}$의값은 $\sqrt{20}-\sqrt{5}$이다 $a-b$가 $a-b$이듯 $\sqrt{20}$과 $\sqrt{5}$로 다른값 계산한다+

5　학생들의 답은 다양할 수 있다.

　(1) $5\sqrt{6}-4\sqrt{6}=\sqrt{6}$, $2\sqrt{6}-\sqrt{6}=\sqrt{6}$ 등

　(2) $\sqrt{2}+2\sqrt{2}-\sqrt{3}=3\sqrt{2}-\sqrt{3}$, $-\sqrt{3}+4\sqrt{2}-\sqrt{2}=3\sqrt{2}-\sqrt{3}$ 등

수업 노하우

• 1 에서 다음과 같이 잘못 계산한 경우도 있다. 바로 틀렸다고 지적하기보다는 다른 학생의 설명을 들으
며 스스로 비교해 볼 수 있도록 안내한다.

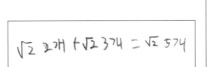

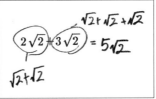

- $\boxed{2}$에서 곱셈은 근호 안의 수끼리 곱하면 되지만 덧셈은 근호 안의 수끼리 더하면 안된다는 것을 $\boxed{1}$ **내 길이는 얼마일까**에서 학습한 제곱근의 어림값으로 비교한 경우도 있다.
- $\sqrt{2}+\sqrt{2}$와 $\sqrt{8}$이 같다는 사실을 발견하고 놀라는 학생이 많았다. 그냥 살펴볼 때는 같을 것 같지 않은데 논리적으로 생각해 보면 같을 때 근호가 사용된 식의 덧셈과 곱셈은 다르다는 것을 직관적으로 이해할 수 있었다.

> 와~! $\sqrt{2}+\sqrt{2}=\sqrt{8}$ 이야!! (참, 거짓)
>
> — 그렇게 생각한 이유;
>
> $2\sqrt{2}$ 이기때문에
> $\sqrt{4} \times \sqrt{2} = \sqrt{8}$

- 그래도 $\boxed{3}$에서 여전히 근호 안의 수끼리 더할 수 없다고 답하는 경우가 있다. 이 경우는 $\boxed{4}$에서 깊게 다루므로 $\boxed{3}$과 $\boxed{4}$를 같이 수업할 수 있다.
- 다음과 같이 개수로 계산한 경우도 만약에 개수가 아니라 근호 앞에 정수가 아닌 유리수가 있다면 어떻게 덧셈을 할 수 있을지 발문하여 계산 원리를 수학적으로 정교화할 수 있도록 한다.

> $\sqrt{2}$ 2개 $+\sqrt{2}$ 3개 $=\sqrt{2}$ 5개

> $2\sqrt{2} + 3\sqrt{2} = 5\sqrt{2}$
> $\sqrt{2}+\sqrt{2}+\sqrt{2}$
> $\sqrt{2}+\sqrt{2}$

- $\boxed{4}$에서는 다른 예를 통해서 주어진 경우가 성립하지 않는다고 설명했다. 이러한 설명 방법도 학생들에게 소개할 수 있다.

> $\sqrt{2}+\sqrt{5}=\sqrt{7}$이 되면
> $\sqrt{2}+\sqrt{2}=\sqrt{4}$ 가 돼야한다.
> 그런데 $\sqrt{2}+\sqrt{2}$ 는 $\sqrt{4}$ 가 아니다.

- $\boxed{4}$에서 곱셈 공식을 배우면 $\sqrt{2}+\sqrt{5}=\sqrt{7}$의 양변을 각각 제곱하여 비교할 수 있다.
$(\sqrt{2}+\sqrt{5})^2=(\sqrt{7})^2$을 계산하면 (좌변)$=2+2\sqrt{10}+5=7+2\sqrt{10}\neq 7$ (우변)이 된다.
따라서 $\sqrt{2}+\sqrt{5}\neq\sqrt{7}$이다.

탐구 활동 의도

- 앞에서 제곱근의 나눗셈을 제곱근의 곱셈과 같이 다루지 않았다. 나눗셈은 역수의 곱셈이라는 원리를 확장하여 제곱근의 역수를 구하여 다루기로 했다. 따라서 ⬚1⬚에서는 제곱근의 역수를 다양한 형태로 표현할 수 있는 것이 목적이다.

- ⬚1⬚에서는 $\dfrac{1}{\sqrt{3}}=\sqrt{\dfrac{1}{3}}$, $\dfrac{1}{\sqrt{3}}=\dfrac{\sqrt{3}}{3}$임을 이해할 수 있다. 이것은 **탐구하기 6**의 분모의 유리화를 배우기 전에 직관적으로 경험하게 할 수 있다. 분수의 형태가 달라 보여도 모두 같은 분수임을 이해하게 할 수 있다.

- ⬚2⬚에서는 ⬚1⬚을 이용하여 제곱근의 나눗셈을 역수의 곱으로 계산하도록 한다. 이를 통해 제곱근의 나눗셈의 원리를 발견할 수 있다.

- ⬚3⬚은 근호를 포함한 식의 곱셈과 나눗셈의 원리를 일반화하고 정당화하는 탐구 과제다. 지금까지 수로만 다루었던 계산 규칙을 문자를 사용한 식을 이용하여 나타낼 수 있다.

예상 답안

⬚1⬚ 민서, 영은, 준희 모두 옳다.
두 수의 곱이 1인 것은 근호를 포함한 식의 곱셈을 이용하여 설명할 수 있다.

(1) 민서 : $\sqrt{3}\times\dfrac{1}{\sqrt{3}}=1$이므로 $\dfrac{1}{\sqrt{3}}$은 $\sqrt{3}$의 역수다.

(2) 영은 : $\sqrt{3}\times\sqrt{\dfrac{1}{3}}=\sqrt{3\times\dfrac{1}{3}}=\sqrt{1}=1$이므로 $\sqrt{\dfrac{1}{3}}$은 $\sqrt{3}$의 역수다.

(3) 준희 : $\sqrt{3}\times\dfrac{\sqrt{3}}{3}=\dfrac{\sqrt{3}\times\sqrt{3}}{3}=\dfrac{(\sqrt{3})^2}{3}=\dfrac{3}{3}=1$이므로 $\dfrac{\sqrt{3}}{3}$은 $\sqrt{3}$의 역수다.

학생 답안

- 두 수의 곱이 1임을 설명한 경우

- 분자와 분모를 바꾸는 것으로 설명한 경우 : $\sqrt{3}=\dfrac{\sqrt{3}}{1}$으로 보았다.

2 학생들의 답은 다양할 수 있다.

1 에서 구한 $\sqrt{3}$의 역수인 $\dfrac{1}{\sqrt{3}}$, $\sqrt{\dfrac{1}{3}}$, $\dfrac{\sqrt{3}}{3}$ 중 하나를 골라 제곱근의 곱셈의 원리를 적용하여 계산할 수 있다.

(1) $\sqrt{6} \div \sqrt{3} = \sqrt{6} \times \dfrac{1}{\sqrt{3}} = \sqrt{2} \times \sqrt{3} \times \dfrac{1}{\sqrt{3}} = \sqrt{2}$

[다른 풀이]

$\sqrt{6} \div \sqrt{3} = \sqrt{6} \times \sqrt{\dfrac{1}{3}} = \sqrt{6 \times \dfrac{1}{3}} = \sqrt{2}$

$\sqrt{6} \div \sqrt{3} = \sqrt{6} \times \dfrac{\sqrt{3}}{3} = \sqrt{2} \times \sqrt{3} \times \dfrac{\sqrt{3}}{3} = \dfrac{\sqrt{2} \times (\sqrt{3})^2}{3} = \dfrac{\sqrt{2} \times 3}{3} = \sqrt{2}$

(2) $\sqrt{2} \div \sqrt{3} = \sqrt{2} \times \dfrac{1}{\sqrt{3}} = \dfrac{\sqrt{2}}{\sqrt{3}} = \dfrac{\sqrt{2} \times \sqrt{3}}{\sqrt{3} \times \sqrt{3}} = \dfrac{\sqrt{6}}{3}$

[다른 풀이]

$\sqrt{2} \div \sqrt{3} = \sqrt{2} \times \sqrt{\dfrac{1}{3}} = \sqrt{2 \times \dfrac{1}{3}} = \sqrt{2 \times 3 \times \dfrac{1}{3^2}} = \sqrt{\dfrac{1}{3^2} \times 6} = \sqrt{\dfrac{1}{3^2}} \times \sqrt{6} = \dfrac{1}{3} \times \sqrt{6} = \dfrac{\sqrt{6}}{3}$

$\sqrt{2} \div \sqrt{3} = \sqrt{2} \times \dfrac{\sqrt{3}}{3} = \dfrac{\sqrt{2} \times \sqrt{3}}{3} = \dfrac{\sqrt{6}}{3}$

학생
답안

3 (1) $\sqrt{a}\sqrt{b}$는 양수고 이 식을 제곱하면

$(\sqrt{a}\sqrt{b})^2 = (\sqrt{a}\sqrt{b}) \times (\sqrt{a}\sqrt{b}) = (\sqrt{a}\sqrt{a})(\sqrt{b}\sqrt{b})$
$= (\sqrt{a})^2(\sqrt{b})^2 = ab$

즉, $\sqrt{a}\sqrt{b}$는 ab의 제곱근이고 $\sqrt{a}\sqrt{b} > 0$이므로 $\sqrt{a}\sqrt{b}$는 ab의 양의 제곱근이다.

따라서 $\sqrt{a}\sqrt{b} = \sqrt{ab}$가 성립한다. 단, 음수의 제곱근은 생각할 수 없으므로 a와 b는 양수이어야 한다.

학생
답안

(2) $\dfrac{\sqrt{a}}{\sqrt{b}}$ 는 양수고 이 식을 제곱하면

$$\left(\dfrac{\sqrt{a}}{\sqrt{b}}\right)^2 = \dfrac{\sqrt{a}}{\sqrt{b}} \times \dfrac{\sqrt{a}}{\sqrt{b}} = \dfrac{\sqrt{a} \times \sqrt{a}}{\sqrt{b} \times \sqrt{b}} = \dfrac{(\sqrt{a})^2}{(\sqrt{b})^2} = \dfrac{a}{b}$$

즉, $\dfrac{\sqrt{a}}{\sqrt{b}}$ 는 $\dfrac{a}{b}$ 의 제곱근이고 $\dfrac{\sqrt{a}}{\sqrt{b}} > 0$이므로 $\dfrac{\sqrt{a}}{\sqrt{b}}$ 는 $\dfrac{a}{b}$ 의 양의 제곱근이다.

따라서 $\dfrac{\sqrt{a}}{\sqrt{b}} = \sqrt{\dfrac{a}{b}}$ 가 성립한다. 단, 음수의 제곱근은 생각할 수 없으므로 a와 b는 양수이어야 한다.

[4] $\sqrt{a^2 b} = a\sqrt{b}$

$a > 0$, $b > 0$일 때, $\sqrt{a^2} = a$이고 $\sqrt{a^2 b} = \sqrt{a^2} \times \sqrt{b}$이므로 $\sqrt{a^2 b} = a\sqrt{b}$다.

학생
답안

• $\sqrt{a^2} = a$임을 이용한 경우

• 양변을 제곱하여 설명한 경우

수업 노하우

• [1]에서 $\sqrt{3}$의 역수가 $\dfrac{\sqrt{3}}{3}$이라는 것은 직관적으로 이해하기 어렵다. 준희가 틀렸다고 하는 오답이 오히려 정상적일 수 있다. 이때 역수의 정의로부터 $\dfrac{1}{\sqrt{3}} = \dfrac{\sqrt{3}}{3}$이라는 사실을 이해하고 뒤에 배우는 분모의 유리화를 통해 더 명확한 이유를 설명하게 한다.

- ②에서 분모의 유리화를 배우기 전 단계이므로 학생들은 $\sqrt{3}$의 역수는 $\dfrac{1}{\sqrt{3}}$이라 생각하고 이를 곱하려

고 한다. 다만 곱할 때 $\dfrac{1}{\sqrt{3}}$이 불편하므로 실제적으로는 $\sqrt{\dfrac{1}{3}}$ 또는 $\dfrac{\sqrt{3}}{3}$을 곱하는 것을 볼 수 있었다.

- $\dfrac{1}{\sqrt{3}}$을 선택한 경우

$$\sqrt{6}\times\frac{1}{\sqrt{3}}=\frac{\sqrt{6}\sqrt{3}}{3}=\sqrt{2}$$

$$\sqrt{2}\times\frac{1}{\sqrt{3}}=\sqrt{\frac{2}{3}}=\sqrt{\frac{2}{3}}=\frac{\sqrt{2}\times\sqrt{3}}{\sqrt{3}\sqrt{3}}=\frac{\sqrt{6}}{3}$$

$(1)\ \sqrt{6}\div\sqrt{3}=\sqrt{6}^2\times\dfrac{1}{\sqrt{3}}=\sqrt{2}\qquad (2)\ \sqrt{2}\div\sqrt{3}=\sqrt{2}\times\dfrac{1}{\sqrt{3}}=\dfrac{\sqrt{2}}{\sqrt{3}}=\dfrac{\sqrt{2}}{\sqrt{3}}$

- $\dfrac{1}{\sqrt{3}}=\dfrac{\sqrt{3}}{3}$을 이용한 경우

$(1)\ \sqrt{6}\div\sqrt{3}=\sqrt{2}$

$\sqrt{6}\times\dfrac{1}{\sqrt{3}}$

$=\sqrt{6}\times\dfrac{\sqrt{3}}{3}$

$=\dfrac{\sqrt{18}}{3}=\dfrac{3\sqrt{2}}{3}=\sqrt{2}$

$(2)\ \sqrt{2}\div\sqrt{3}=\dfrac{\sqrt{6}}{3}$

$\sqrt{2}\times\dfrac{1}{\sqrt{3}}$

$=\sqrt{2}\times\dfrac{\sqrt{3}}{3}=\dfrac{\sqrt{6}}{3}$

- 분모의 유리화 방법을 선행학습한 학생들은 다음과 같이 분자와 분모에 $\sqrt{3}$을 곱했다. 이 경우 분모의 유리화를 이용하지 않고 설명할 수 있도록 발문할 수 있다. 선행한 학생들도 기계적으로 유리화하여 계산하지 않고 나눗셈의 원리를 이용하여 설명할 수 있도록 한다.

$\sqrt{3}$의 역수 $\dfrac{\sqrt{3}}{3}$ 맞다. $\dfrac{1}{\sqrt{3}}$에 분모와 분자에 $\sqrt{3}$씩 곱하면 $\dfrac{\sqrt{3}}{3}$이된다.

- ③에서 이유를 설명하는 것이 어려울 수 있다. 학생들이 일반화하지 않고 예를 들어서 설명하기도 했다. 이 경우 양변을 제곱할 것을 제안할 수도 있다.

두, 두 수 $\sqrt{a}$, $\sqrt{b}$의 곱 $\sqrt{a}\times\sqrt{b}$는 $\sqrt{ab}$이다. 예를 들어 $\sqrt{2}\times\sqrt{3}$
(단, $a>0, b>0$ 이다.) $=\sqrt{6}$이 있다.

개념과 원리 탐구하기 6 _ 분모의 유리화

탐구 활동 의도

- **탐구하기 5**에서 같은 분수지만 형태가 다양함을 경험했다. 여기서는 그 형태 중 특별히 분모가 무리수로 되어 있는 경우를 다룰 것이다.

- ☐1은 분모에 제곱근이 있는 분수(무리수)와 분모에 유리수가 있는 분수의 분자를 직접 나누어 보는 활동을 통해 어떤 계산이 편리한지 선택하게 하여 분모의 유리화의 필요성을 느끼는 것이 목적이다.

- ☐2는 분모를 유리화할 때 분모의 근호가 있는 부분만 분모와 분자에 각각 곱해야 함을 발견하도록 하는 것이다. 아직 곱셈 공식을 배우지 않았으므로 분모에 $\sqrt{2}-1$이나 $\sqrt{5}-\sqrt{2}$와 같은 식이 있는 분수의 분모의 유리화는 다루지 않는다.

예상 답안

☐1 (1) $\dfrac{1.414}{1.732}=0.81639\cdots$이므로 0.816이다.

$\dfrac{2.449}{3}=0.81633\cdots$이므로 0.816이다.

(2) $\dfrac{\sqrt{6}}{3}$이다. 왜냐하면 분모가 자연수라서 $\dfrac{\sqrt{2}}{\sqrt{3}}$보다 계산이 더 쉽기 때문이다.

학생 답안

- 계산기를 사용한 경우

(1) $\dfrac{\sqrt{2}}{\sqrt{3}}$의 어림값을 구해보자.

$\dfrac{1.414}{1.732}=0.8163\cdots$
$=0.8$

(2) $\dfrac{\sqrt{6}}{3}$의 어림값을 구해보자.

$\dfrac{2.449}{3}=0863\cdots$
$=0.8$

(3) 위의 두 수 중 어림값을 구하기 쉬운 것은 무엇인지, 그 이유와 함께 써 보시오.

$\dfrac{\sqrt{6}}{3}$ 이다

왜냐 하면 분모가 3인 자연5 이므3 쉽게 구할5 있다

(2)번, 분모가 계산하기 쉬운 유리수이다.

- 계산기를 사용하지 않은 경우

(1) $\dfrac{\sqrt{2}}{\sqrt{3}}$의 어림값을 구해보자.

$\dfrac{1.414}{1.732}=\dfrac{1414}{1732}$ $1732\overline{)1414.0}$ 0.816
13856
15440
1732
11080

(2) $\dfrac{\sqrt{6}}{3}$의 어림값을 구해보자.

$\dfrac{2.449}{3}$ $3\overline{)2.449}$ $=0.816$ 0.816

(3) 위의 두 수 중 어림값을 구하기 쉬운 것은 무엇인지, 그 이유와 함께 써 보시오.

(2) 분모가 $\sqrt{\ }$ 가 아니기 때문에 나누기 쉽다

[2] (1) 분모의 유리화는 분모에 있는 무리수를 유리수로 만드는 것이므로 $\dfrac{1}{\sqrt{3}}$의 분모의 유리화는

$\sqrt{3}$을 분자와 분모에 곱하는 것이다.

$$\frac{1}{\sqrt{3}} = \frac{1 \times \sqrt{3}}{\sqrt{3} \times \sqrt{3}} = \frac{\sqrt{3}}{(\sqrt{3})^2} = \frac{\sqrt{3}}{3}$$

(2)

내가 구한 방법	나와 다른 방법
$\dfrac{\sqrt{3}}{\sqrt{45}} = \dfrac{\sqrt{3} \times \sqrt{45}}{\sqrt{45} \times \sqrt{45}} = \dfrac{\sqrt{3 \times 45}}{45}$ $= \dfrac{\sqrt{3 \times 3^2 \times 5}}{45} = \dfrac{3\sqrt{15}}{45} = \dfrac{\sqrt{15}}{15}$	$\dfrac{\sqrt{3}}{\sqrt{45}} = \sqrt{\dfrac{3}{45}} = \sqrt{\dfrac{1}{15}}$ $= \dfrac{1}{\sqrt{15}} = \dfrac{\sqrt{15}}{\sqrt{15} \times \sqrt{15}} = \dfrac{\sqrt{15}}{15}$

학생
답안

• 내방법

$\dfrac{\sqrt{3}}{\sqrt{45}} = \dfrac{\sqrt{3}}{\sqrt{9 \times 5}} = \dfrac{\sqrt{3}}{\sqrt{9} \times \sqrt{5}} = \dfrac{\sqrt{3}}{3\sqrt{5}} = \dfrac{\sqrt{3} \times \sqrt{5}}{3\sqrt{5} \times \sqrt{5}} = \dfrac{\sqrt{15}}{3 \times 5} = \dfrac{\sqrt{15}}{15}$

• 다른방법

$\dfrac{\sqrt{3}}{\sqrt{45}} = \dfrac{\sqrt{3} \times \sqrt{45}}{\sqrt{45} \times \sqrt{45}} = \dfrac{\sqrt{3} \times 3\sqrt{5}}{45} = \dfrac{3\sqrt{15}}{45} = \dfrac{\sqrt{15}}{15}$

(3) $a > 0$, $b > 0$일 때, $\dfrac{\sqrt{a}}{\sqrt{b}} = \dfrac{\sqrt{a} \times \sqrt{b}}{\sqrt{b} \times \sqrt{b}} = \dfrac{\sqrt{ab}}{b}$ 다.

수업 노하우

• 분모의 유리화는 근호를 사용한 식의 나눗셈과 연결된다. 분모의 유리화는 식을 계산하는 방법에 불과하다. 따라서 **탐구하기 5**와 연결하여 근호를 이용하면 같은 식인데 여러 가지로 몫을 표현할 수 있다는 것을 깨달을 수 있도록 하는 것이 중요하다.

• 분모의 유리화를 할 때 제곱근의 어떤 성질이 이용되는지 발문할 수 있다.
제곱근의 뜻에 따라 $\sqrt{3} \times \sqrt{3} = 3$을 이용하여 설명할 수 있어야 한다. 또한 이 값을 분모와 분자에 각각 곱해야 하는 이유도 표현하게 할 수 있다.

$\sqrt{3}$에 $\sqrt{3}$을 곱해야 유리수로 변한다
그래서 $\dfrac{1 \times \sqrt{3}}{\sqrt{3} \times \sqrt{3}}$을 하면 $\dfrac{\sqrt{3}}{3}$이다

$\dfrac{1}{\sqrt{2}} = \dfrac{\sqrt{2}}{\sqrt{2} \times \sqrt{2}} = \dfrac{\sqrt{2}}{2}$

## 게임하며 탐구하기 7 _ 근호를 포함한 식의 계산

教科書(상) 41쪽

탐구 활동 의도

- 제곱근이 포함된 사칙계산을 연습하는 기회를 제공한다.
- Tarsia라는 무료 프로그램을 사용하여 만든 것으로 교사가 다양한 문제를 만들 수 있다.

$<https://foulator-tarsia.software.<foer.com/download/download<g>$

예상 답안

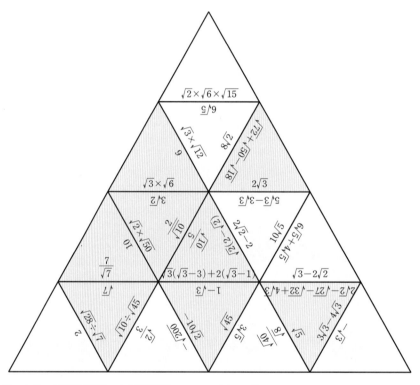

- $\sqrt{2} \times \sqrt{6} \times \sqrt{15} = \sqrt{2 \times 6 \times 15} = \sqrt{2^2 \times 3^2 \times 5} = 2 \times 3 \times \sqrt{5} = 6\sqrt{5}$
- $6\sqrt{5} + 4\sqrt{5} = (6+4)\sqrt{5} = 10\sqrt{5}$
- $\sqrt{3} \times \sqrt{12} = \sqrt{3 \times 12} = \sqrt{36} = \sqrt{6^2} = 6$
- $-\sqrt{200} = -\sqrt{2 \times 10^2} = -10\sqrt{2}$
- $\dfrac{\sqrt{40}}{\sqrt{8}} = \sqrt{\dfrac{40}{8}} = \sqrt{5}$
- $5\sqrt{3} - 3\sqrt{3} = (5-3)\sqrt{3} = 2\sqrt{3}$
- $\dfrac{7}{\sqrt{7}} = \dfrac{7 \times \sqrt{7}}{\sqrt{7} \times \sqrt{7}} = \dfrac{7\sqrt{7}}{7} = \sqrt{7}$
- $\sqrt{10} \div \sqrt{45} = \dfrac{\sqrt{10}}{\sqrt{45}} = \sqrt{\dfrac{10}{45}} = \sqrt{\dfrac{2}{9}} = \sqrt{\dfrac{2}{3^2}} = \dfrac{\sqrt{2}}{\sqrt{3^2}} = \dfrac{\sqrt{2}}{3}$
- $\sqrt{3} \times \sqrt{6} = \sqrt{3 \times 6} = \sqrt{18} = \sqrt{3^2 \times 2} = 3\sqrt{2}$

- $\sqrt{28}\div\sqrt{7}=\dfrac{\sqrt{28}}{\sqrt{7}}=\sqrt{\dfrac{28}{7}}=\sqrt{4}=2$

- $\sqrt{45}=\sqrt{3^2\times5}=3\sqrt{5}$

- $\sqrt{72}+\sqrt{50}-\sqrt{18}=\sqrt{6^2\times2}+\sqrt{5^2\times2}-\sqrt{3^2\times2}=6\sqrt{2}+5\sqrt{2}-3\sqrt{2}$
$$=(6+5-3)\sqrt{2}=8\sqrt{2}$$

- $\sqrt{3}(\sqrt{3}-3)+2(\sqrt{3}-1)=(\sqrt{3})^2-3\sqrt{3}+2\sqrt{3}-2=3-3\sqrt{3}+2\sqrt{3}-2$
$$=3-2-3\sqrt{3}+2\sqrt{3}=1-\sqrt{3}$$

- $\sqrt{2}(2-\sqrt{2})=2\sqrt{2}-(\sqrt{2})^2=2\sqrt{2}-2$

- $\dfrac{2}{\sqrt{10}}=\dfrac{2\times\sqrt{10}}{(\sqrt{10})^2}=\dfrac{2\sqrt{10}}{10}=\dfrac{\sqrt{10}}{5}$

- $\sqrt{2}\times\sqrt{50}=\sqrt{2\times50}=\sqrt{100}=\sqrt{10^2}=10$

- $3\sqrt{3}-4\sqrt{3}=(3-4)\sqrt{3}=-\sqrt{3}$

- $2\sqrt{2}-\sqrt{27}-\sqrt{32}+4\sqrt{3}=2\sqrt{2}-\sqrt{3^2\times3}-\sqrt{4^2\times2}+4\sqrt{3}=2\sqrt{2}-3\sqrt{3}-4\sqrt{2}+4\sqrt{3}$
$$=2\sqrt{2}-4\sqrt{2}-3\sqrt{3}+4\sqrt{3}=-2\sqrt{2}+\sqrt{3}$$

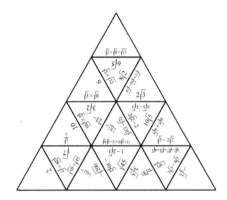
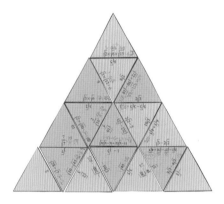

수업 노하우

혼자서 문제를 해결하기에 다소 어렵다. 모둠이 협력하여 하나의 모양으로 만들어 가도록 돕는다.

탐구 되돌아보기 예상 답안

교과서(상) 43~47쪽

1 개념과 원리 탐구하기 4

(1) $1+\sqrt{2}$

한 변의 길이가 1인 정사각형의 대각선의 길이는 $\sqrt{2}$다. 점 A는 1을 기준으로 길이가 $\sqrt{2}$인 대각선을 오른쪽으로 45°만큼 회전시켜 수직선에 내린 점으로 1보다 $\sqrt{2}$만큼 큰 수다.

따라서 점 A는 $1+\sqrt{2}$다.

(2)

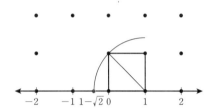

$1-\sqrt{2}$는 1보다 $\sqrt{2}$만큼 작은 수이므로 (1)의 방법을 이용하여 나타내면 1을 기준으로 길이가 $\sqrt{2}$인 대각선을 왼쪽으로 45°만큼 회전시켜 수직선과 만나는 점이다.

2 개념과 원리 탐구하기 4

$2\sqrt{5}+2\sqrt{10}$

정사각형 ADGH에서

$\overline{\mathrm{GH}}=\overline{\mathrm{GD}}=\overline{\mathrm{AD}}=\overline{\mathrm{AH}}=\sqrt{10}$이고

정사각형 AEFB에서

$\overline{\mathrm{AB}}=\overline{\mathrm{BF}}=\overline{\mathrm{EF}}=\overline{\mathrm{AE}}=\sqrt{5}$다.

따라서 직사각형 ABCD의 둘레의 길이는

$\overline{\mathrm{AB}}+\overline{\mathrm{DC}}+\overline{\mathrm{AD}}+\overline{\mathrm{BC}}$

$=\sqrt{5}+\sqrt{5}+\sqrt{10}+\sqrt{10}=2\sqrt{5}+2\sqrt{10}$

이다.

3 개념과 원리 탐구하기 4

옳지 않다.

$3\sqrt{2}+2\sqrt{5}$는 $\sqrt{2}$를 세 번 더하고 $\sqrt{5}$를 두 번 더한 값이다. 또한 $5\sqrt{7}$은 $\sqrt{7}$을 5번 더한 값이다.

따라서

$\sqrt{2}+\sqrt{2}+\sqrt{2}+\sqrt{5}+\sqrt{5}\neq\sqrt{7}+\sqrt{7}+\sqrt{7}+\sqrt{7}+\sqrt{7}$

이다.

4 개념과 원리 탐구하기 5

• 약분할 수 있다.

$3=\sqrt{3}\times\sqrt{3}$이므로 $\dfrac{3}{\sqrt{3}}=\dfrac{\sqrt{3}\times\sqrt{3}}{\sqrt{3}}$이다.

따라서 $\sqrt{3}$으로 약분하면 $\sqrt{3}$이다.

• 약분할 수 있다.

$\dfrac{3}{\sqrt{3}}$의 분모를 유리화하면 $\dfrac{3\times\sqrt{3}}{\sqrt{3}\times\sqrt{3}}=\dfrac{3\sqrt{3}}{3}$이고 3으로 약분하면 $\sqrt{3}$이다.

5 개념과 원리 탐구하기 1, 2, 3, 4, 5, 6

학생들의 답은 다양할 수 있다.

	예
정수	$0, -2, 5, 14, \cdots$
유리수	$0.5, \dfrac{1}{3}, -\dfrac{5}{9}, \cdots$
순환소수	$0.\dot{6}, \dfrac{25}{99}, 0.3\dot{4}\dot{5}, \cdots$
무리수	$\pi, \sqrt{2}, \sqrt{3}, \cdots, \sqrt{2}+1, 1-\sqrt{3}, \cdots$

$36+18\sqrt{2}$

한 변의 길이가 12인 정사각형을 7개의 조각으로 나눈 칠교 조각의 각 변의 길이와 주어진 도형의 둘레의 길이는 다음과 같다.

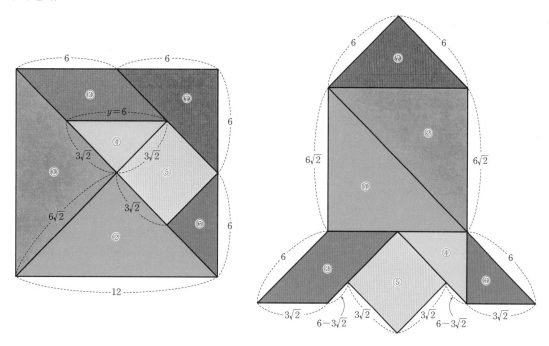

$$6+6+6\sqrt{2}+6\sqrt{2}+6+6+3\sqrt{2}+3\sqrt{2}+(6-3\sqrt{2})+(6-3\sqrt{2})+3\sqrt{2}+3\sqrt{2}=36+18\sqrt{2}$$

학생
답안
1

제목 : 실수국 역사수업

역사선생님 : 오늘은 우리 실수국의 역사 중 무리수인에 대해 배워볼게요.
현재 우리 왕국엔 유리수인 밖에 없지만, 아주 옛날엔 무리수인들이라는
사람들이 있었어요. 그들은 끝이 없는 아주 강력한 힘을 가지고 있었다고
합니다. 사실, 최초의 무리수인은 우리수인이었어요. 그의 이름은 10
이었는데, 어느날 숲에서 어떤 모자를 발견했는데 그는 바로
끝이 없는 힘을 얻었고, 자신의 이름을 '루트 10'으로 바꿨습니다.
그러나 부작용이 있었는데, 모자를 벗는게 불가능했어요.
벗기 위해선 '제곱근 10'이라는 아주 강한 약이 필요했고,
그는 수십년을 떠돌아다니다 겨우 그 약을 구해 마셨고,
모자를 벗을 수 있었죠. 역사 속의 무리수인들은 그의
자손입니다. 그들이 사라진 이유는 불확실하지만,
역사 학자들은 뭔가 부작용이 더 있었을거라
추측합니다.

학생
답안
2

아주 머─언 옛날. 우리가 알지 못하는 머나먼 옛날의 한 마을에는 이상한 사람이 살고 있었다. 그 사람의 이름도 괴상했는데, 이름이 ... 루트루트에베베 메롱아라제라곤 불렸다... 하튼 이름이 이상해서, 또 길어서 그 마을 사람들은 그를 그냥 루트 씨라 불렀다. 그러던 어느 날, 그 사람이 땅을 사려 부동산에를 갔는데 그의 요구가 하도 괴상해서 도무지 알 수가 없었다. 넓이가 ~ 11m²인 땅을 산다고 했는데... 정사각형 모양의 땅이어야만 한다는 요구였다. 부동산 잠시 생각하던 부동산매매업자 다파라 씨는 도저히 답이 안 나와서 마을에서 가장 수학을 잘 한다는 계산바 씨를 찾아갔다. 그런데 글쎄.. 그 유명한 계산바 씨도 도대체 답을 못 찾지 뭔가! 도대체 넓이가 11m²인 ~ 정사각형 땅을 골라내려면 가로 길이가 얼마나 돼야 한단 말인가! ~ 다파라 씨와 계산바 씨도 풀어내지 못하자. 이웃 마을의 수학자 귀찮소 씨를 불러 들여봤었다. 근데 귀찮소 씨의 말이 가관이다. "그건 구도 있소?" 사실 루트 씨의 요구는 그 마을 사람들을 넘어 어디를 가도 답을 얻지 못했었다. 루트 씨는 낙담하면서 "여기도 답이 없나." 하면서 돌아가 ... 려던 찰나! 다파라 씨의 열친의 열친의 열친의 ~ 열친에 산던 괴자와 건축가(?) 역속로볼라에취스 ...(이 사람 이름도 만만치 않게 길다) 씨가 소문을 듣고 찾아왔다. 그러고는 하는 말이. "정사각형 넓이가 11m²면 가로랑 세로를 곱해서 11이 돼야 한단 소리 아니오? 그러면 똑같은 수를 두번 곱하는 거니까.. 이러고저러고. 해서 정사각형 땅의 넓이 가로타 세로는 3보단 크고 4보단 작겠구먼. 이렇게저렇게 요로콤 해서 구하면 대충 나올 것 같은데?" 그렇게 루트 씨 등등은 대강 그에 대한 해답을 얻었다. ~ "그러니까.. 그 루트 씨가 원하는 땅의 가로 길이는 한 3.3 정도만 쯤인 것 같은데... " 다파라 씨가 빙긋 그 말을 받았다. "그럼 정사각형 11m² 땅이라고 하지 말고 그냥 3.3m 짜리 변을 가진 정사각형 땅을 11m²로 합시다!" ... 아무도 토를 달지 않았다. 따라서 그 자리에 있던 계산바 씨의 제안으로 제럼해서(이 마을엔 선거하게도 제럼이 개명이 없었다. ??) 11이 되는 수가 같은 수를 "루트 십일" 이라고 부르기로 했다. '루트' 나는 형은 루트 씨의 앞 이름을 따서 만들었다. 또 루트 기호는 문제를 거의 해결해 준 역속로불라에취스 ... 씨의 집에 걸런 이상한 깃발 모양으로 '√' 로 정했다. 그렇게 해서 루트 씨와 ~~여러마을과~~ 그 마을은 평화를 되찾았다... 인 줄 알았는데! 루트 씨가 또 이상한 소리를 한다. "~~그럼 루트 국에 루트 둘을~~ 더" "그럼 루트 그대 루트 둘를 더하면 얼마냐?" 질문을 받은 다파라 씨 등등... 한목소리로 외쳤다. "이게 그마아──안!!!"

── 끝 ──

호랭이 담배 파우던 시절 사람들이 아직 발견하지 못한 무인도 하나가
있었는데 그곳에는 많은 숫자들이 살고있었다. 유식한 말로는 실수들이
살고 있었는데 실수들은 매우 개방적인 애들이 많아서 다 같이
복작복작 행복하게 살고 있었다. 하지만 고민이 많은 $\sqrt{17}$
당시 유명인들은 다 유리수 였기 때문에 $\sqrt{17}$ 은 유리수가
되고싶었다. $\sqrt{17}$은 매사에 소심 했기 때문에 유리수가 되면
흔히 말하는 '인싸'가 될 것만 같았다. 하지만 $\sqrt{17}$은
유리수가 되기 어려운 실수 였다. 무인도에는 등호(=) 돌이 있었는데
$\sqrt{17}$과 $\sqrt{17}$이 그 돌에 올라가서 주문을 외우면 돌이 하나가
되면서 유리수 17이 되는 것이다. $\sqrt{17}$은 당시 흔한 수가 아니였기
때문에, $\sqrt{17}$은 되게 되게 좌절해 있었다. $\sqrt{17}$은 부모님에게도
조언을 구했지만 언제나 "우리는 네가 굳이 유리수가 되길 바라지
않는단다" 라는 말만 돌아올 뿐 이었다. $\sqrt{17}$은 '이럴 바에는
차라리 여행이나 다니자' 라고 생각했고 한평생 여행을 하다가
죽었는데 $\sqrt{17}$이 마지막으로 한 말은 "유행은 돌고 돌더라"
이었다. $\sqrt{17}$은 유리수가 되지는 못했지만 진정한 삶의
의미를 찾은 체로 세상을 떠났고 후에 많은 실수들에게

교훈을 주는 이야기로 남았다고 한다.

개념과 원리 연결하기 예상 답안

교과서(상) 48~49쪽

1

나의 첫 생각

오정이의 계산은 틀렸다.

근호 안의 수가 같은 경우에 근호 밖의 수를 더하고 뺄 수 있는데 오정이는 근호 안의 수가 다른데도 뺄셈을 했기 때문에 결과가 틀렸다.

다른 친구들의 생각

① 계산기를 사용하면 $\sqrt{7}=2.64575\cdots$이고, $\sqrt{3}=1.73205\cdots$다.
   $\sqrt{7}-\sqrt{3}=0.91370\cdots$이고, $\sqrt{4}=2$이므로 $\sqrt{7}-\sqrt{3}\neq\sqrt{4}$다.

② $\sqrt{7}$은 3보다 크지 않고, $\sqrt{3}$은 1보다 크므로 그 차이는 2보다 작을 수밖에 없다. 그러므로 2가 될 수 없다.

정리된 나의 생각

근호 안의 수가 서로 같은 것은 동류항처럼 계산하여 문자식에서의 덧셈과 뺄셈과 같은 방법으로 계산할 수 있다. $\sqrt{7}-\sqrt{3}$과 같이 근호 안의 수가 다른 경우에는 더 이상 간단히 계산할 수 없다.

2 (1)

제곱근의 뜻

$x^2=a$와 같이 제곱하여 a가 나오는 수 x를 a의 제곱근이라고 한다.

무리수의 뜻

유리수는 $\dfrac{a}{b}$(a, b는 정수, $b\neq0$)과 같이 분자와 분모가 각각 정수인 분수로 나타낼 수 있는 수다. 무리수는 유리수가 아닌 수다.

제곱근의 성질

(1) $a>0$일 때 제곱하여 a가 나오는 수는 $\pm\sqrt{a}$로 두 개가 있다.

(2) $a>0$일 때, $(\sqrt{a})^2=a$, $\sqrt{a^2}=a$다.

(3) 제곱근의 대소 관계

$a>0$, $b>0$일 때, $a<b$이면 $\sqrt{a}<\sqrt{b}$이고 $\sqrt{a}<\sqrt{b}$이면 $a<b$가 성립한다.

무리수의 성질

• 소수로 나타내면 순환하지 않는 무한소수가 된다.

• 유리수와 무리수를 통틀어 실수라고 하며 수직선 위의 모든 점은 실수다.

(4) 제곱근의 곱셈과 나눗셈

$a>0$, $b>0$일 때,

$$\sqrt{a}\sqrt{b}=\sqrt{ab},\ \sqrt{a^2b}=a\sqrt{b},\ \dfrac{\sqrt{a}}{\sqrt{b}}=\sqrt{\dfrac{a}{b}}$$

(5) 분모의 유리화

$\dfrac{\sqrt{a}}{\sqrt{b}}=\dfrac{\sqrt{a}\times\sqrt{b}}{\sqrt{b}\times\sqrt{b}}=\dfrac{\sqrt{ab}}{b}$와 같이 분모에 무리수가 있을 때 그것을 유리수로 고치는 것을 분모의 유리화라고 한다.

2 (2)

각 개념의 뜻과 무리수의 연결성

• 정수와 유리수와 다르게 무리수는 분자와 분모가 모두 정수인 분수 꼴로 나타낼 수 없다.

• 유리수를 소수로 고치면 유한소수 또는 순환하는 무한소수 둘 중 하나가 되는데 순환하지 않는 무한소수가 무리수다.

• $\sqrt{180}$과 같은 무리수를 간단히 하려면 근호 안의 수를 소인수분해하여 제곱수를 찾는다. 즉, $180=2^2\times3^2\times5$이므로 $\sqrt{180}=6\sqrt{5}$다.

• 유리수의 대소 관계와 마찬가지로 무리수도 수직선에 나타내어 대소를 비교할 수 있다.

• 직각삼각형에서 빗변의 길이를 a, 직각을 낀 두 변의 길이를 b, c라고 하면 $a^2=b^2+c^2$인 관계가 성립하는데 이것을 피타고라스 정리라고 한다. 직각삼각형의 빗변의 길이를 구할 때 제곱근을 이용하는 경우가 많이 있다.

• 문자와 차수가 모두 같은 항을 동류항이라고 한다. 동류항끼리는 덧셈과 뺄셈을 하여 간단히 정리할 수 있다. 제곱근도 근호 안의 수가 같은 것끼리는 덧셈과 뺄셈을 하여 간단히 정리할 수 있다.

학생
답안
1

나의 첫 생각

민정이의 계산이 맞을 것 같다.

$\sqrt{}$를 하나의 문자처럼 생각하면 $\sqrt{}$로 문자가 같으므로 $\sqrt{7}-\sqrt{3}=\sqrt{4}=2$ 가 맞는 것 같다.

다른 친구들의 생각

오정이의 계산이 틀린것같다.

왜냐하면 $\sqrt{7}$은 약 2.646 이고, $\sqrt{3}$은 약 1.732인데 $\sqrt{7}-\sqrt{3}$은 2.646-1.732 ≒ 0.914 이다. 그러므로 $\sqrt{7}-\sqrt{3}=\sqrt{4}=2$가 아니라 $\sqrt{7}-\sqrt{3}=\sqrt{7}-\sqrt{3}$ 이라고 표기해야 맞을것같다.

정리된 나의 생각

$\sqrt{7}$은 7의 제곱근이고, $\sqrt{3}$는 3의 제곱근 이다. 7의 제곱근과 3의 제곱근도 다르므로 $\sqrt{7}$을 하나의 문자, $\sqrt{3}$도 하나의 문자처럼 봐야한다. 그러므로 $\sqrt{7}-\sqrt{3}=\sqrt{4}=2$ 가 아니라 $\sqrt{7}-\sqrt{3}=\sqrt{7}-\sqrt{3}$ 이 되야한다.

학생
답안
2

나의 첫 생각

$$\sqrt{7}-\sqrt{3}\neq\sqrt{4}$$

$$1<\sqrt{3}<2 \quad \sqrt{3}=1.XX$$

$$2<\sqrt{7}<3 \quad \sqrt{7}=2.XX$$

$$2.XX-1.XX<2$$

$$\therefore \sqrt{7}-\sqrt{3}\neq\sqrt{4}$$

다른 친구들의 생각

틀림 → $\sqrt{7}=2.XX$ $\quad 2.XX-1.XX=1.XX\neq2$
$\quad\quad\quad\sqrt{3}=1.XX$

정리된 나의 생각

$$\sqrt{7}-\sqrt{3}\neq\sqrt{4} \quad\quad \sqrt{7}-\sqrt{3}<\sqrt{4}$$

학생
답안
3

나의 첫 생각

오정이는 ~~틀렸다~~. $\sqrt{4} = 2$ 는   맞지만 $\sqrt{7} = 2.XXX$ 이고 $\sqrt{3}$ 은 $1.XXX$

$$2.XXX - 1.XXX = 1.XXX \neq 2\,\text{값}\ \text{다르다}$$

$$\sqrt{7} - \sqrt{3} \neq \sqrt{4} = 2\ \text{이므로}\ \sqrt{7} - \sqrt{3}\text{은}\ \sqrt{4} = 2$$

다른 친구들의 생각

$\sqrt{7}$ 과 $\sqrt{3}$ 은 둘다 루트안의 수가 소수여서 루트밖으로 나올수 없다.
그러니까 더이상 간단해지지 않고 $\sqrt{7}$ 과 $\sqrt{3}$ 자체로 하나의 수다
그래서 뺄 수가 없고 그대로 $\sqrt{7} - \sqrt{3}$ 인 것 같다.

학생
답안
4

나의 첫 생각

근호안의 수의 덧셈과 뺄셈은 근호안의 수가 같을때만 덧셈과 뺄셈이 가능
하다. 그러므로 $\sqrt{7} - \sqrt{3} = \sqrt{4} = 2$ 이 식은 틀렸고 $\sqrt{7} - \sqrt{3}$ 이
정답이다. 왜냐하면 근호안의 수가 같지 않으므로 $\sqrt{7} - \sqrt{3}$ 이라
고 생각한다.

다른 친구들의 생각

근호 안의 수가 소수이면, 루트 안의 수끼리는
뺄 수가 없다. 더 이상 간단히 계산 되지
않는다. $\quad \sqrt{7} - \sqrt{3} \neq \sqrt{4} = \sqrt{2^2} = 2$
$\qquad\qquad\quad \downarrow \quad\ \downarrow \qquad\qquad \downarrow$
$\qquad\qquad\ \text{소수}\ \text{소수} \qquad \text{소수 아님. 합성수}$

개념 사이의 연결성을 쓰는 과제 답안은 다음과 같이 다양할 수 있습니다. 주어진 개념을 먼저 정리해 보면 새 개념과 어떻게 연결되었는지를 생각할 수 있을 것입니다.

학생 답안 1

무리수와 연결된 개념
· 소인수분해
· 정수와 유리수
· 수의 대소관계
· 순환소수 무한소수

무리수와 관련 개념 사이의 연관성

· 수의 대소관계로 제곱근의 대소 관계를 알 수 있다.

$15 < 23$ ∴ $\sqrt{15} < \sqrt{23}$

· $\sqrt{}$ 는 쓰는 수는 순환소수가 아닌 무한소수이다.

($\sqrt{}$ 안에 제곱수가 있는 수 제외)

· $\sqrt{12}$ 는 12를 $2^2 \times 3$으로 소인수분해하여 $2\sqrt{3}$으로 바꿀 수 있다.

정수 — 양의 정수 / 0 / 음의 정수

유리수 — 정수 / 정수가 아닌 유리수

실수 — 유리수 / 무리수

학생 답안 2

무리수와 연결된 개념
✔정수와 유리수
✔유리수의 소수표현
· 순환소수
✔수의 대소 관계
✔제곱근
✔무리수
✔실수

무리수와 관련 개념 사이의 연관성

a, b가 양수이면 $\sqrt{a} < \sqrt{b}$ (단, $a < b$)

a의 제곱근은 $\sqrt{a}$ ⇒ '제곱해서 a가 되는 수'

복소수 — 허수 / 실수

실수 — 유리수 — 정수 / 정수 × 유리수

무리수 ⇒ 분수로 나타내지 못하는수 ⇔ 유리수

순환소수 $= \left(\dfrac{a_1}{10} + \cdots + \dfrac{a_n}{10^n} \right) + \left(\dfrac{a_1}{10^{n+1}} + \cdots + \dfrac{a_n}{10^{2n}} \right) + \cdots$ 꼴의 수 ⇒ 유한소수 (순환)

⇒ 무한소수 (비순환)

무리수 $= a_1 + \dfrac{1}{a_2 + \dfrac{1}{\ddots}}$ 꼴의 수

-9-

학생
답안
3

● __자연수__ : 양의 정수 $(1, 2, 3)$

● __정수__ : 소수점 없는 유리수
분자와 분모가 같은 분수

● __유리수__ : (양의 정수, 0, 음의 정수)
비로 나타낼 수 있는 수
(분수로 나타낼 수 있는 수)

● __정수가 아닌 유리수__ : 유한소수, 기약분수, 순환소수
$(\frac{4}{3}, -0.7, 1.29)$

● __무리수__ : 비로 나타낼 수 없는 수
(순환하지 않는 무한 소수)

● __실수__ : 실제로 존재하는 수
(유리수와 무리수를 통틀어서 실수라 함)

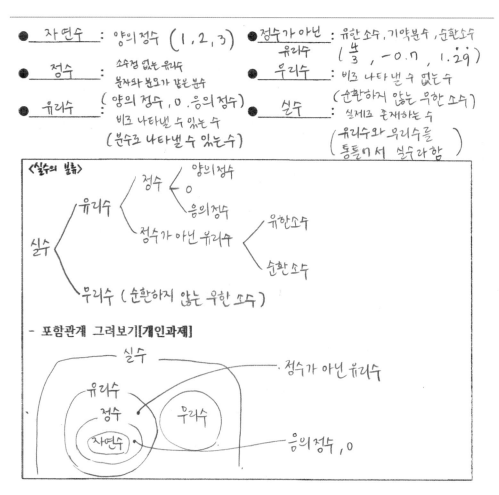

〈실수의 분류〉

실수 ─┬─ 유리수 ─┬─ 정수 ─┬─ 양의정수
      │   │   ├─ 0
      │   │   └─ 음의정수
      │   └─ 정수가 아닌 유리수 ─┬─ 유한소수
      │   └─ 순환소수
      └─ 무리수 (순환하지 않는 무한 소수)

- 포함관계 그려보기[개인과제]

실수 / 유리수 / 정수 / 자연수 / 무리수 / 정수가 아닌 유리수 / 음의정수, 0

학생
답안
4

무리수와 연결된 개념	무리수와 관련 개념 사이의 연관성
▪ 정수와 유리수 ▪ 유리수의 소수표현 ▪ 순환소수 ▪ 수의 대소 관계 ▪ 제곱근	• 유리수가 순환소수로 표현되고 순환되지 않는 수는 무리수이다. • 유리수 수의 대소 관계는 근삿값 사이 값으로 한다. (?) • 무리수는 분수로 표현이 불가능 하다. • 정수와 유리수, 무리수 무리수는 실제 존재한다. • 무리수는 분수로 나타낼 수 없는 무리수로 거리 표현된다. • 넓이 선 제곱근의 값이 무리수로 가능하다. • 무리수는 제곱이거나 관련된 무리수가 제곱에 가능하면 곧 넓으로 나온다.

학생
답안
1

내가 선택한 탐구 과제

√2를 수직선에 표현해 보자.

나의 깨달음

√2를 수직선에 표현하기 위해서는 먼저 √2를 수직선 위에 표현해야 한다. 수직선 위에 √2를 표현하는 방법은 ──── 이 표시된 수직선에 피타고라스의 정리를 이용하여 ──── 0을 중심으로 √2를 나타내고 컴퍼스를 사용하여 내리면 ──── √2 가 표시된다. 같은 방법으로 √3 이를 ──── 점으로 √3를 나타내고 ──── 컴퍼스를 사용하여 내리면 된다. 이때 어떤 점을 중심으로 해서 √2 를 표현할 것이 중요한 것을 알았다.

수학 학습원리

ㄴ. 여러가지 수학 개념 연결하기
 피타고라스의 정리를 사용하여 수직선 위에 무리수도 표현할 수 있다는 것을 알 수 있었기 때문이다.

학생
답안
2

내가 선택한 탐구 과제

ㅣㅓ . 탐구하기 4〉 ⑷번

나의 깨달음

나의 깨달음 : 무리수는 유리수로 표현할 수 없는데 수직선에 나타낼 수 있다는 점에 놀랐다. 수의 범위를 공부할 때는 정수 이후 분수를 배워 점점으로 유수, 유리수, 무한소수 등 실수 범위로 확장하며 무리수를 나타낼 수 없다고 생각했는데 도형을 활용하는 것에서 수학적 영감을 얻게 되었다. 그전에는 자나깨나 유리수로 접근을 하려는 생각을 하여 수직선위에 표현을 꺼려왔다. 근데 직각삼각형에서 빗변을 삼각형 4 기를 빼 작은 정삼각형의 넓이를 5로 변한 뒤 한 변이 길이를 √5로 구하여 컴퍼스로 수직선에 나타내었다. 또 이점을 친구에게 설명해주어 어려워했어도 도움이 된 것 같아 뿌듯했다. 또 다른 장점은 직각삼각형, 넓이가 다른 정사각형을 활용하여 일정한 규칙 같은게 있음을 찾게 되었다. 다만 아쉬운 것은 수직선 위에 비로 나타나지는 못한다는 점이다. 이 부분을 커서 연구해보고 싶다.

수학 학습원리

① ⓒ , ③ , ④ ⑤

학생
답안
3

내가 선택한 탐구 과제

탐구하기 4〉 (1)번.

나의 깨달음

루트라는 개념이 당연히 유리수처럼 딱 와 닿지는 않기에 조금 껄끄럽던 참이었는데, 탐구하기 4〉의 (1)번에서 도형을 이용하여 서로와 하니 그 껄끄러움이 풀렸다. 2축면 때 배운 도형, 특히 정사각형의 성질을 이용하여 막연했던 $\sqrt{}$라는 수를 명확하게 표현할 수가 있다는 것이 신기했다. 처음에는 어떻게 문제를 풀 때 조금 막막했으나 도형을 이용하라는 조언을 들으니 느낌이 왔다. 역시 눈으로 보는 것이 개념을 환기시키는 것 같다.

시간이 조금 걸리기는 하였으나 결국 그했다.

수학 학습원리

①번, ⑤번

STAGE 2

참이 되는 값을 찾아보자

– 이차방정식

1. 이차방정식과 곱셈 공식 · 인수분해의 통합

   2009 개정 교육과정에서는 '곱셈 공식'을 중학교 2학년에서 다루었습니다. 반면 2015 개정 교육과정에서는 곱셈 공식이 중2 다항식의 전개보다는 중3의 인수분해와 가깝다는 판단으로 인수분해 공식과 연결하여 가르칠 수 있도록 중학교 3학년으로 이동했습니다. 즉, 식의 전개보다는 인수분해에 더 중점을 두었습니다. 그러나 인수분해 단원 자체가 독립적으로 어떤 의미가 있는가에 대해서는 고민의 여지가 있었고 수학의 발견에서는 인수분해의 유용성을 학생들이 경험하고 깨달을 수 있도록 이차방정식 단원에 인수분해(곱셈 공식)를 통합하였습니다. 인수분해는 이차방정식을 풀기 위한 도구이며, 이차방정식을 풀기 위해 식을 변형하는 다양한 방법 중 하나로 이해할 수 있습니다. 곱셈 공식과 인수분해를 학습한 후 이차방정식을 배울 경우 공식의 숙달과 연습을 하느라 식을 변형하는 유용성과 즐거움을 느낄 수가 없으므로 수학의 발견에서는 이차방정식을 먼저 도입하고, 이를 풀기 위한 도구로서 식의 변형을 다루어 소모적인 계산에 치우치는 것을 방지하려고 했습니다.

2. 이차방정식의 풀이에 대한 새로운 흐름 제시

   이차방정식 단원은 '이차방정식의 해를 구하는 알고리즘의 발견'에 초점을 두었습니다. 또한 이차방정식의 활용을 별도로 다루지 않고 각 탐구하기 과제에 녹여내어 상황 속에서 자연스럽게 해를 구하는 방법을 탐구할 수 있게 했습니다. 다음은 이 단원의 전체 흐름입니다.

   (1) 이차방정식과 그 해의 뜻

   STAGE 1에서 학습한 제곱근의 개념과 연결해 이차방정식을 도입하고, 알고리즘을 학습하기 전 다양한 방법으로 해를 구해볼 수 있도록 하였습니다. 특히 처음부터 이차방정식의 해가 2개라고 제시하지 않고, 이차방정식의 해는 일차방정식과 달리 2개임을 직관적으로 발견해 보도록 했습니다.

   (2) 제곱근을 이용한 이차방정식의 풀이

   STAGE 1을 끝낸 후 갑자기 곱셈 공식과 인수분해 공식을 다루는 것이 아니라 제곱근의 뜻을 이용해 이차방정식을 풀 수 있게 했습니다. 새로 배우는 개념이라기보다는 기존 개념과 연결한다는 의미를 살리기 위함입니다.

   (3) 새로운 접근 방법 : 식의 변형으로서의 곱셈 공식과 인수분해

   곱셈 공식과 인수분해는 공식별로 하나씩 다루기보다는 분배법칙을 바탕으로 하는 다항식의 전개와 공통인수로 묶는 원리를 중심으로 통합했습니다. 암기보다는 원리를 이해하여 식의 구조를 이해하고, 변형하는 것에 초점을 두었으며 이차방정식을 풀기 위한 도구로서 다루었습니다.

   (4) 근의 공식

   지금까지의 아이디어를 종합하여 이차방정식을 푸는 자신만의 '풀이 알고리즘'을 발견하게 했습니다. 근의 공식이 역사적으로 중요한 이유, 또 근의 공식을 사용하는 것이 편리한 상황은 어떤 상황인지 깨달을 수 있게 했습니다. 또한 이차방정식을 푸는 다양한 방법을 종합적으로 이해하고, 상황에 따라 적절한 방법으로 풀 수 있음을 이해할 수 있게 했습니다.

① 이차항을 품은 등식 (이차방정식과 그 해의 뜻)

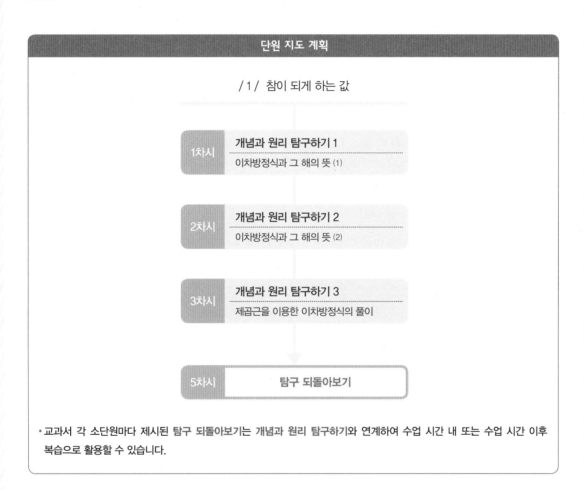

단원 지도 계획

/ 1 / 참이 되게 하는 값

1차시 | **개념과 원리 탐구하기 1**
이차방정식과 그 해의 뜻 (1)

2차시 | **개념과 원리 탐구하기 2**
이차방정식과 그 해의 뜻 (2)

3차시 | **개념과 원리 탐구하기 3**
제곱근을 이용한 이차방정식의 풀이

5차시 | **탐구 되돌아보기**

• 교과서 각 소단원마다 제시된 탐구 되돌아보기는 개념과 원리 탐구하기와 연계하여 수업 시간 내 또는 수업 시간 이후 복습으로 활용할 수 있습니다.

/ 1 / 참이 되게 하는 값 (이차방정식과 그 해의 뜻)

학습목표

1 주어진 상황을 여러 가지 방법으로 해결해 본다. 그 경험을 이차방정식의 해의 뜻과 연결하여 이 단원에서 학습할 내용을 구체적으로 이해한다.

2 미지수 x에 대해서 $ax^2+bx+c=0$ $(a, b, c$는 실수, $a \neq 0)$의 모양으로 나타나는 구체적인 예를 통해 이차방정식의 다양한 형태를 이해한다.

3 이차방정식을 참이 되게 하는 x의 값이 해임을 알고, 해를 구하기 위한 시도를 하게 한다. x의 값을 직접 대입해 보며 이차방정식의 해가 두 개임을 직관적으로 이해한다.

4 이차방정식의 해가 2개인 이유를 제곱근과 연결하여 이해하고 설명할 수 있다.

5 제곱근을 이용하여 특별한 알고리즘 없이 해를 구할 수 있는 이차방정식의 형태를 구조적으로 이해하며, 이러한 형태의 이차방정식을 풀 수 있다.

2015 개정 교육과정 성취기준

이차방정식을 풀 수 있고, 이를 활용하여 문제를 해결할 수 있다.

교수 · 학습 방법 및 유의 사항

1 방정식은 다양한 상황을 통해 도입하여 그 필요성을 인식하게 하고, 여러 가지 방법으로 풀어 보면서 더 나은 풀이 방법을 찾고 설명해 보게 한다.

2 방정식을 활용하여 실생활 문제를 해결하고 그 유용성과 편리함을 인식하게 한다.

3 방정식의 해가 문제 상황에 적합한지 확인하게 한다.

4 이차방정식은 해가 실수인 경우만 다룬다.

평가 방법 및 유의 사항

1 방정식에 대해 지나치게 복잡한 활용 문제는 다루지 않는다.

2 이차방정식의 근과 계수의 관계는 다루지 않는다.

핵심발문

이차방정식과 그 해의 뜻과 특징은 무엇인가?

탐구 활동 의도

- 식이 없어도 직관적으로 조건에 맞는 값을 구할 수 있는 상황을 제공하고 이 과정에서 이차방정식과 그 해의 뜻을 탐구하고자 했다.
- ①(1)은 바로 조건에 맞는 값을 찾는 활동이다.
- ①(2)는 '(이차식)=0'의 꼴로 나타내어지는 것이 이차방정식임을 알게 한다. 단, 곱셈 공식을 배우기 전이므로 중학교 2학년에서 학습한 다항식의 전개를 이용하여 식을 변형하게 할 수 있다. 여기서 중요한 것은 우변을 0으로 만드는 과정이 아니라 이차식인 '등식'으로 나타내는 것이다. (이차방정식인지의 여부를 판별하는 것은 주요하게 다루지 않았다.)
- ①(3)은 주어진 수가 이차방정식의 해인지 아닌지를 판단하는 활동이다. 주어진 수를 방정식에 대입하여 등식이 성립하면 이차방정식의 해가 됨을 이해하기 위한 과제다.
- ②는 상수항이 무리수인 경우가 어색하여 양변을 제곱하는 경우에 대하여 차수가 달라짐을 깨닫게 하기 위한 과제다.

예상 답안

1   (1) 전체 학생 수가 10명일 때 $10 \times 9 = 90$(장), 11명일 때 $11 \times 10 = 110$(장),
    12명일 때 $12 \times 11 = 132$(장)이므로, $420 = 21 \times 20$에서 전체 학생 수는 21명이다.

학생
답안

· $20^2 = 400$임을 이용하여 20과 가까운 수를 대입하여 찾은 경우

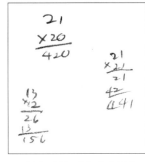

· 소인수분해를 이용하여 찾은 경우

$$420 = 10 \times 42 = 2 \times 5 \times 6 \times 7$$
$$= 2 \times 2 \times 3 \times 5 \times 7$$
$$= 20 \times 21$$

(2) 전체 학생 수를 x명이라고 하면 $x(x-1) = 420$이고, 전개하여 정리하면 $x^2 - x - 420 = 0$이다.
    '(x에 대한 이차식)=0'의 꼴이기 때문에 이 방정식은 이차방정식이다.

예상 학생 수 : x

$x(x-1)=420$

$x^2-x=420$

$x^2-x-420=0$

(3) (2)에서 구한 이차방정식 $x^2-x-420=0$에 (1)에서 구한 값 21을 대입하면

$21^2-21-420=441-21-420=0$이므로 참이다.

따라서 21은 이차방정식 $x^2-x-420=0$의 해다.

[2] 은정이의 말은 틀렸다.

등식의 모든 항을 좌변으로 이항하여 정리하면 $x-\sqrt{10}=0$이고 x의 차수는 1이므로 주어진 식은 x에 대한 일차방정식이다. 은정이는 $x=\sqrt{10}$의 상수항이 무리수라서 양변을 제곱하여 $x^2=10$, 즉 $x^2-10=0$으로 식을 변형시켜 판단을 했기 때문에 이차방정식이라고 말했을 것이다.

수업 노하우

- [1]은 학생들의 교실 상황을 제시하고자 한번쯤 접해 본 '칭찬 편지 쓰기' 활동을 소재로 했다. 실제로 해 보는 것을 추천한다.

- [1](1)은 이차방정식의 해를 직관적으로 찾는 활동이다. 아직 이차방정식과 해라는 용어를 학습하기 전 이므로 학생들이 '답'이라는 표현을 써도 괜찮다. 문제 상황에 맞는 답을 구하고 각자 어떻게 구했는지 이 야기하게 한다.

- [1](2)는 식의 형태를 관찰하기 위한 문제다. 학생들이 다음과 같이 식을 쓰고, 현재까지 배운 상식으로 는 해를 1개만 찾는 것이 당연하다. 여기서는 옳은 답으로 간주하며 이후 이차방정식의 해가 일반적으로 몇 개인지, 해를 모두 구하기 위해서는 어떤 과정이 필요한지 학습하는 것과 연결지을 수 있다.

$x(x-1)=420$

$x=21$

- [1](2)에서 등식으로 표현하지 못하는 경우도 있다. 이때 등식으로 나타내 볼 수 있도록 하고, 방정식에 서 등식으로 표현하는 것의 중요성을 수업 시간에 논의해 볼 수 있다. 이차식과 이차방정식의 차이점을 알게 하는 기회가 될 수 있다.

10명이면 한 떰 당 9명씩에게 줘야 하니까, 10×9

$x(x-1)$

- [1](3)에서 학생들은 자연스럽게 자신이 구한 값 21이 방정식을 만족하는지 확인했고 방정식의 해의 의 미를 이해할 수 있었다. 지금은 당연히 조건에 맞는 값을 찾았으므로 검산 과정이 큰 의미가 없다. 이후 알고리즘을 이용하여 해를 구할 때는 계산이 틀릴 수도 있으므로 검산 과정이 필요함을 설명할 수 있다.

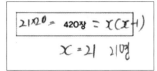

- • 2 에서 '$x^2=10$의 해를 나타낸 것이므로 이차방정식이다.'라는 의견을 제시하는 친구들이 있을 수 있다. 또한 $x-\sqrt{10}=0$은 일차방정식인데 상수항이 무리수여도 되는지 서로 논의할 수 있다. **중학교 1학년** 교육과정에서는 실수를 배우기 전이어서 계수나 상수항의 조건을 구체적으로 제시하지는 않았지만, 일차방정식을 '(일차식)$=0$'으로 제시하고 있고, 수와 문자의 곱으로만 이루어진 것을 항이라고 정의하고 있으므로 일차방정식이라고 볼 수 있다.

  - • 참이라고 설명한 경우

  - • 거짓이라고 설명한 경우

  - • 잘모르겠다고 설명한 경우

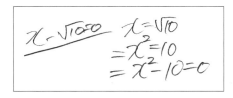

주
의

- • 두 일차식의 곱셈과 인수분해를 배우지 않은 상태에서 이차방정식의 정의를 도입할 때 이차방정식의 꼴을 다양하게 전개하지 못하는 상황이 생길 수도 있다. 이때는 이차식의 뜻을 **중학교 2학년**에서 이미 다루었으므로 식의 차수가 이차인지 가늠해 보도록 한다.

  특히 $a(x+m)(x+n)=0$이 $ax^2+bx+c=0$의 모양으로 변형될 수 있음을 살펴보는 것은 낯설게 다가갈 수 있으므로 학생들이 관찰한 내용만 이야기하고, 궁금증으로 남겨두어도 좋다.

- • 다음과 같은 식에서 모든 항을 좌변으로 이항하면 좌변이 일차식이 된다. 이차항이 있다고 해서 무조건 이차방정식이 될 수 있는 것은 아니라는 내용은 주요하게 다루지 않고, 이차식이면서 등식인 식을 이차방정식이라는 정도로 가볍게 다루도록 한다.

$$(x+1)^2=x(x-1)+2$$

탐구 활동 의도

- 어떤 수를 대입하여 등식의 참, 거짓을 확인하는 것이 그 수가 방정식의 해인지 판단하는 한 가지 방법임을 알게 한다.
- 1 에서는 미지수 x에 대해 $ax^2+bx+c=0\ (a\neq 0)$의 모양으로 나타나는 구체적인 예를 통해 이차방정식의 형태를 학습하고, 그 해의 뜻을 알게 했다. 완전제곱식, 두 일차식의 곱으로 표현된 모양 등 앞으로 배울 다양한 형태의 이차방정식을 제시했다.
- 이차방정식을 참이 되게 하는 x의 값이 해임을 알고, x의 값을 직접 대입해 보며 이차방정식의 해가 두 개임을 직관적으로 이해한다.
- 2 에서는 일차방정식과는 다르게 이차방정식의 해는 두 개이므로 이 두 개의 해를 모두 구해야 이차방정식을 풀었다고 할 수 있음을 깨닫게 할 수 있다.

예상 답안

1 　주어진 x의 값을 각 식에 대입하여 등식이 참이 되는 값이 해다. 해를 색칠하면 다음과 같다.

번호	이차방정식		x의 값			
(1)	$x^2-4=0$		-2		2	
(2)	$x^2+2x=3$	-3				1
(3)	$3x^2+2x=x^2+4$	-2				1
(4)	$(x+4)(x-1)=0$	-4				1
(5)	$4x^2-x=0$		0		$\dfrac{1}{4}$	
(6)	$x^2-6x=-9$			3		
(7)	$x^2=0$			0		
(8)	$x^2+9=0$					

(8) $x^2+9=0$, $x^2=-9$이므로 참이 되는 x의 값이 없다.

학 생 답 안

이차방정식	x의 값				
$x^2+9=0$	-6	-3	-1	0	3
$x^2-4=0$	-3	-2	0	2	3
$x^2+2x=3$	-3	-2	-1	0	1
$3x^2+2x=x^2+4$	-2	-1	0	$\dfrac{1}{2}$	1
$(x+4)(x-1)=0$	-4	-2	-1	0	1
$4x^2-x=0$	$-\dfrac{1}{4}$	0	$\dfrac{1}{8}$	$\dfrac{1}{4}$	$\dfrac{1}{2}$
$x^2-6x=-9$	1	2	3	4	5
$x^2=0$	-2	-1	0	1	2

2   (1) 거짓. -3과 3을 $x^2+9=0$에 대입하면 $(-3)^2+9=18\neq0$, $3^2+9=18\neq0$이기 때문에 등식이 참이 되지 않는다. 따라서 -3과 3은 $x^2+9=0$의 해가 아니다. $x^2+9=0$에서 9를 이항하면 $x^2=-9$이고 제곱해서 음수가 나오는 실수는 없다.

(2) 참. $x^2+2x=3$에 -3을 대입하면 $(-3)^2+2\times(-3)=9-6=3$으로 등식이 참이 된다. 즉, 1 이외에 -3도 이차방정식 $x^2+2x=3$의 해가 된다.

학생
답안

> $x=-3$ 일때 $(-3)^2+9\neq0$
> $x=3$ 일때 $3^2+9\neq0$

> x에 -3을 대입했을때 $x^2+2x=3$의해가 1 말고 더 있다는것을 알 수 있다.

> $x=-3$
> $9+2\times-3=3$
> $9-6=3$
> $9=3$

(3) 일차방정식에서는 일반적으로 해가 1개이고, x의 범위가 주어졌을 때는 해가 없을 수도 있다. 이차방정식에서는 해가 2개까지 나오고, 같은 해가 중복되는 경우와 해가 없는 경우도 있다.

학생
답안

> 일차방정식의 해의 개수는 1개 이하(1개, 0개)이고, 이차방정식의 해의 개수는 2개 이하이다(2개, 1개, 0개)

수업 노하우

- 선행학습을 한 학생과 그렇지 않은 학생의 학습 속도의 차이가 없도록 식을 구성하였으나, 혹시 빠르게 계산한 학생의 경우 어떻게 해를 구하였는지를 발표하게 할 수 있다.
- 중학교 과정의 이차방정식에서는 해가 실수인 경우만 다룬다. 1 (8)에서 $x^2+9=0$을 제시하여 'x가 실수일 때, $x^2\geq0$이다.'라는 제곱식의 성질도 복습할 수 있게 했다.
- 1 에서는 교사가 하나하나 답을 확인해 주지 않고 완성된 그림을 옆 친구와 확인해 보고 다음 탐구로 넘어갈 수 있다.
- 1 (6)에서 해가 중복되는 경우는 1개만 색칠하게 되는데 중복된 근이라는 설명을 할 필요는 없다. 이후 중근을 탐구하므로 여기서는 '이 식은 왜 해가 1개일까?'와 같이 발문하여 해가 더 있는지 찾아보게 할 수 있다. 이러한 탐구 과정은 이차방정식의 해의 특징 파악에 도움이 된다.

탐구 활동 의도

- 제곱근을 이용하여 이차방정식의 해를 구할 수 있음을 발견하게 하고, 이렇게 해를 구할 수 있는 식의 형태를 발견하게 하는 것이 목표다.
- ①에서는 학생들이 이차방정식의 풀이 알고리즘을 어렵게 생각하지 않고 제곱근을 이용해 $x^2 = k$ 꼴의 이차방정식에서 해를 구하는 방법을 발견할 수 있게 했다.
- **탐구하기 1, 2**에서 이차방정식의 해가 2개라는 사실을 이미 짐작했을 수도 있다. ①에서는 이차방정식의 해가 2개인 이유를 제곱근과 연결하여 이해하고 설명할 수 있게 했다.
- ②는 일차항이 없는 이차방정식의 경우 제곱근을 이용하여 특별한 알고리즘 없이 해를 구할 수 있음을 발견하게 했다.

예상 답안

① (1) 합동인 직각이등변삼각형 4개의 넓이의 합인 도현이네 반 정사각형의 넓이는 20이므로 정사각형의 한 변의 길이를 x라고 하면 $x^2 = 20$이고 $x = \pm\sqrt{20}$이다. 길이는 양수만 가능하므로 도현이네 반의 정사각형 모양 블록의 한 변의 길이는 $\sqrt{20}$이다.

현숙이네 반 정사각형 두 개 중 한 개의 넓이는 합동인 직각이등변삼각형 2개의 넓이의 합인 10이다. 정사각형의 한 변의 길이를 x라고 하면 $x^2 = 10$이고 $x = \pm\sqrt{10}$이다. 길이는 양수만 가능하므로 현숙이네 반의 정사각형 모양 블록의 한 변의 길이는 $\sqrt{10}$이다.

학생
답안

- 피타고라스 정리를 이용하여 $x^2 = 10$으로 식을 세운 경우

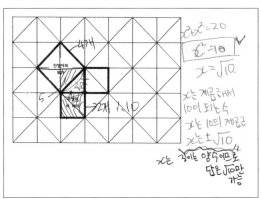

• 넓이를 이용한 경우

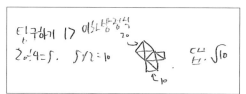

(2) ① $x-9=0$, $x=9$

② $x^2-9=0$, $x^2=9$, $x=\pm3$

[차이점] 일차방정식과 달리 이차방정식은 두 개의 해를 갖는다.

① $x-9=0$	② $x^2-9=0$
$x=9$	$x^2=9$
	$x=3$
	$x=-3$

<차이점>

① 번은 일차방정식, ② 번은 이차방정식이다.
일차방정식은 해가 하나이고, 이차방정식은 해가 두 개이다.

(3) $x^2=k$ $(k\geq0)$에서 x는 k의 제곱근이므로 $x=\pm\sqrt{k}$

$\boxed{2}$ (1) ① $x^2-5=0$, $x^2=5$, $x=\pm\sqrt{5}$

② $9x^2-5=0$, $9x^2=5$, $x^2=\dfrac{5}{9}$, $x=\pm\sqrt{\dfrac{5}{9}}=\pm\dfrac{\sqrt{5}}{3}$

[공통점]

• x의 차수가 1인 항이 없다.

• 제곱근을 이용해서 해를 구할 수 있다.

공통점 : 제곱근을 이용할 수 있다.
항이 두 종류이다.

(2) $(x-2)^2=5$에서 $x-2$는 5의 제곱근이므로
$x-2=\pm\sqrt{5}$, 즉 $x=2\pm\sqrt{5}$

(3) ① $(x-1)^2=5$, $x-1=\pm\sqrt{5}$, $x=1\pm\sqrt{5}$

② $2(x-3)^2=14$, $(x-3)^2=7$, $x-3=\pm\sqrt{7}$, $x=3\pm\sqrt{7}$

③ $3(x+4)^2-36=0$, $3(x+4)^2=36$, $(x+4)^2=12$
$x+4=\pm\sqrt{12}$, $x=-4\pm2\sqrt{3}$

- 1 (1)은 주어진 조건에서 다음과 같이 양의 제곱근만을 다룰 수 있다.

> ① 피타고라스 이용
> $x^2+x^2=20$, $2x^2=20$, $x=\sqrt{10}$ $(x>0)$
>
> ② 넓이 이용. $(x>0)$
> (서영이의 정사각형 넓이) $=10$, $x=\sqrt{10}$

- 1 (2), (3)은 학생들이 양의 제곱근과 음의 제곱근을 모두 구할 수 있도록 직접 식을 제시했다. 학생들은 다음과 같이 양의 제곱근만 생각하는 경우가 많은데 이차방정식의 해가 2개임을 연결지을 수 있는 기회가 될 수 있다.

> $x(=\sqrt{k}$

- 1 (2)에서 이차방정식의 해는 여러 개라고 생각할 수도 있는데 제곱근과 연결지어 2개임을 발견하게 할 수 있다.

> 이차방정식은 답이 여러께가 나올 수 있다.
> 일차방정식은 답이 하나이다.

- 2 는 제곱근을 이용하여 해를 구하기 위해서는 이차방정식의 형태가 어떠해야 하는지를 추론하는 과제다. 하지만 학생들은 수학적으로 표현하지 못할 수도 있다. 다음과 같이 '한 쪽에 루트를 씌울 수 있다.', '바로 x가 나온다.'와 같이 설명했다. 이를 구체적으로 표현할 수 있도록 수업을 진행한다.

> x가
> 바로 나온다.
> 루트가 씌여짐
> 오른쪽이 영(0)이다

- 2 에서 $(x-p)^2=q\,(q\geq 0)$의 꼴인 이차방정식에서 $x-p=A$로 생각하는 것이 쉽지 않을 수 있다. 학생들이 치환을 이용하지 않더라도 식을 $A^2=q$라고 이해할 수 있는 시간을 갖는 것이 필요하다.

일반적으로 검정교과서에서는 제곱근을 이용하는 이차방정식의 풀이는 인수분해를 이용하는 방법을 한 후 다뤄진다. 인수분해를 이용할 수 없는 이차방정식은 근의 공식으로 해결하도록 안내하고 있고, 근의 공식을 유도하기 위해 완전제곱식을 이용한 풀이를 다루기 때문이다.

이 책에서는 먼저 STAGE 1의 제곱근과 연결하여 이차방정식의 해를 구하는 것을 제시했다. 인수분해와 근의 공식을 이용한 풀이는 제곱근을 이용하지 못하는 경우에 어떻게 식을 변형하여 해를 구할 수 있는지를 고민하는 맥락에서 탐구하도록 한다.

탐구 되돌아보기 예상 답안

교과서(상) 60~62쪽

1 개념과 원리 탐구하기 1

(2), (4)

이유 : 식을 전개하여 좌변으로 이항하여 정리했을 때,
'(x에 대한 이차식)$=0$'꼴인 식은 (2), (4)다.

(1) $x^2-3x=x^2+8$, $x^2-3x-x^2-8=0$,
$\quad -3x-8=0$ ($\times$)

(2) $x^2=2$, $x^2-2=0$ (◯)

(3) $x(x+2)=x^2$, $x^2+2x=x^2$,
$\quad x^2+2x-x^2=0$, $2x=0$ ($\times$)

(4) $x(x-4)=9$, $x^2-4x=9$,
$\quad x^2-4x-9=0$ (◯)

(5) $x(x^2+1)=4x^2+3$, $x^3+x=4x^2+3$,
$\quad x^3-4x^2+x-3=0$ ($\times$)

(6) $(x+1)(x+2)=x^2-2$,
$\quad x^2+3x+2-x^2+2=0$, $3x+4=0$ ($\times$)

2 개념과 원리 탐구하기 3

(1) ㉠ : $x^2=12$, ㉡ : $5x^2-20=0$
㉠, ㉡ 모두 '(x에 대한 이차식)$=0$'꼴이므로 이차
방정식이다.

(2) ㉠ : $x^2=12$, $x=\pm\sqrt{12}=\pm2\sqrt{3}$
x는 12의 제곱근이므로 $x=\pm2\sqrt{3}$이다.
㉡ : $5x^2-20=0$, $5x^2=20$, $x^2=4$, $x=\pm2$
양변을 5로 나누어 식을 정리하면 x는 4의 제곱근
이므로 $x=\pm2$다.

3 개념과 원리 탐구하기 3

(1) $x^2=2$

A3 용지의 짧은 변과 긴 변의 길이의 비를 $1:x$라
고 하면 이를 반으로 자른 A4 용지의 짧은 변과 긴
변의 길이의 비는 $\dfrac{x}{2}:1$이다.

A3 용지 사각형 ABCD와 A4 용지 사각형 EFDA
가 닮음이므로, 즉 □ABCD∽□EFDA이므로

$1:x=\dfrac{x}{2}:1$

$1=\dfrac{x^2}{2}$, $x^2=2$

(2) 이차방정식, $x=\pm\sqrt{2}$

$x^2=2$는 $x^2-2=0$이므로 이차항의 계수가 1인 이
차방정식이고 이를 풀면 $x=\pm\sqrt{2}$다.

(3) $x=\sqrt{2}$

$x>0$이어야 하므로 $x=\sqrt{2}$다.
즉, A3 용지와 A4 용지의 짧은 변과 긴 변의 길이
의 비는 $1:\sqrt{2}$다.

4 개념과 원리 탐구하기 3

(1) $3\sqrt{2}$

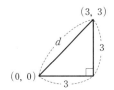

두 점 $(0,0)$, $(3,3)$ 사이의 거리를 d라고 하면 피타
고라스 정리를 이용하여 다음과 같이 구할 수 있다.

$d=\sqrt{3^2+3^2}=\sqrt{18}=3\sqrt{2}$

(2) $(3+5\sqrt{2}, 3+5\sqrt{2})$

두 점 $(3,3)$, (x,x) 사이의 거리가 10이므로

$\sqrt{(x-3)^2+(x-3)^2}=10$

$(x-3)^2+(x-3)^2=10^2$

$2(x-3)^2=100$

$(x-3)^2=50$

$x-3$은 50의 제곱근이므로

$x-3=\pm\sqrt{50}$

$x-3=\pm5\sqrt{2}$

$x=3\pm5\sqrt{2}$

그런데 x는 양수이므로

$x=3+5\sqrt{2}$

따라서 라디오 방송국의 좌표는
$(3+5\sqrt{2}, 3+5\sqrt{2})$다.

2 이차식의 변신 (이차방정식의 풀이)

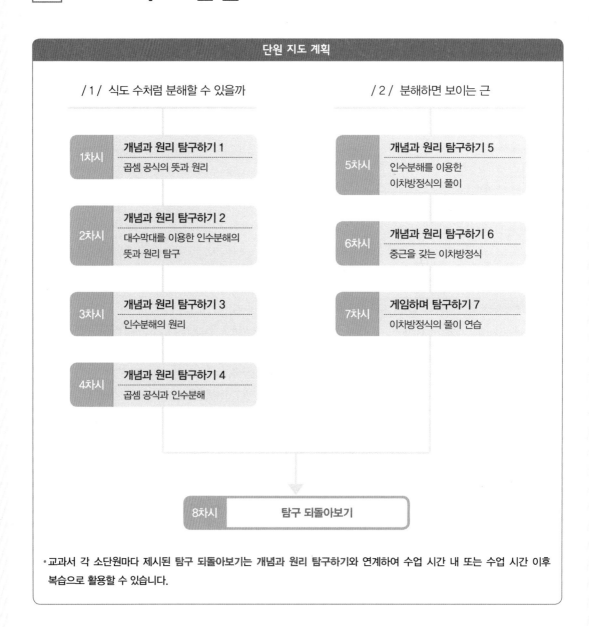

단원 지도 계획

/ 1 / 식도 수처럼 분해할 수 있을까

1차시 개념과 원리 탐구하기 1
곱셈 공식의 뜻과 원리

2차시 개념과 원리 탐구하기 2
대수막대를 이용한 인수분해의
뜻과 원리 탐구

3차시 개념과 원리 탐구하기 3
인수분해의 원리

4차시 개념과 원리 탐구하기 4
곱셈 공식과 인수분해

/ 2 / 분해하면 보이는 근

5차시 개념과 원리 탐구하기 5
인수분해를 이용한
이차방정식의 풀이

6차시 개념과 원리 탐구하기 6
중근을 갖는 이차방정식

7차시 게임하며 탐구하기 7
이차방정식의 풀이 연습

8차시 탐구 되돌아보기

• 교과서 각 소단원마다 제시된 탐구 되돌아보기는 개념과 원리 탐구하기와 연계하여 수업 시간 내 또는 수업 시간 이후 복습으로 활용할 수 있습니다.

/ 1 / 식도 수처럼 분해할 수 있을까 (곱셈 공식과 인수분해)

학습목표

1 두 자리 수를 세로셈으로 곱하는 방법을 다항식에 적용하여 다항식과 다항식을 곱하는 원리를 발견할 수 있다.

2 세로셈을 이용하여 두 다항식의 곱셈을 할 수 있고 이를 확장하여 두 다항식의 곱셈 공식을 유도할 수 있다.

3 직사각형의 넓이를 이용하여 다항식을 전개한 식과 인수분해된 식이 표현은 서로 다르지만 같은 식임을 이해하고, 식의 변형 과정을 추론할 수 있다.

4 직사각형의 넓이를 이용하여 수에 대한 사칙연산과 소인수분해가 다항식으로 확장될 수 있음을 연결하고 인수와 인수분해의 뜻을 이해한다.

5 대수막대를 이용하여 이차식을 인수분해하는 원리를 추론하고, 이를 확장하여 주어진 이차식을 두 다항식의 곱으로 인수분해할 수 있다.

6 곱셈 공식의 역의 과정으로 인수분해 공식을 이해하고 지금까지 자신의 방법으로 인수분해하는 방법을 탐구해 온 것과 공식을 연결할 수 있다.

2015 개정 교육과정 성취기준

다항식의 곱셈과 인수분해를 할 수 있다.

교수 · 학습 방법 및 유의 사항

1 수에 대한 사칙연산과 소인수분해가 다항식으로 확장될 수 있음을 이해하게 한다.

2 다항식의 곱셈과 인수분해는 다음의 경우를 다룬다.

$$m(a+b)=ma+mb$$
$$(a+b)^2=a^2+2ab+b^2$$
$$(a-b)^2=a^2-2ab+b^2$$
$$(a+b)(a-b)=a^2-b^2$$
$$(x+a)(x+b)=x^2+(a+b)x+ab$$
$$(ax+b)(cx+d)=acx^2+(ad+bc)x+bd$$

3 다항식의 곱셈과 다항식의 인수분해의 역관계를 이해하고 이와 유사한 관계를 찾아보는 활동을 하게 할 수 있다.

핵심발문

두 다항식의 곱셈과 인수분해는 어떻게 할 수 있을까?

개념과 원리 탐구하기 1 _ 곱셈 공식의 뜻과 원리

탐구 활동 의도

- 두 자리 수를 세로셈으로 곱하는 방법을 다항식에 적용하여 다항식과 다항식을 곱하는 원리를 발견하게 하는 과제다.
- 세로셈은 분배법칙을 이용한 계산의 과정이 눈에 보이고 동류항끼리 묶어서 계산하기 용이하므로 여러 번 해 보는 과정에서 다항식의 곱셈 방법을 스스로 만들어 볼 수 있다.
- 교육과정에서 제시한 곱셈 공식은 다음의 6가지다. 이를 하나씩 다른 것으로 학습하는 것이 아니라 결국 분배법칙을 이용한 전개라는 관점에서 통합적으로 볼 수 있도록 했다.

$$m(a+b)=ma+mb$$
$$(a+b)^2=a^2+2ab+b^2$$
$$(a-b)^2=a^2-2ab+b^2$$
$$(a+b)(a-b)=a^2-b^2$$
$$(x+a)(x+b)=x^2+(a+b)x+ab$$
$$(ax+b)(cx+d)=acx^2+(ad+bc)x+bd$$

- ①에서는 계산의 원리를 발견하고, ②에서는 이 원리를 이용하여 다항식의 계산을 하게 했다.
  ③에서는 이를 곱셈 공식으로 일반화하여 표현할 수 있게 했다. 일반적으로 검정교과서에서는 곱셈 공식을 제시하고 주어진 다항식의 곱의 구조를 파악하여 곱셈 공식을 적용하게 하고 있지만 ③에서는 그 반대로 곱셈 공식을 두 다항식의 곱셈의 일반화된 표현 정도로만 다루었다.

예상 답안

① (1)	나영이가 두 다항식을 곱한 방법	두 다항식을 곱하는 방법
	• 나영이의 계산은 세로셈으로 자릿수를 맞춰서 곱셈을 하는 것처럼 다항식도 $3x-2$와 $+8$을 곱한 결과인 $24x-16$을 쓰고 그 아랫줄에는 $3x-2$와 $2x$를 곱한 결과인 $6x^2-4x$를 쓴 후 동류항끼리 더하여 최종 결과를 쓴다. • 나영이의 계산은 $32(20+8)=32\times20+32\times8=640+256=896$ $(3x-2)(2x+8)=(3x-2)\times2x+(3x-2)\times8$ $\qquad\qquad\qquad=6x^2-4x+24x-16$ $\qquad\qquad\qquad=6x^2+20x-16$ 과 같은 계산을 세로로 적은 것이다.	• 다항식의 곱셈은 항끼리 각각 곱하고 동류항끼리 간단히 하여 전개식을 정리한다.

2 (1)

	x	-3
$\times$		$+2$
	$2x$	-6

(2)

	x	-3
$\times$	x	-3
	$-3x$	$+9$
x^2	$-3x$	
x^2	$-6x$	$+9$

(3)

	x	$+2$
$\times$	x	-2
	$-2x$	-4
x^2	$+2x$	
x^2		-4

(4)

	x	$+2$
$\times$	x	-3
	$-3x$	-6
x^2	$+2x$	
x^2	$-x$	-6

(5)

	$2x$	$+3$
$\times$	$3x$	$+4$
	$+8x$	$+12$
$6x^2$	$+9x$	
$6x^2$	$+17x$	$+12$

3 (1)

	a	$+b$
$\times$		m
	am	$+bm$

(2)

	a	$+b$
$\times$	a	$+b$
	$+ab$	$+b^2$
a^2	$+ab$	
a^2	$+2ab$	$+b^2$

(3)

	a	$-b$
$\times$	a	$-b$
	$-ab$	$+b^2$
a^2	$-ab$	
a^2	$-2ab$	$+b^2$

(4)

	a	$+b$
$\times$	a	$-b$
	$-ab$	$-b^2$
a^2	$+ab$	
a^2		$-b^2$

(5)

	x	$+a$
$\times$	x	$+b$
	$+bx$	$+ab$
x^2	$+ax$	
x^2	$+(a+b)x$	$+ab$

(6)

	ax	$+b$
$\times$	cx	$+d$
	$+adx$	$+bd$
acx^2	$+bcx$	
acx^2	$+(ad+bc)x$	$+bd$

- 곱셈 공식을 적용하여 두 다항식을 곱하기보다는 두 다항식을 곱하면서 곱셈 공식을 유도하는 것에 초점을 둔다. 각각의 공식을 따로 다루지 않고 압축적으로 통합하여 다루었다.
- 1에서 말로 설명하지 못하고 아래와 같이 그림으로 설명할 수도 있다. 원리를 이해하고 2와 3에서 적용해 보도록 수업을 진행한다.

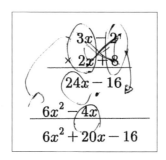

- 곱셈 공식만 단순하게 암기하게 할 경우 학생들이 다음과 같은 오류를 범하는 경우가 있다. 세로셈의 과정을 분석하여 오류를 수정해 보게 할 수 있다.

$$(a+b)^2 = a^2 + b^2$$
$$(a-b)^2 = a^2 + b^2$$
$$(x+a)(x+b) = x^2 + ab$$
$$(ax+b)(cx+d) = acx^2 + bd$$

- 검정교과서에서는 $(a+b)(a-b) = a^2 - b^2$의 형태에서 이 공식을 적용할 수 있는 활용문제를 다루지만 **수학의 발견**에서는 곱셈 공식과 인수분해는 이차방정식을 푸는 데 필요한 정도만 다루기로 했다.

> 일반적으로 검정교과서에서는 곱셈 공식이나 인수분해 공식이라는 이름으로 공식이 정리되어 소개된다. 이렇게 안내가 되다 보니 학생들은 공식을 이해하기보다 다른 공식들처럼 무조건 암기부터 하려고 한다. 그러나 곱셈 공식과 인수분해를 학습하는 목적이 이차방정식의 풀이를 돕기 위한 것임을 생각한다면 공식을 하나하나 암기하기보다는 다항식을 전개하고 인수분해하는 원리를 이해하는 것에 초점을 두어야 한다.

개념과 원리 탐구하기 2 _ 대수막대를 이용한 인수분해의 뜻과 원리 탐구

교과서(상) 67쪽

탐구 활동 의도

- 직사각형의 넓이를 이용하여 다항식을 전개한 식과 인수분해된 식이 표현은 서로 다르지만 같은 식임을 이해하고, 식을 변형하는 원리를 발견하게 한다.

- 인수분해의 경우도 곱셈 공식과 마찬가지로 각각의 공식을 하나씩 절차적으로 학습하는 것이 아니라 두 다항식의 곱으로 분해하는 원리로 통합하여 이해한다.

- ①은 **중학교 1학년**에서 분배법칙을 이용하여 $ma+mb$를 $m(a+b)$로 나타냈던 것을 확장하여 $ac+ad+bc+bd$를 두 다항식의 곱으로 표현할 수 있는 방법을 직관적으로 탐구하게 했다. 큰 직사각형의 넓이를 표현할 때 가로의 길이, 세로의 길이를 무엇으로 잡느냐에 따라 여러 가지 표현이 가능하고, 이를 분배법칙과 연결하여 공통인수를 끝까지 묶으면 두 다항식의 곱으로 표현할 수 있음을 발견하게 한다.

- ②는 대수막대를 이용하여 x^2의 계수가 1인 이차식에서 일차항의 계수와 상수항의 관계를 발견하는 과제다. ①, ②는 상수항이 같은 경우, ③, ④는 일차항의 계수가 같은 경우를 주어 비교할 수 있도록 했다.

- ③은 x^2의 계수가 1이 아닌 이차식에서는 이차항의 계수까지 고려해야 함을 발견하게 하는 과제다. 원리까지는 발견을 못해도 조작적 활동을 통해 하나의 직사각형으로 만들어 보며 이 경우에도 식의 변형이 가능하다는 것을 깨닫게 할 수 있다.

- 이러한 과정에서 다항식의 전개와 인수분해를 같은 식의 다른 표현이라는 하나의 원리로 해석하고자 했다.

예상 답안

1 (1) 주어진 조각을 이용하여 한 개의 큰 직사각형의 가로, 세로의 길이를 다음과 같이 구할 수 있다.

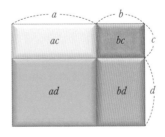

(2) 학생들의 답은 다양할 수 있다.
⟨직사각형의 넓이를 나타낸 식⟩
- 가로의 길이 : $a+b$, 세로의 길이 : $c+d$
  $ac+ad+bc+bd=(a+b)(c+d)$
- $ac+ad+bc+bd=c(a+b)+d(a+b)$
- $ac+ad+bc+bd=a(c+d)+b(c+d)$

〈알게 된 것〉

- $ac+ad+bc+bd$는 $(a+b)$와 $(c+d)$의 곱과 같다.
  즉, $ac+ad+bc+bd=(a+b)(c+d)$
- (다항식)×(다항식)의 전개를 할 수 있다.
- $(a+b)$와 $(c+d)$의 곱을 분배법칙을 이용하여 나타낼 수 있다.

2 (1) ①

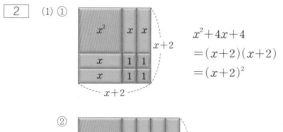

x^2+4x+4
$=(x+2)(x+2)$
$=(x+2)^2$

②

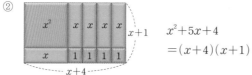

x^2+5x+4
$=(x+4)(x+1)$

③

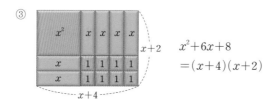

x^2+6x+8
$=(x+4)(x+2)$

④

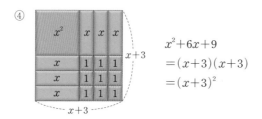

x^2+6x+9
$=(x+3)(x+3)$
$=(x+3)^2$

(2) x^2 막대의 각 변에 x막대를 둘로 나눠서 붙이고 빈 곳을 1막대로 채운다. 1막대의 전체 개수는 두 수를 곱해서 나오는 결과이고, 그 두 수의 합은 x막대의 전체 개수다. 즉, 전체 x막대의 개수를 둘로 나눴을 때 그 두 수의 곱이 1막대의 전체 개수가 되는 관계를 찾아서 직사각형을 완성한다.

3 (1) ①

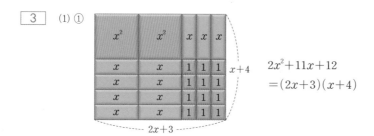

$2x^2+11x+12$
$=(2x+3)(x+4)$

②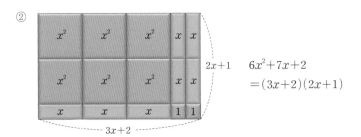

$$2x+1 \qquad 6x^2+7x+2$$
$$=(3x+2)(2x+1)$$

$3x+2$

(2) $2x^2+11x+12=(2x+3)(x+4)$에서 이차항의 계수 2는 2×1, 상수항 12는 3×4로 쪼개지고 1과 3을 곱한 수와 2와 4를 곱한 수의 합이 일차항의 계수인 11이 된다. 즉, 곱해서 2가 되는 수와 곱해서 12가 되는 두 수를 각각 찾고 서로 엇갈려 곱해서 더하면 일차항의 계수인 11이다.

$6x^2+7x+2=(3x+2)(2x+1)$에서 이차항의 계수 6은 3×2, 상수항 2는 2×1로 쪼개지고 2와 2를 곱한 수와 3과 1을 곱한 수의 합이 일차항의 계수인 7이 된다. 즉, 곱해서 6이 되는 수와 곱해서 2가 되는 두 수를 각각 찾고 서로 엇갈려 곱해서 더하면 일차항의 계수인 7이 된다.

인수분해가 가능한 이차식을 $acx^2+(ad+bc)x+bd$라고 하면 다음과 같은 특징이 있으며 이를 이용하여 $(ax+b)(cx+d)$로 인수분해할 수 있다.

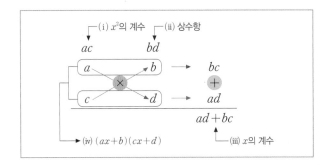

수업 노하우

- 이 탐구하기는 조작적 활동을 통해 인수분해의 원리를 이해하는 것에 목적을 두었다. 인수, 인수분해의 뜻과 인수분해 공식은 **탐구하기 3**에서 이어서 다룰 것이다.
- ⟦1⟧에서 아래와 같이 조각을 맞춘 후 주어진 각각의 직사각형의 각 변의 길이가 얼마인지 추측하고 어떻게 알아낼 수 있는지 설명하게 해 볼 수 있다. 왼쪽 그림과 같이 배열하는 경우에 각 변의 길이를 구하기가 좀더 쉽다.

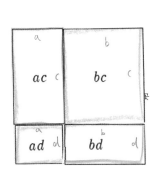 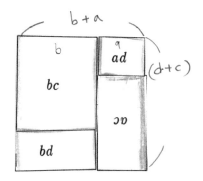

- **중학교 1학년**에서 배운 분배법칙은 공통인수라는 표현은 쓰지 않았지만 공통인수로 묶어서 나타내는 것이다. ①에서는 학생들이 호기심을 갖게 하기 위해 여러 가지 방법으로 묶을 수 있도록 항을 $ac+ad+bc+bd$의 4개로 주었고, 공통인수의 의미를 그림과 연결해 보도록 했다.
- 학생마다 다음과 같이 다르게 표현했을 때, 이것들이 모두 같은 식임을 어떻게 설명할 수 있는지 발문해 볼 수 있다.

$$a(c+d)+b(c+d)$$
$$c(a+b)+d(a+b)$$
$$(a+b)(c+d)$$

$(a+b)$, $(c+d)$ 역시 공통인수로 보고 묶어내면 결국 $(a+b)(c+d)$와 같아진다는 것을 학생들이 발견하게 할 수 있다.

- ②와 ③에서 대수막대를 오려서 붙일 상황이 되지 않는다면 그림을 그려서 그 규칙을 찾아보게 할 수도 있다.
- ②에서 학생들은 글 대신 그림으로 설명할 수도 있다. 아래 그림은 상수항을 두 수의 곱으로 나타내고, 그 두 수의 합이 일차항의 계수와 같음을 발견한 것이다. 즉, 배열하기 전에 상수항을 두 수의 곱으로 나타내 보는 것이 편리하다고 설명했다.

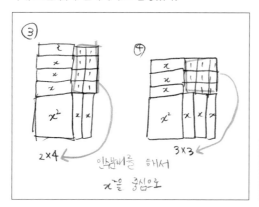

- 직사각형을 만드는 방법을 다음과 같이 설명할 경우 식과 연결지어 설명해 보도록 발문할 수 있다.

제일 큰 조각을 놓고 그 주위로 다른 조각을 붙인다.

- ③은 x^2의 계수도 고려해야 하는 것으로 ②에서 발견한 규칙이 적용되지 않는다. (1)에서 학생들이 직접 대수막대를 붙여 보면서 하나의 직사각형을 만들어 보게 할 수 있다. 학생들이 아래와 같이 규칙을 찾기 어렵게 만드는 경우에는 대수막대를 종류별로 가지런히 붙이게 하여 규칙을 만들어 보도록 한다.

- $\boxed{3}$ (1)의 학생 답안

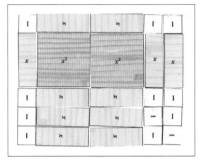 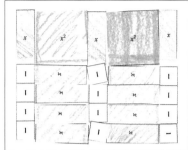

- $\boxed{3}$ (2)의 학생 답안

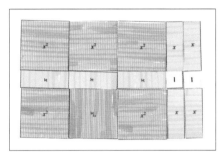 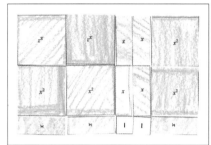

- $\boxed{3}$ 에서 규칙을 찾지 못해도 **탐구하기 3**에서 세로셈을 이용한 방법, 인수분해 공식과의 연결 등을 통해 추후 탐구할 수 있으므로 여기서는 하나의 직사각형으로 만들어 인수분해한 식으로 표현하는 것까지만 다루어도 좋다.

주 의	대수막대를 이용하는 전개와 인수분해는 항의 부호가 양수인 경우만 다루었다. 대수막대를 이용하여 규칙을 발견하게 하고 식으로 이 규칙을 확장할 수 있도록 한다.

개념과 원리 탐구하기 3 _ 인수분해의 원리 (공통인수로 묶기)

탐구 활동 의도

- 1은 자연수의 소인수분해와 다항식의 인수분해를 비교하여 다항식에서 인수와 인수분해의 뜻을 한 번 더 학습할 수 있게 했고, 공통인수로 묶어내는 방법을 탐구하게 한 과제다. 공통으로 묶어낸 다는 의미를 이해할 수 있게 하는 것이 목표다.
- 1(2)는 분배법칙을 이용하여 다항식을 인수분해할 수 있음을 알게 하고, 하나의 수를 두 수의 곱으로 나타내는 것과 다항식의 인수분해를 비교하게 했다.
- 2는 인수분해 결과가 다양함을 느낄 수 있는 과제다.

예상 답안

1 (1) 학생들의 답은 다양할 수 있다.

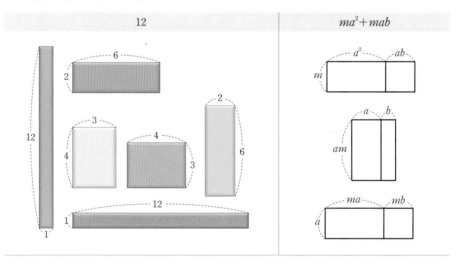

학생답안

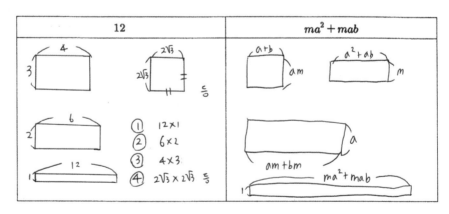

(2)

12	ma^2+mab
$12=1\times12=12\times1$	$(a^2+ab)\times m$, $m\times(a^2+ab)$
$\quad=2\times6=6\times2$	$(a+b)\times am$, $am\times(a+b)$
$\quad=3\times4=4\times3$	$(ma+mb)\times a$, $a\times(ma+mb)$

- 넓이가 12가 되는 직사각형의 가로와 세로의 길이 1, 2, 3, 4, 6, 12는 12의 약수다.
- 넓이가 ma^2+mab가 되는 직사각형의 가로와 세로의 길이 m, a^2+ab, am, $a+b$, a, $ma+mb$는 ma^2+mab의 인수다.

(3) 12를 소인수분해하면 $12=2^2\times3$이고 ma^2+mab를 인수분해하면 $ma^2+mab=ma(a+b)$ 다. 12를 소인수분해한 결과가 한 가지인 것처럼 ma^2+mab를 더 이상 쪼갤 수 없는 다항식의 곱으로 나타낸 인수분해의 결과도 한 가지다.

학생 답안

$12=2\times6=2\times2\times3 \qquad ma^2+mab=a(ma+mb)=ma(a+b)$

$a(ma+mb)$, $ma(a+b)$, $m(a^2+ab)$

[2] 선우와 상진이의 인수분해 결과는 괄호 안의 다항식을 공통인수로 다시 묶어서 쪼갤 수 있다. 인수분해 결과로 곱해진 다항식들을 더 이상 쪼갤 수 없는 형태로 표현한 것은 나영이다.

학생 답안

선우는 a를 공통으로 있는 인수로 하여 인수분해하고, 상진이는 3, 나영이는 $3a$로 인수분해했다.
→ 공통으로 묶은 수가 다르고 나영이가 가장 간단하게 표현했다
↳ 공통인수 라고 함.

최대한 많이 인수분해 했다. (나영이 맞다)
공통인 인수를 모두 묶는다.

수업 노하우

- [1]에서는 수에 대한 소인수분해가 다항식으로 확장될 수 있음을 이해하게 한다. 직사각형으로 그려 보게 하는 활동을 통해서 다항식을 자연스럽게 곱으로 나타낼 수 있게 하고, **탐구하기 2**에서 배웠지만 인수와 인수분해의 뜻을 보다 분명하게 이해할 수 있다.
- [1](1)에서 다음과 같이 넓이가 12인 직사각형을 그릴 때 실수의 범위까지 그린 학생이 있다. 여기서는 소인수분해를 하는 것과 비교할 것이므로 자연수의 범위에서 직사각형을 그리도록 안내해도 좋다.

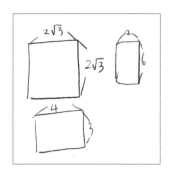 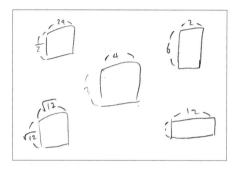

- 1 (2) ma^2+mab의 인수분해에서 다음과 같이 나타낸 경우, 공통인수로 모두 묶어내지 않은 것을 찾고 이 식들에 대해 공통인수를 모두 찾아 묶어내도록 안내할 수 있다.

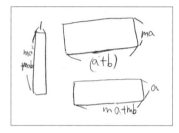

$m \times (a^2+ab)$

$am \times (a+b)$

$a \times (am+bm)$

$1 \times (ma^2+mab)$

- 학생들이 공통인수로 묶어내는 연습을 하게 한다. 또한 모둠별로 결과를 비교하여 볼 수 있으므로 개인 이 가능한 모든 경우를 다 찾지 않아도 괜찮다.

공통으로 빠져 있는 숫자가 다르다

공통인수를 무엇으로 정했는지에 따라 결과가 다르다.
<공통인수>
선우 : 문자
상진 : 숫자
나영 : 문자+수

	공통점	차이점
선우 / 상진	공통인수로 묶었다	0로 묶였다 / 3으로 묶였다
나영		3으로 묶였다

- 2 에서 모든 공통인수를 묶어낸 나영이의 식은 자연수의 소인수분해와 연결하여 이해할 수 있다. 소인 수분해는 소수들만의 곱으로 나타냈기 때문에 유일한 것처럼 인수분해도 더 이상 쪼갤 수 없는 다항식의 곱으로 나타내면 그 결과가 유일하다.

탐구 활동 의도

- 다항식의 전개의 역으로 인수분해하는 방법을 탐구하는 과제다. 인수분해 공식을 제시하고 주어진 식을 이 공식에 대입하여 인수분해하지 않고, 곱셈과 마찬가지로 통합적인 원리를 발견하는 것에 초점을 두었다.
- **탐구하기 1**에서 두 다항식의 세로셈으로 다항식과 다항식의 곱셈 원리를 이해했다. ☐1☐에서는 이 과정의 역으로 어떤 두 다항식을 곱하면 주어진 식이 나오는지 탐구하게 했다.
- 인수분해 공식 $ac x^2 + (ad+bc)x + bd = (ax+b)(cx+d)$는 다음과 같이 도식화할 수 있다. ☐1☐(1)에서 학생들이 발견한 원리를 (2)에서 이 도식과 연결지어 효율적으로 인수분해할 수 있는 방법을 모색할 수 있게 했다.

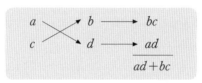

- ☐2☐는 전개와 인수분해의 관계를 통합적으로 살펴보는 과제다.
- ☐2☐(3)은 학생들이 카드를 선택하여 다항식을 만드는 과정에서 식의 구조를 이해할 수 있는 기회를 제공한다. 학생들이 카드를 선택했을 때 인수분해가 되지 않을 수도 있다. 이런 경험을 통해 학생들이 식을 보다 구조적으로 보게되리라 기대한다.

예상 답안

☐1☐ (1)

①

$\times$	x	$+2$
	x	$+4$
	$+4x$	$+8$
x^2	$+2x$	
x^2	$+6x$	$+8$

x^2+6x+8
$=(x+2)(x+4)$

②

$\times$	x	$+3$
	x	-3
	$-3x$	-9
x^2	$+3x$	
x^2		-9

x^2-9
$=(x+3)(x-3)$

③

$\times$	$4x$	$+3$
	$2x$	-1
	$-4x$	-3
$8x^2$	$+6x$	
$8x^2$	$+2x$	-3

$8x^2+2x-3$
$=(4x+3)(2x-1)$

④

$\times$	x	$+3$
	x	-1
	$-x$	-3
x^2	$+3x$	
x^2	$+2x$	-3

x^2+2x-3
$=(x+3)(x-1)$

⑤

$\times$	x	-3
	x	-3
	$-3x$	$+9$
x^2	$-3x$	
x^2	$-6x$	$+9$

x^2-6x+9
$=(x-3)(x-3)$
$=(x-3)^2$

⑥

$\times$	$2x$	$+3$
	$2x$	-1
	$-2x$	-3
$4x^2$	$+6x$	
$4x^2$	$+4x$	-3

$4x^2+4x-3$
$=(2x+3)(2x-1)$

(2) 세로셈을 역으로 생각해서 인수분해를 할 때, 먼저 두 수의 곱이 상수항과 이차항의 계수가 나오는 경우의 수를 고려하여 각각의 두 수를 서로 엇갈려 곱한 결과의 합이 일차항의 계수가 나오는지 확인하는 과정을 거친다. $4x^2+4x-3$을 인수분해하는 혜원이의 방법은 곱이 4인 정수 2와 2, 곱이 -3인 정수 3과 -1을 세로로 나열한 후 엑스자($\times$)로 서로 엇갈려 곱한 결과의 합이 4가 되는 경우를 찾았다. 이와 같은 방법은 세로셈의 원리와 같다.

2 (1)

학생답안

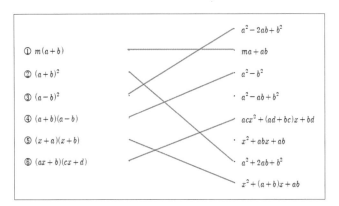

(2) ① $ma+mb=m(a+b)$

② $a^2+2ab+b^2=(a+b)^2$

③ $a^2-2ab+b^2=(a-b)^2$

④ $a^2-b^2=(a+b)(a-b)$

⑤ $x^2+(a+b)x+ab=(x+a)(x+b)$

⑥ $acx^2+(ad+bc)x+bd=(ax+b)(cx+d)$

(3) 학생들의 답은 다양할 수 있다.

- 다항식 ① : $2xy+8x=2x(y+4)$, $x^2+2xy=x(x+2y)$
- 다항식 ② : $x^2+2xy+y^2=(x+y)^2$
- 다항식 ③ : $x^2-8x+16=(x-4)^2$, $4x^2-4x+1=(2x-1)^2$
- 다항식 ④ : $x^2-y^2=(x+y)(x-y)$, $x^2-9y^2=(x+3y)(x-3y)$
- 다항식 ⑤ : $x^2+10x+16=(x+8)(x+2)$
- 다항식 ⑥ : $2x^2-5x-3=(2x+1)(x-3)$, $4x^2-5x+1=(4x-1)(x-1)$

수업 노하우

- 1 에서 인수분해하는 과정은 경우의 수와 연결되어 있다. 학생들이 조건을 만족하는 두 다항식을 한 번에 찾지 못할 수도 있음을 이해하게 할 필요가 있다.
- 1 (2)에서 세로셈의 과정은 혜원이가 엇갈려 곱하여 더한 과정과 이미지 상으로 연결되어 있다. (1)에서 구한 식을 (2)에서 제안한 방법으로 다시 접근해 보게 할 수 있다.

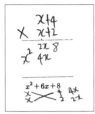 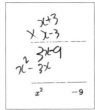 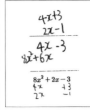 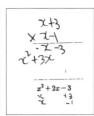 

- '(일차식)×(일차식)'에서 각 항이 어떻게 만들어지는지 살펴보는 것은 식의 구조를 파악하는 것에 도움이 될 수 있다. 일차항이 만들어지는 과정을 이해할 수 있게 수업을 진행한다.
  - 이차항은 (일차항)×(일차항)
  - 일차항은 (일차항)×(상수항)
  - 상수항은 (상수항)×(상수항)

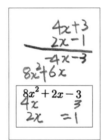 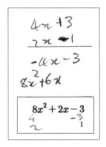

- ① (1)에서 ⑥의 경우 곱해서 −3이 되는 경우를 3과 −1, −3과 1로 놓을 수도 있다. 어떻게 결정할 것인지 세로셈과 연결하여 논의하고 설명하게 할 수 있다.

- ① (2)에서 학생들이 인수분해를 시도하는 중간 과정 중 의미있는 내용을 골라 볼 수 있다.
  다음과 같이 곱해서 4, 곱해서 −3이 나오는 다른 경우를 찾을 수도 있다. 각 경우는 엇갈려 곱한 결과를 더한 값이 4가 아니다. 이와 같이 한 번에 찾지 못할 수도 있으며 찾을 때까지 여러 번 시도하는 과정임을 학생들과 공유할 수 있다.

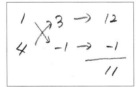 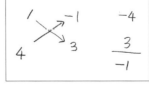

- 예를 하나 더 들어서 설명할 수도 있다. $2x^2-7x+3$을 인수분해할 때 곱해서 2, 곱해서 3이 나오는 경우를 다음과 같이 배열하게 할 수 있다. 이 중 엇갈려 곱하여 더한 값이 −7이 나오는 경우는 한 가지다. 이와 같이 여러 번 시도하는 과정을 사전에 안내하는 것이 동기부여가 될 수 있다.

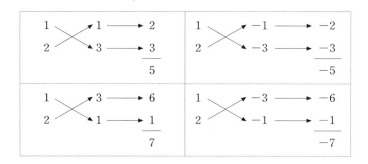

- ①(2)에서 다음과 같이 혜원이와 다르게 찾았지만 결과가 같게 나왔다고 주장하는 학생도 있을 수 있다. 혜원이의 풀이는 $(2x+3)(2x-1)$로 다른 풀이는 $(2x-1)(2x+3)$으로 인수분해 된다. 이 두 경우가 같음을 논의해 볼 수 있다.

혜원이의 풀이	다른 풀이
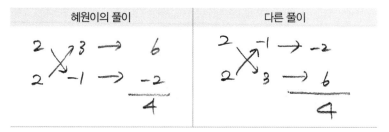	

- ①(2)는 이외에도 학생들마다 여러 가지 방법으로 해결했다. 적절한 것을 선택하여 여러 가지 관점으로 식을 분석할 수 있음을 학생들과 공유해 볼 수 있다.
  - 공통인수 묶어 내기

$$4x^2 + 4x - 3$$
$$= (4x^2 + 6x) - 2x - 3$$
$$= 2x(2x+3) - (2x+3)$$
$$= (2x-1)(2x+3)$$

- 두 다항식을 $ax+b$, $cx+d$로 놓고 a, b, c, d의 값을 구한 경우

$$(ax+b)(cx+d) = 4x^2 + 4x - 3$$

$$\begin{array}{r} ax+b \\ \times\ cx+d \\ \hline adx + bd \\ acx^2 + bcx \\ \hline acx^2 + (ad+bc)x + bd \end{array}$$

$ac=4.$ $bd=-3.$ $ad+bc=4$
  2 2   +3 -1   2 3 2
                  -2 6
                  +4

$a=2,\ b=3,\ c=2,\ d=-1$

$(2x+3)(2x-1)$

• $\boxed{2}$(3)에서 $8x+1$, $-5x-3$, x^2-3과 같이 인수분해 되지 않는 경우도 있다.

수업 연구

인수분해 공식 $acx^2+(ad+bc)x+bd=(ax+b)(cx+d)$를 이용하여 나머지 공식을 유도할 수 있다.
각 공식은 결국 두 다항식을 전개하는 원리와 연결되어 있다.

$$(ax+b)(cx+d)=acx^2+(ad+bc)x+bd$$

[예 1] $a=1$, $c=1$, $d=b$일 때

$$(x+b)(x+b)=x^2+(b+b)x+b^2$$
$$=x^2+2bx+b^2$$

[예 2] $a=1$, $c=1$, $d=-b$일 때

$$(x+b)(x-b)=x^2+(-b+b)x-b^2$$
$$=x^2-b^2$$

[예 3] $a=1$, $c=1$일 때

$$(x+b)(x+d)=x^2+(d+b)x+bd$$
$$=x^2+(b+d)x+bd$$

/ 2 / 분해하면 보이는 근 (인수분해를 이용한 풀이)

학습목표

1 두 식 A, B에 대해 $A \times B = 0$인 경우와 $A \times B \neq 0$인 경우 중 어떤 경우가 해를 구하기에 더 편리한지 경험하고 인수분해를 이용한 이차방정식의 풀이 원리를 깨달을 수 있다.
2 인수분해를 이용하여 이차방정식을 풀 수 있다.
3 중근의 뜻을 이해하고, 중근을 갖는 이차방정식의 형태가 완전제곱식임을 발견할 수 있다.
4 완전제곱식의 뜻을 알고, 대수막대를 이용하여 일차항의 계수와 상수항의 관계를 추론할 수 있다.
5 중근을 갖는 이차방정식의 조건을 이해하고 설명할 수 있다.

2015 개정 교육과정 성취기준

이차방정식을 풀 수 있고, 이를 활용하여 문제를 해결할 수 있다.

교수 · 학습 방법 및 유의 사항

1 방정식은 다양한 상황을 통해 도입하여 그 필요성을 인식하게 하고, 여러 가지 방법으로 풀어 보면서 더 나은 풀이 방법을 찾고 설명해 보게 한다.
2 방정식을 활용하여 실생활 문제를 해결하고 그 유용성과 편리함을 인식하게 한다.
3 방정식의 해가 문제 상황에 적합한지 확인하게 한다.
4 이차방정식은 해가 실수인 경우만 다룬다.

평가 방법 및 유의 사항

1 방정식에 대한 지나치게 복잡한 활용 문제는 다루지 않는다.
2 이차방정식의 근과 계수의 관계는 다루지 않는다.

핵심발문

인수분해를 이용하여 이차방정식을 푸는 원리는 무엇이며, 어떻게 풀 수 있을까?

탐구 활동 의도

- ① (1)은 $A \times B = 6$인 경우와 $A \times B = 0$인 경우를 비교하여 $A \times B = 0$인 경우에 A 또는 B의 값을 추론하는 것이 편리함을 발견하게 했다. 후자의 경우는 최소한 둘 중의 하나가 0이라는 정보가 있지만 전자는 이 식을 만족하는 A, B가 무수히 많으므로 이후 이차방정식을 풀 때 우변을 0으로 놓고 인수분해하는 과정을 쉽게 받아들일 수 있다.

- ② 에서는 우변이 0인 경우와 그렇지 않은 경우에 ① 에서 탐구한 원리를 이용하여 만족하는 x의 값을 직관적으로 구해 보게 했다. 이후 인수분해를 이용해 이차방정식을 푸는 원리와 연결시킬 수 있다.

- ③ 은 우변이 0이 아닌 상태에서 좌변이 인수분해된 것만 보고 해를 구하는 오류를 범하지 않도록 하기 위해 제시한 과제다.

- ④ 는 ① 의 원리와 인수분해를 이용해 이차방정식을 풀 수 있음을 발견하고 풀어보는 과제다.

예상 답안

①   (1) 학생 답안은 수업 노하우를 참고한다.

식	① $A \times B = 6$	② $A \times B = 0$
예	$A=1,\ B=6$ $A=-1,\ B=-6$ $A=6,\ B=1$ $A=-6,\ B=-1$ $A=2,\ B=3$ $A=-2,\ B=-3$ $A=3,\ B=2$ $A=-3,\ B=-2$ $A=\dfrac{1}{6},\ B=36$ $A=\dfrac{1}{x},\ B=6x\,(x \neq 0)$ ⋮	$A=0,\ B=0$ $A=0,\ B=2$ $A=0,\ B=-3$ $A=0,\ B=\dfrac{2}{5}$ $A=-5,\ B=0$ $A=3,\ B=0$ $A=8,\ B=0$ $A=\dfrac{4}{7},\ B=0$ $A=-\dfrac{2}{5},\ B=0$ $A=0,\ B=$(어떤 수나 식이든 가능) $A=$(어떤 수나 식이든 가능)$,\ B=0$ ⋮
①과 ②의 비교	①과 ② 모두 무수히 많은 경우가 있지만 ①은 $B=\dfrac{6}{A}$이라는 규칙이 있고 ②는 A나 B 둘 중 어느 하나가 0이면 된다.	

(2) 두 수 또는 두 식 A, B에 대해 $A \times B = 0$이면
다음 세 가지 중 어느 하나가 성립한다.
(ⅰ) $A=0,\ B=0$
(ⅱ) $A=0,\ B \neq 0$
(ⅲ) $A \neq 0,\ B=0$

이것을 $A=0$ 또는 $B=0$이면 $A \times B=0$이라고 한다.

즉, $A \times B=0$이면 $A=0$ 또는 $B=0$이고, $A=0$ 또는 $B=0$이면 $A \times B=0$이다.

2	방정식	① $(x+1)(x-2)=6$	② $(x+1)(x-2)=0$
	풀이	곱해서 6이 되는 두 수를 찾고, 두 수를 각각 $x+1$, $x-2$의 값으로 갖는 x를 구한다. 예를 들어 $x+1=2$이고 $x-2=3$인 경우는 $x=1$이고 $x=5$이어야 하는데 x가 1이면서 5가 되는 경우는 불가능하므로 $x=1$이나 $x=5$는 해가 될 수 없다. 다른 경우도 마찬가지로 해가 될 수 없기 때문에 이 방법으로 해를 찾는 것은 불가능하다.	$x+1=0$ 또는 $x-2=0$ 따라서 $x=-1$ 또는 $x=2$

학 생
답 안

②가 더 편리하다. 좌변이 인수분해되어 있는 이차방정식은 $A \times B=0$이면 $A=0$ 또는 $B=0$인 경우를 찾으면 되기 때문에 x의 값을 구할 수 있지만, ①은 우변이 0이 아니기 때문에 곱해서 6이 나오는 수많은 경우의 수를 대입해서 x의 값이 같게 나오는 경우를 찾아야 한다.

학 생
답 안

3 슬규의 풀이는 틀렸다. 해가 $x=1$ 또는 $x=5$가 되는 이차방정식은 $(x-1)(x-5)=0$이다. 주어진 이차방정식은 우변이 0이 아니므로 주어진 식의 괄호를 풀어 모든 항을 좌변으로 이항하여 정리한 후 해를 구해야 한다. 주어진 이차방정식을 바르게 풀면

$(x-1)(x-5)=-3$

$x^2-6x+5=-3$

$x^2-6x+8=0$

$(x-4)(x-2)=0$

$x-4=0$ 또는 $x-2=0$

따라서 $x=4$ 또는 $x=2$다.

옳지 않다.
ㅡ3이 있으면 왼쪽으로 옮겨 줘야 하기 때문이다.

그건 틀렸어!
오른쪽이 0이
아니기 때문에

4 (1) $x^2+3x+2=0$의 좌변을 인수분해하면

$(x+1)(x+2)=0$

$x+1=0$ 또는 $x+2=0$

따라서 $x=-1$ 또는 $x=-2$다.

(2) $x^2-3x-10=0$의 좌변을 인수분해하면

$(x-5)(x+2)=0$

$x-5=0$ 또는 $x+2=0$

따라서 $x=5$ 또는 $x=-2$다.

(3) $x^2+4x=32$에서

$x^2+4x-32=0$의 좌변을 인수분해하면

$(x+8)(x-4)=0$

$x+8=0$ 또는 $x-4=0$

따라서 $x=-8$ 또는 $x=4$다.

(4) $x^2+2=-2(x-5)$에서 $x^2+2=-2x+10$

$x^2+2x-8=0$의 좌변을 인수분해하면

$(x+4)(x-2)=0$

$x+4=0$ 또는 $x-2=0$

따라서 $x=-4$ 또는 $x=2$다.

(5) $2x^2+x-1=0$의 좌변을 인수분해하면

$(2x-1)(x+1)=0$

$2x-1=0$ 또는 $x+1=0$

따라서 $x=\dfrac{1}{2}$ 또는 $x=-1$이다.

수업 노하우

• 1 에서 곱해서 0이 되는 경우를 다양하게 찾고, 그 경우를 대표하여 논리적으로 표현하려면 어떤 표현을 써야 하는지에 대해 논의하는 시간을 가지는 것이 중요하다.

• 다음과 같이 학생들은 자신들의 언어로 어떤 특징이 있는지 다양하게 표현했다.

나)

A × B = 6	A×B=0	
1 6	1×0	① A, B가 정수인데 A와 B는 6의 약수다
2 3	2×0	
3 2	3×0	② 비고: A×B=0 이려면, A,B 두 수 중 하나는 무건 0이어야 한다.
6 1	1/3×0	
1/6 × 36	⋮	A=0 아 B=0 일때
⋮		

상수×상수   0×상수
              0×0

셋반끼 식변이   A의 값
들가면 연산고
5번끼 되는 0 이 올까야 한다.

식	$A \times B = 6$	$A \times B = 0$
예	A │ B 6 │ 1 6/100 │ 100 1 │ 6 -1 │ -6 √6 │ -√6 2 │ 3 -2 │ -3 -√6 │ √6 3 │ 2 -3 │ -2 4 │ 3/2 -5 │ -6/5 5 │ 6/5 6 │ -1	√100×0 π×0 2×0 10000×0 4×0 2,5×0 123×0 √2×0
A, B 값의 특징	A,B의 값이 셀수 없이 많고 유리수×유리수, 무리수×무리수조합이다 예거나 이이인	A,B의 값을 한곳에 꼭 0이 들어가고 수가 무한하다

식	$A \times B = 6$	$A \times B = 0$
예	A × B = 6 1 × 6 2 × 3 ±√6 × ±√6 1/6 × 36 0.6 × 10	A × B = 0 2 × 0 -12 × 0 ±√24 × 0 2/3 × 0 1.7 × 0
A, B 값의 특징	A가 0이 아닌 경우 B = 6/A	A=0, B:모든 수 A:모든 수, B=0 A=0, B=0 => A=0 또는 B=0

식	$A \times B = 6$	$A \times B = 0$
예	$(A=2, B=3), (A=3, B=2)$ $(A=1, B=6), (A=6, B=1)$ $(A=-2, B=-3), (A=-3, B=-2)$ $(A=-1, B=-6), (A=-6, B=-1)$ $(A=\sqrt{6}, B=\sqrt{6}), (A=-\sqrt{6}, B=-\sqrt{6})$	A or B = 0
A, B 값의 특징	$x \times \dfrac{6}{x} = 6$	둘 중 하나는 0이다.

- 2에서 ①의 경우 학생들이 해를 구할 수 없다고 할 수 있다. 아직 완전제곱식을 이용한 풀이를 학습하지 않았으므로 옳은 답으로 볼 수 있다. 상대적으로 ②의 경우 해를 쉽게 구할 수 있음을 경험하기 위한 과제다.

① $(x+1)(x-2) = 6$	② $(x+1)(x-2) = 0$
$x^2 - x - 2 = 6$ $x^2 - x = 8$ $x(x-1) = 8$	$x = -1 \cancel{\text{또}} 2$

① $(x+1)(x-2) = 6$	② $(x+1)(x-2) = 0$
해가 없음?	$x = 2$ $x = -1$

- 2의 경우 x에 같은 값을 대입하는 것이므로 $x+1=0$이 되면서 $x-2=0$이 되는 수는 없음을 이해하게 할 수 있다. 해를 표기할 때에 꼭 '$x=a$ 또는 $x=b$'처럼 '또는'이라는 용어를 사용하도록 바르게 표기하는 방법을 안내한다.

주
의

$A \times B = 6$인 경우는 A, B가 서로 독립적이므로 $A=1$, $B=6$을 비롯하여 $A=2$, $B=3$ 등 무수히 많은 해를 가질 수 있다. 그런데 $(x+1)(x-2)=6$인 경우는 $x+1$과 $x-2$가 같은 문자 x를 사용하기 때문에 독립적일 수 없고 서로 종속적인 관계기 때문에 $x+1=1$일 때 $x-2=6$일 수 없고, $x+1=2$일 때 $x-2=3$이 될 수 없다.

$(x+1)(x-2)=0$인 경우에도 $x+1=0$이면 $x-2 \neq 0$이고, $x-2=0$이면 $x+1 \neq 0$일 수는 있어도 동시에 $x+1=0$, $x-2=0$일 수는 없다.

수업 연구

두 일차식 중 하나의 일차식의 값이 0이 되면 두 일차식의 곱이 0이 될 수 있음을 탐구하는 것에 초점을 두었다. 이차방정식의 해를 구하는 것에 이용할 수도 있다는 인식으로 자연스럽게 연결지을 수 있다. 한 변을 0으로 변형하고 난 후 인수분해하는 이유도 이해할 수 있다. 어떤 개념을 배우면서 왜 배우는지에 대한 의미를 연결하는 것은 수학적 창의성의 수학 내적 연결성을 확대하는 중요한 활동이다.

개념과 원리 탐구하기 6 _ 중근을 갖는 이차방정식

탐구 활동 의도

- 검정교과서는 인수분해 단원에서 '완전제곱식'을 다루고, 인수분해를 이용한 이차방정식의 풀이에서 '중근'을 다룬다. 이 탐구하기에서는 이것을 통합하여 '중근을 갖는 이차방정식'의 형태로서 '완전제곱식'을 탐구하도록 했다.
- ①은 이차방정식의 풀이의 연장선에서 중근의 뜻을 이해할 수 있게 한 것이다.
- ②에서는 중근의 뜻과 함께 중근을 갖는 이차방정식의 모양에 대해 탐구하며 식의 모양과 해의 개수가 갖는 특징을 발견하게 한다.
- 완전제곱식은 근의 공식을 유도하는 과정에서 주요한 역할을 한다. 그래서 완전제곱식에서 일차항의 계수와 상수항과의 관계를 구체적으로 탐색하게 했다.
- ③(1)은 대수막대를 이용하여 완전제곱식으로 인수분해되는 다항식에서 각 항의 계수 사이의 관계를 발견하는 과제다. (3)은 대수막대로 발견한 완전제곱식에서 계수와 상수항의 관계를 확장하여 계수가 음수인 경우에도 그 원리를 적용할 수 있음을 이해하게 하는 것이 목표다.
- ④는 완전제곱식이 되는 조건으로 국한되어 다루던 내용을 이차방정식으로 통합하여 중근을 갖는 이차방정식의 형태를 구성하는 과제로 확장한 것이다.

예상 답안

1	나의 생각	모둠의 의견
	예를 들어 $(x+1)(x+1)=0$이면 $x=-1$이면서 $x=-1$이니까 동시에 0이 된다. 즉, a와 b는 같은 수가 되어야 한다.	$x+a$와 $x+b$가 동시에 0이 되려면 x는 $-a$이면서 동시에 $-b$가 되어야 하는데 이것이 가능한 경우는 a와 b가 같아야 된다. $x+a$와 $x+b$가 같을 때, 즉 $a=b$이면 된다.

학생 답안

> 인수분해 했을 때 $(x+a)(x+b)=0$ 에서 a와 b가 같다.

> $(x+a)(x+b)=0$ 에서 $(x+a)$와 $(x+b)$가 같을 때, 즉, $a=b$일 때가 되면 가능하다.

> 완전제곱식일 때 동시에 0이 된다

2 이미 인수분해된 식은 완전제곱식이고, 전개된 이차식은 인수분해했을 때 아래와 같이 모두 완전제곱식의 형태가 된다.

$$x^2+4x+4=(x+2)^2=0 \qquad (x-3)^2=0 \qquad (2x+1)^2=0$$
$$25x^2-20x+4=(5x-2)^2=0 \qquad (x-2)^2=0 \qquad x^2-12x+36=(x-6)^2=0$$

- 중근을 갖는 이차방정식들은 어떤 다항식의 제곱인 형태로 인수분해가 된다.
- 완전제곱식을 전개하면 이차항의 계수와 상수항은 어떤 수의 제곱이 된다.
- 이차항의 계수가 1인 이차식이 완전제곱식을 전개한 식이라면 전개된 식의 일차항의 계수는 제곱하기 전 일차식의 상수항의 2배다.
- 식으로 정리하면 $a(x+k)^2=0$ $(a\neq0,\ k$는 실수)인 꼴이다.

3 (1) ① $x^2+2x+1=(x+1)^2$

② $x^2+4x+4=(x+2)^2$

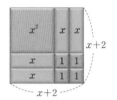

(2)

나의 생각	모둠의 의견
• 일차항은 이차항의 두 변으로 반반씩 쪼개지고 상수항은 정사각형이므로 일차항의 계수의 절반의 제곱이 상수항이다. • $(x+a)^2=x^2+2ax+a^2$이기 때문에 ①, ②는 일차항의 계수의 절반의 제곱이 상수항과 같다. 정사각형이다. 일차항 계수가 짝수이다. 일차항이 반으로 나눠진다. 일차항 계수가 짝수다. 일차항이 반으로 쪼개진다.	• x^2의 계수가 1인 경우 완전제곱식은 다음과 같은 특징이 있다. $$x^2+ax+b=\left(x+\frac{a}{2}\right)^2$$ $$b=\left(\frac{a}{2}\right)^2$$ • x^2의 계수가 1이 아닌 경우에는 x^2의 계수로 묶어내면 위와 같은 특징이 성립한다. • x^2의 계수가 1이 아닌 경우 완전제곱식은 다음과 같은 특징이 있다. $$\blacksquare^2\pm2\times\blacksquare\times\blacktriangle+\blacktriangle^2=(\blacksquare\pm\blacktriangle)^2$$ 제곱근±$\blacksquare$ 제곱근±$\blacktriangle$

(3) ① 완전제곱식이다. $x^2+6x+9=x^2+2\times x\times3+3^2=(x+3)^2$

② 완전제곱식이다. $x^2-2x+1=x^2+2\times x\times(-1)+(-1)^2=(x-1)^2$

③ 완전제곱식이다. $4x^2-12x+9=(2x)^2+2\times(2x)\times(-3)+(-3)^2=(2x-3)^2$

④ 완전제곱식이 아니다. x^2+4x-4는 상수항이 음수이므로 완전제곱식이 아니다.

[4] 중근을 갖기 위해서는 좌변이 완전제곱식이어야 한다.

식	□ 안에 들어갈 수	확인
(1) $x^2+6x+\square=0$	9	$x^2+6x+9=(x+3)^2$
(2) $x^2-4x+\square=0$	4	$x^2-4x+4=(x-2)^2$
(3) $9x^2+12x+\square=0$	4	$9x^2+12x+4=(3x+2)^2$
(4) $4x^2-20x+\square=0$	25	$4x^2-20x+25=(2x-5)^2$
(5) $x^2+\square x+64=0$	16 또는 -16	$x^2-16x+64=(x-8)^2$ $x^2+16x+64=(x+8)^2$
(6) $16x^2+\square x+49=0$	56 또는 -56	$16x^2+56x+49=(4x+7)^2$ $16x^2-56x+49=(4x-7)^2$

(1) $x^2+6x+\square=x^2+2\times x\times3+\square=(x+3)^2$이므로 $\square=3^2=9$

(2) $x^2-4x+\square=x^2+2\times x\times(-2)+\square=(x-2)^2$이므로 $\square=(-2)^2=4$

(3) $9x^2+12x+\square=(3x)^2+2\times3x\times2+\square=(3x+2)^2$이므로 $\square=2^2=4$

(4) $4x^2-20x+\square=(2x)^2+2\times2x\times(-5)+\square=(2x-5)^2$이므로 $\square=(-5)^2=25$

(5) $x^2+\square x+64=x^2+\square x+(\pm8)^2$이므로 $\square x=2\times x\times(\pm8)=\pm16x$

따라서 $\square=\pm16$이다.

(6) $16x^2+\square x+49=(4x)^2+\square x+(\pm7)^2$이므로 $\square=2\times4x\times(\pm7)=\pm56x$

따라서 $\square=\pm56$이다.

수업 노하우

- 중근은 같은 해가 중복됨을 나타내므로 해를 쓸 때, '$x=3$ (중근)'처럼 '(중근)'임을 표시하도록 한다.
- [2]에서는 중근일 때의 식의 형태를 충분히 관찰하고 규칙을 찾을 수 있도록 수업을 진행한다. 지금까지 탐구했던 방법들인 대수막대, 세로셈, 곱셈 공식, 인수분해 공식 등을 이용하여 다양하게 설명해 보도록 안내할 수 있다.
- [4]에서 일차항의 계수가 양수라는 조건이 없으면 주어진 식이 완전제곱식이 되기 위한 x의 계수는 양수와 음수 두 가지가 있다. 그런데 학생들은 다음과 같이 한 가지만 구한다. 이 경우 다른 친구들과 비교해 보고 보완하게 할 수 있다.

(3) $x^2-\square x+64$ $(x-8)^2$	-16	$x^2-16x+64=(x-8)^2$ $x^2-8x-8x+64$ $=x^2-16x+64$
(4) $16x^2+\square x+49$ $(4x+9)^2$	$56x$	$16x^2+56x+49=(4x^2+7)^2$ $16x^2+28x+28x+49$ $=16x^2+56x+49$

게임하며 탐구하기 7 _ 이차방정식의 풀이 연습

탐구 활동 의도

- 여러 가지 형태로 주어진 이차방정식을 풀어 보는 활동이다.
- 여러 개의 이차방정식을 푸는 과정이 지루할 수도 있으므로 빙고게임을 활용하여 과제를 제시했다.

예상 답안

문제	풀이	해
(1) $4x^2-20x+25=0$	$(2x-5)^2=0$	$\dfrac{5}{2}$ (중근)
(2) $x^2+36=12x$	$x^2-12x+36=0,\ (x-6)^2=0$	6 (중근)
(3) $(4x-1)(x+3)=2x^2+12x$	$2x^2-x-3=0,$ $(x+1)(2x-3)=0$	-1 또는 $\dfrac{3}{2}$
(4) $12x^2+30x=0$	$6x(2x+5)=0$	$-\dfrac{5}{2}$ 또는 0
(5) $(x+6)^2=1$	$x^2+12x+35=0$ $(x+7)(x+5)=0$	-7 또는 -5
(6) $x^2-10x+9=0$	$(x-1)(x-9)=0$	1 또는 9
(7) $3x(x+3)=2(2x+1)$	$3x^2+5x-2=0$ $(x+2)(3x-1)=0$	-2 또는 $\dfrac{1}{3}$
(8) $x^2-10x=-16$	$x^2-10x+16=0$ $(x-2)(x-8)=0$	2 또는 8
(9) $9x^2-1=0$	$(3x+1)(3x-1)=0$	$-\dfrac{1}{3}$ 또는 $\dfrac{1}{3}$
(10) $4x^2=24x-36$	$4x^2-24x+36=0$ $4(x-3)^2=0$	3 (중근)

수업 노하우

- 정확하게 해를 모두 구했다면 전체 해의 개수는 총 16개다. 이를 이용하여 4×4 빙고판을 채우게 할 수 있다.

탐구 되돌아보기 예상 답안

교과서(상) 84~86쪽

1 개념과 원리 탐구하기 4

(1) ㉠ : $x^2-6x+8=(x-2)(x-4)$

(2) ㉣ : $9x^2+12x+4=(3x+2)^2$

(3) ㉺ : $x^2-4x+3=(x-1)(x-3)$

(4) ㉢ : $x^2+2x-15=(x-3)(x+5)$

(5) ㉲ : $x^2-1=(x+1)(x-1)$

2 개념과 원리 탐구하기 1, 2, 3

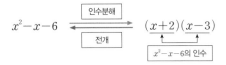

3 개념과 원리 탐구하기 4

학생들의 답은 다양할 수 있다.

· 각각의 인수에서 일차항의 계수와 상수항의 부호가 반대다.

· 윤기는 이차항의 계수를 양수의 곱으로, 호석이는 이차항의 계수를 음수의 곱으로 나타냈다.

· 호석이의 두 인수에 각각 -1을 곱해주면 윤기의 인수분해와 같아진다.

4 개념과 원리 탐구하기 5

태형이의 풀이는 틀렸다.

왜냐하면 이차방정식을 인수분해를 이용하여 풀 때는 주어진 식의 좌변을 그대로 인수분해하지 않고 반드시 모든 항을 좌변으로 이항하여 정리한 다음에 인수분해하여 이차방정식의 해를 구해야 한다.

이차방정식 $x^2+2x=8$을 바르게 풀면

$x^2+2x-8=0$

$(x+4)(x-2)=0$

$x+4=0$ 또는 $x-2=0$

따라서 $x=-4$ 또는 $x=2$다.

5 개념과 원리 탐구하기 4

(1) $8x^2-2x-3=(2x+1)(4x-3)$

$$
\begin{array}{ccccc}
2 & & +1 & \rightarrow & +4 \\
 & \times & & & \\
4 & & -3 & \rightarrow & \dfrac{-6}{} \\
 & & & & -2
\end{array}
$$

(2) ① $4x^2+4x-3$에서 일차항 $4x$를 $6x-2x$로 변형하면 다음과 같이 $(2x+3)$이라는 공통인수가 생긴다.

$$4x^2+4x-3=\underline{4x^2+6x}-2x-3$$
$$=2x(2x+3)-(2x+3)$$

② $(ax+b)(cx+d)$

$\quad=acx^2+(ad+bc)x+bd$

$ac=4$, $bd=-3$인 수 중 하나의 경우를 다음과 같이 찾을 수 있다.

$a=2$, $c=2$, $b=3$, $d=-1$이라 하면

$ad+bd=2\times(-1)+3\times2=4$

가 되므로 일차항의 계수 4와 일치한다.

따라서 이 값을 $(ax+b)(cx+d)$에 대입하면 $(2x+3)(2x-1)$이 된다.

6 개념과 원리 탐구하기 5, 6

(1) $(x-1)(x-5)=-3$에서

$x^2-6x+5=-3$

$x^2-6x+8=0$의 좌변을 인수분해하면

$(x-2)(x-4)=0$

$x-2=0$ 또는 $x-4=0$

따라서 $x=2$ 또는 $x=4$다.

(2) $x^2+2=-2(x-5)$에서

$x^2+2=-2x+10$

$x^2+2x-8=0$의 좌변을 인수분해하면

$(x+4)(x-2)=0$

$x+4=0$ 또는 $x-2=0$

따라서 $x=-4$ 또는 $x=2$다.

(3) $(2x-3)^2=15-2x$에서

$4x^2-12x+9=15-2x$

$4x^2-10x-6=0$의 좌변을 인수분해하면

$(4x+2)(x-3)=0$

$4x+2=0$ 또는 $x-3=0$

따라서 $x=-\dfrac{1}{2}$ 또는 $x=3$이다.

(4) $x^2-5x=7x-36$에서

$x^2-5x-7x+36=0$

$x^2-12x+36=0$의 좌변을 인수분해하면

$(x-6)^2=0$

따라서 $x=6$ (중근)이다.

3 언제나 통하는 식 (근의 공식)

단원 지도 계획

/ 1 / 해를 구하는 식

1차시
개념과 원리 탐구하기 1
완전제곱식을 이용한 이차방정식의 풀이

2차시
개념과 원리 탐구하기 2
근의 공식

3차시
개념과 원리 탐구하기 3
이차방정식의 여러 가지 풀이 방법

4차시 게임하며 탐구하기 4

5차시 탐구 되돌아보기

6차시 개념과 원리 연결하기

7차시 수학 학습원리 완성하기

· 교과서 각 소단원마다 제시된 탐구 되돌아보기는 개념과 원리 탐구하기와 연계하여 수업 시간 내 또는 수업 시간 이후 복습으로 활용할 수 있습니다.

/ 1 / 해를 구하는 식 (근의 공식)

개념과 원리 탐구하기 1 _ 완전제곱식을 이용한 이차방정식의 풀이

교과서(상) 88쪽

탐구 활동 의도

- ① **이차항을 품은 등식**에서 제곱근을 이용한 이차방정식의 풀이, ② **이차식의 변신**에서 인수분해를 이용한 이차방정식의 풀이를 탐구했다. ③ **언제나 통하는 식**에서는 일반적인 방법으로 이차방정식을 푸는 공식을 발견하는 것이 목적이다.
- 이 탐구하기는 완전제곱식을 이용한 풀이가 왜 일반적인 방법인지 깨달을 수 있는 중간 과정이다.
- 기존에는 완전제곱식으로의 변형에서 상수항을 우변으로 이항하고 좌변을 완전제곱식으로 변형하는 방법을 주입했다. ①에서는 상수항을 우변으로 이항하기 전 ① **이차항을 품은 등식**과 ② **이차식의 변신**에서 다룬 이차방정식의 풀이와 연결하여 완전제곱식의 필요성을 탐구할 수 있다.
- ①(1)은 [식 1]과 [식 2]의 변형을 예로 제시하여 상수항을 군이 이항하지 않아도 됨을 보여 준 것이다. (2)는 $(x-p)^2=q$의 꼴일 때 인수분해가 아니라 완전제곱식을 이용해서 푸는 이유를 추론하는 과제다.
- ②는 완전제곱식에서 일차항의 계수와 상수항의 관계를 발견하고 이를 적용하여 실제로 해를 구하는 과제다. ① **이차항을 품은 등식**에서 학습한 제곱근을 이용한 이차방정식의 풀이와 연결됨을 발견할 수 있다.
- 모든 이차방정식은 x^2의 계수를 1로 만들 수 있으므로, 여기서는 완전제곱식을 포함하는 식으로 변형할 때 일차항과 상수항의 관계만 다루었다.

예상 답안

1 (1) [식 1]은 양변에 2를 더하여 좌변이 인수분해가 되는 식을 만들었고, [식 2]는 양변에 3을 더하여 좌변이 인수분해가 되는 식을 만들었다.

학생
답안

식 1 : + 2 씩 해줌
식 2 : + 3 씩 해줌

(2)

[식 1] $x^2+4x+3=2$	[식 2] $x^2+4x+4=3$
$(x+1)(x+3)=2$ 인수분해를 했지만 해를 구할 수는 없다.	$x^2+4x+4=3$ $(x+2)^2=3$ $x+2=\pm\sqrt{3}$ $x=-2\pm\sqrt{3}$

학생
답안

식1 $x^2+4x+3=2$	식2 $x^2+4x+4=3$
$x^2+4x+3=2$ $(x+1)(x+3)=2$	$(x+2)^2=3$ $x+2=\pm\sqrt{3}$ $x=\pm\sqrt{3}-2$

(3)

나의 생각	모둠의 의견
완전제곱식을 만들 수 있는 식으로 바꿔서 제곱근을 이용하여 구한다.	이차항과 일차항의 계수를 확인한 후 그 두 항을 포함한 완전제곱식을 만들기 위해 양변에 적당한 수를 더하거나 빼서 좌변은 완전제곱식, 우변은 상수인 형태로 식을 변형하고, 제곱근의 성질을 이용하여 이차방정식의 해를 구한다.

학생 답안

양변에 같은 수를 곱하거나
　　더해준다. ―▷ 완전제곱식을 만든다.
　식 ① 처럼 하면
　　　답이 안나온다.

위에서 배운 제곱근을 이용한 풀이처럼 ($x+\alpha)^2=k$ 와 같은 식으로 변형하면 된다. 완전제곱식으로 만들기 위해 같은 수나 식을 더하거나 빼면 된다.

2　(1) 상수항은 일차항의 계수의 $\dfrac{1}{2}$을 제곱한 것이다.

일차항의 계수의 $\dfrac{1}{2}$이 완전제곱식 $(x+k)^2$에서 k의 값이 된다.

학생 답안

$x^2+ax+b = (x+k)^2$ 에서
$b = \left(\dfrac{a}{2}\right)^2$ 이고, $a =2k$ 이다.

이차식에서 일차항의 계수의 $\dfrac{1}{2}$을 제곱한 수는 상수항과 같다.
$(x+k)^2$ 에서 k는 이를 전개한 이차식의 일차항의 계수의
　　　　　　　　　　　　　　$\dfrac{1}{2}$이 된다.

(2) ① 좌변의 상수항인 -3을 우변으로 이항하여 좌변에 이차항과 일차항만 남겨둔다.

　② 좌변의 이차항의 계수가 1이므로 좌변을 완전제곱식으로 만들기 위해서 일차항의 계수 8의 $\dfrac{1}{2}$인 4를 제곱한 수인 16을 양변에 더한다.

　③ 좌변인 $x^2+8x+16$을 완전제곱식으로 정리하면 $(x+4)^2$이고 우변을 계산하면 19가 된다.

$$x^2+8x-3=0$$
$$x^2+8x=3 \qquad \cdots\cdots ①$$
$$x^2+8x+16=3+16 \qquad \cdots\cdots ②$$
$$(x+4)^2=19 \qquad \cdots\cdots ③$$
$$x+4=\pm\sqrt{19}$$
$$x=-4\pm\sqrt{19}$$

$\boxed{3}$ (1) $x^2-6x+1=0$, $x^2-6x+9=8$, $(x-3)^2=8$

$x-3=\pm2\sqrt{2}$, $x=3\pm2\sqrt{2}$

(2) $x^2-5x-4=0$, $x^2-5x=4$, $x^2-5x+\left(\dfrac{5}{2}\right)^2=4+\left(\dfrac{5}{2}\right)^2$

$\left(x-\dfrac{5}{2}\right)^2=\dfrac{41}{4}$, $x-\dfrac{5}{2}=\pm\dfrac{\sqrt{41}}{2}$, $x=\dfrac{5}{2}\pm\dfrac{\sqrt{41}}{2}$

$x=\dfrac{5-\sqrt{41}}{2}$ 또는 $x=\dfrac{5+\sqrt{41}}{2}$

(3) $2x^2-8x+4=0$, $x^2-4x+2=0$, $x^2-4x=-2$, $x^2-4x+4=2$

$(x-2)^2=2$, $x-2=\pm\sqrt{2}$, $x=2\pm\sqrt{2}$

수업 노하우

- $\boxed{1}$에서 학생들이 완전제곱식을 이용해서 이차방정식을 푸는 방법의 필요성을 확실하게 깨닫는 것을 확인할 수 있었다. 기존에는 이차방정식을 푸는 절차로 인수분해, 제곱근, 완전제곱식, 근의 공식으로 나누어 각각의 방법만 가르쳤다면 여기서는 왜 완전제곱식을 이용한 풀이가 가장 일반적인 방법인지를 이해할 수 있게 했다.

- $\boxed{1}$에서 완전제곱식으로 변형하는 절차를 숙달하기 보다는 '완전제곱식'과 '제곱근' 개념을 연결하고 '식의 변형' 개념을 이해할 수 있도록 했다.

- $\boxed{1}$ **이차항을 품은 등식**에서 일차항이 없는 경우에만 제곱근을 이용할 수 있다고 배웠다. 또는 좌변이 완전제곱식의 형태로 주어진 경우에만 해를 구하도록 했다. 여기서는 일차항이 있더라도 완전제곱식의 형태로 식을 변형하면 제곱근 개념을 이용하여 해를 구할 수 있음을 자세하게 탐구할 수 있다.

- **수학의 발견 중1**에서 등식의 성질을 탐구했다. $\boxed{1}$에서는 우리가 원하는 목적을 얻기 위해 등식의 성질을 이용하여 식을 변형하는 것이 무엇인지 경험할 수 있도록 논의할 시간을 충분히 주며 탐구를 진행한다.

- $\boxed{1}$(2) [식 1]은 정수의 범위에서 곱이 2가 되는 두 수를 찾은 후 해를 구할 수 있을 것 같아 계산을 시도하는 학생들이 있다. 이때 다음과 같이 진행할 수 있다.
  - 각 조건을 동시에 만족하는 x를 구하는 상황임을 이해하고 찾게 해 본다.
  - 식을 만족하는 x를 찾기 어렵다는 결론이 나왔다면 왜 찾기 어려웠는지 경험을 공유한다. 이 과정은 완전제곱식으로 식을 변형하는 것과 비교하여 그 유용성을 보다 잘 이해할 수 있게 할 수 있다.

- 다음과 같이 [식 1]에서 또 양변에 1을 더하여 [식 1]의 경우와 같게 만든 경우도 있었다. 이렇게 한 이유를 물으며 완전제곱식의 장점을 부각시킬 수 있다.

식1 $x^2+4x+\overset{+1}{3}=\overset{+1}{2}$	식2 $x^2+4x+4=3$
$(x+2)^2=3$	$(x+2)^2=3$ $x+2=\pm\sqrt{3}$ $x=-2\pm\sqrt{3}$

개념과 원리 탐구하기 2 _ 근의 공식

교과서(상) 91쪽

탐구 활동 의도

- 이차방정식 $ax^2+bx+c=0\ (a\neq0)$을 푸는 일반적인 방법인 근의 공식을 발명하는 것이 목적이다.
- $\boxed{1}$에서 x^2의 계수가 1이 아닌 경우에도 완전제곱식으로 나타낼 수 있으나 계산 오류를 방지하기 위해 x^2의 계수로 양변을 나누어 준 뒤 완전제곱식으로 변형했다.
- 이차방정식 $ax^2+bx+c=0\ (a\neq0)$과 같이 미지수 x의 계수가 문자로 된 경우 학생들이 어려움을 느낄 수 있으므로 $\boxed{1}$과 같이 구체적인 예와 나란히 제시했다.
- 이 활동을 통해 계수만 이용하면 모든 이차방정식의 해를 구할 수 있는 근의 공식의 유용성을 깨닫게 한다.

예상 답안

$\boxed{1}$

$3x^2+4x-1=0$	$ax^2+bx+c=0$ (a, b, c는 실수, $a\neq0$, $b^2-4ac\geq0$)
x^2의 계수가 1이 되도록 등식의 양변을 3으로 나누면	x^2의 계수가 1이 되도록 등식의 양변을 a로 나누면

$$x^2+\frac{4}{3}x-\frac{1}{3}=0$$
$$x^2+\frac{4}{3}x=\frac{1}{3}$$
$$x^2+\frac{4}{3}x+\left(\frac{2}{3}\right)^2=\frac{1}{3}+\left(\frac{2}{3}\right)^2$$
$$\left(x+\frac{2}{3}\right)^2=\frac{7}{9}$$
$$x+\frac{2}{3}=\pm\frac{\sqrt{7}}{3}$$
$$x=-\frac{2}{3}\pm\frac{\sqrt{7}}{3}$$
$$x=\frac{-2\pm\sqrt{7}}{3}$$

$$x^2+\frac{b}{a}x+\frac{c}{a}=0$$
$$x^2+\frac{b}{a}x=-\frac{c}{a}$$
$$x^2+\frac{b}{a}x+\left(\frac{b}{2a}\right)^2=-\frac{c}{a}+\left(\frac{b}{2a}\right)^2$$
$$\left(x+\frac{b}{2a}\right)^2=\frac{b^2-4ac}{4a^2}$$
$$x+\frac{b}{2a}=\pm\sqrt{\frac{b^2-4ac}{4a^2}}$$
$$x=-\frac{b}{2a}\pm\sqrt{\frac{b^2-4ac}{4a^2}}$$
$$x=-\frac{b}{2a}\pm\frac{\sqrt{b^2-4ac}}{2a}$$
$$x=\frac{-b\pm\sqrt{b^2-4ac}}{2a}$$

$ax^2+bx+c=0$ (a, b, c는 실수, $a \neq 0$)

x^2의 계수가 1이 되도록 등호의 양쪽을 a로 나누면

$$x^2 + \frac{b}{a}x + \frac{c}{a} = 0$$

$$x^2 + \frac{b}{a}x = -\frac{c}{a}$$

$$x^2 + \frac{b}{a}x + \left(\frac{b}{2a}\right)^2 = -\frac{c}{a} + \left(\frac{b}{2a}\right)^2$$

$$\left(x+\frac{b}{2a}\right)^2 = \frac{-4ac+b^2}{4a^2}$$

$$x + \frac{b}{2a} = \pm\sqrt{\frac{-4ac+b^2}{4a^2}}$$

$$x = \frac{-b \pm \sqrt{b^2-4ac}}{2a}$$

$ax^2+bx+c=0$ $\Big\}$ x^2의 계수를 1로 만듦

$$x^2 + \frac{b}{a}x + \frac{c}{a} = 0$$

$$x^2 + \frac{b}{a}x = -\frac{c}{a}$$

$$x^2 + \frac{b}{a}x + \left(\frac{b}{2a}\right)^2 = -\frac{c}{a} + \left(\frac{b}{2a}\right)^2$$

$$\left(x+\frac{b}{2a}\right)^2 = \frac{-4ac+b^2}{4a^2}$$

$$x + \frac{b}{2a} = \pm\sqrt{\frac{-4ac+b^2}{4a^2}}$$

$$\therefore x = -\frac{b}{2a} \pm \sqrt{\frac{b^2-4ac}{4a^2}}$$

$$= \frac{-b \pm \sqrt{b^2-4ac}}{2a}$$

2️⃣ $a=2$, $b=3$, $c=-1$이므로

$$x = \frac{-b \pm \sqrt{b^2-4ac}}{2a} = \frac{-3 \pm \sqrt{3^2 - 4 \times 2 \times (-1)}}{2 \times 2} = \frac{-3 \pm \sqrt{17}}{4}$$

수업 노하우

- 식을 변형하는 과정에서 문자가 들어간 식의 통분을 어려워하는 학생들이 많다. 문자가 들어간 식의 통분이 어떻게 이루어지는지 친구의 풀이를 통해 공유하는 시간이 필요하다.
- 근의 공식을 유도하는 과정에서 제곱근의 성질과 연결하여 학생들의 수준에 따라 다음과 같은 발문을 통해 제곱근의 개념과 연결할 수 있다.

> $\left(x+\frac{b}{2a}\right)^2 = \frac{b^2-4ac}{4a^2}$ 에서 $x + \frac{b}{2a} = \pm\sqrt{\frac{b^2-4ac}{4a^2}}$ 로 변형시키려면 어떤 조건이 필요할까?

- 분모 $4a^2$이 양수이고 분자 b^2-4ac가 양수라는 조건이 있으므로 제곱근의 개념과 연결시켜 이해하게 할 수 있다. **STAGE 1**에서 양수 a의 제곱근만 다루었다.

> $\pm\sqrt{\frac{b^2-4ac}{4a^2}} = \pm\frac{\sqrt{b^2-4ac}}{2a}$ 로 어떻게 나타낼 수 있는가?

- 다음 내용은 고등학교에 가기 전 무리수를 이해하는 주요한 개념이므로 학생들이 고민해 보게 할 수 있다.

> **제곱근의 나눗셈**
>
> $a>0$, $b>0$일 때, $\dfrac{\sqrt{a}}{\sqrt{b}} = \sqrt{\dfrac{a}{b}}$

- 제곱근의 나눗셈은 분모와 분자가 모두 양수라는 조건을 갖추어야 한다. 즉, 여기서도 분모 $4a^2$과 분자 b^2-4ac가 양수라는 조건을 학생들이 인지하고 있는지 확인해 볼 필요가 있다.

$\sqrt{4a^2}=2a$로 나타내려면 어떤 조건이 필요할까?

- 다음 제곱근의 성질을 살펴보자.

> **제곱근의 성질**
>
> 1. $(\sqrt{a})^2=a,\ (-\sqrt{a})^2=a$ 2. $\sqrt{a^2}=a,\ \sqrt{(-a)^2}=a$

- 제곱근의 성질 2를 사용하여 $\sqrt{(2a)^2}$이라고 답하겠지만 실제로 $a>0$이라는 조건이 없으므로 $\sqrt{4a^2}=2a$ 로 단순하게 풀면 안 되고 $\sqrt{4a^2}=\pm2a$로 풀어야 한다. 그 다음 분모의 플러스와 마이너스($\pm$)는 이미 앞에 있는 플러스와 마이너스($\pm$)와 연산을 거쳐 결국 같아 보이는 것이다.
- 이차방정식 $ax^2+bx+c=0\ (a\neq0)$에서 $b=2b'(b'$은 정수)의 꼴로 나타나는 경우에는 다음과 같이 일반적인 근의 공식을 좀 더 간단히 나타낼 수 있다. 학생들이 근의 공식이 익숙해졌을 때 같은 원리임을 설명하며 안내할 수 있다.

$$x=\frac{-b\pm\sqrt{b^2-4ac}}{2a}=\frac{-2b'\pm\sqrt{(2b')^2-4ac}}{2a}=\frac{-b'\pm\sqrt{b'^2-ac}}{a}$$

 개념과 원리 탐구하기 3 _ 이차방정식의 여러 가지 풀이 방법   교과서(상) 92쪽

탐구 활동 의도

- 그동안 탐구했던 이차방정식의 풀이 방법들을 일반화하고 하나의 개념으로 통합하는 것을 목적으로 한다.
- 이차방정식을 한 가지 방법으로만 풀 수 있는 것이 아니라 여러 가지 방법으로 풀 수 있으며 식의 형태에 따라 적절한 방법을 선택하여 풀 수 있음을 깨닫게 할 수 있다.

예상 답안

1   (1) 〈수현이의 방법〉

위의 정사각형의 넓이는 25이므로 한 변의 길이는 5야.

$x+3=5$이므로 $x=2$

따라서 이차방정식 $x^2+6x=16$의 해는 2가 되는 거야.

〈은세의 방법〉

우변의 항을 좌변으로 이항하면

$x^2+6x-16=0$이 되고 이 식을 인수분해하면

$(x+8)(x-2)=0$이므로

$x+8=0$ 또는 $x-2=0$

따라서 $x=-8$ 또는 $x=2$가 $x^2+6x=16$의 해야.

수현이의 방법은 정사각형의 넓이를 이용해 풀었으므로 해가 양수인 2 한 개뿐이다. 은세는 인수분해를 이용하여 이차방정식을 풀었기 때문에 음수인 해까지 해가 두 개다.

2	태훈이의 방법	소영이의 방법
	$x^2-7x+12=0$ $(x-3)(x-4)=0$ $x-3=0$ 또는 $x-4=0$ 따라서 $x=3$ 또는 $x=4$다.	$x^2-7x+12=0$ $a=1$, $b=-7$, $c=12$이므로 $x=\dfrac{-(-7)\pm\sqrt{(-7)^2-4\times1\times12}}{2\times1}$ $=\dfrac{7\pm\sqrt{49-48}}{2}=\dfrac{7\pm1}{2}$ 따라서 $x=\dfrac{7+1}{2}=4$ 또는 $x=\dfrac{7-1}{2}=3$이다.

태훈이는 인수분해를 이용하여 해를 구했고, 소영이는 근의 공식을 이용하여 해를 구했다. 인수분해가 되는 이차식은 태훈이의 방법이 더 편리하다. 소영이의 방법으로 해를 구하면 수를 대입하고 식을 정리하는 번거로움이 따르고 태훈이의 방법보다 풀이 과정이 길어진다.

3 (1) 왼쪽 학생은 식을 전개한 후 인수분해를 이용해 해를 구했고, 오른쪽 학생은 상수항을 우변으로 이항하여 제곱근의 성질을 이용해 해를 구하였다.

(2) $(2x-1)^2-5=0$은 전개해도 인수분해가 되지 않는 식이므로 근의 공식을 사용하거나 완전제곱식을 이용한 풀이로 해를 구한다.

$(2x-1)^2-5=0$ $4x^2-4x+1-5=0$ $4x^2-4x-4=0$ $x^2-x-1=0$ $x=\dfrac{-(-1)\pm\sqrt{(-1)^2-4\times1\times(-1)}}{2\times1}$ $x=\dfrac{1\pm\sqrt{5}}{2}$

$(2x-1)^2-5=0$ $(2x-1)^2=5$ $2x-1=\pm\sqrt{5}$ $2x=1\pm\sqrt{5}$ $x=\dfrac{1\pm\sqrt{5}}{2}$

인수분해가 되는 이차방정식은 인수분해를 이용하여 해를 구하는 것이 편리하고, 인수분해가 되지 않을 때에는 본인이 더 익숙하고 쉬운 방법을 선택하는 것이 효율적인 방법이다.

수업 노하우

- 1 수현이의 풀이에서 문제의 의도와 달리 상황을 아래와 같은 식으로 나타내면 두 근을 모두 구할 수도 있다. 이것이 식의 장점임을 깨달을 수 있도록 수업을 진행할 수 있다.

$$x^2+6x+9=25 \qquad x+3=\pm\sqrt{25}=\pm5$$
$$(x+3)^2=25 \qquad x=2,-8$$

- 1 에서 x가 무엇인지에 따라 2만 해가 될 수도 있으므로 상황에 맞는 답을 골라 보게 하는 기회가 될 수도 있다.
- 2 는 식의 형태에 따라 어떤 방법으로 이차방정식을 풀 것인지 고민하게 하는 과제다. 식의 형태와 인수분해, 제곱근, 근의 공식이라는 풀이 방법을 연결지어 논의하게 할 수 있다.

탐구 활동 의도

- 이차방정식과 그 해의 의미를 이해하고 근의 공식을 이용하여 이차방정식의 풀이를 연습하는 활동이다.

예상 답안

1 "사소한 잘못을 용서할 수 없다면, 우정은 결코 깊어질 수 없다. – 파스칼"

① $x^2-3x-2=0 \Rightarrow x=\dfrac{3\pm\sqrt{17}}{2}$ (잘못)

$x^2-3x-2=0$에서 $a=1$, $b=-3$, $c=-2$이므로

$x=\dfrac{-(-3)\pm\sqrt{(-3)^2-4\times1\times(-2)}}{2\times1}=\dfrac{3\pm\sqrt{17}}{2}$

② $2x^2-8x-3=0 \Rightarrow x=\dfrac{4\pm\sqrt{22}}{2}$ (용서)

$2x^2-8x-3=0$에서 $a=2$, $b'=-4$, $c=-3$이므로

$x=\dfrac{-(-4)\pm\sqrt{(-4)^2-2\times(-3)}}{2}=\dfrac{4\pm\sqrt{22}}{2}$

③ $x^2-2x=3(x+1)^2-1 \Rightarrow x=-2\pm\sqrt{3}$ (우정)

$x^2-2x=3(x+1)^2-1$, $x^2-2x=3x^2+6x+2$

$2x^2+8x+2=0$의 양변을 2로 나누면

$x^2+4x+1=0$

$x^2+4x+1=0$에서 $a=1$, $b'=2$, $c=1$이므로

$x=\dfrac{-2\pm\sqrt{2^2-1\times1}}{1}=-2\pm\sqrt{3}$

④ $\dfrac{1}{2}x^2+\dfrac{1}{3}x-1=0 \Rightarrow x=\dfrac{-1\pm\sqrt{19}}{3}$ (파스칼)

$\dfrac{1}{2}x^2+\dfrac{1}{3}x-1=0$의 양변에 6을 곱하면

$3x^2+2x-6=0$

$3x^2+2x-6=0$에서 $a=3$, $b'=1$, $c=-6$이므로

$x=\dfrac{-1\pm\sqrt{1^2-3\times(-6)}}{3}=\dfrac{-1\pm\sqrt{19}}{3}$

탐구 되돌아보기 예상 답안

교과서(상) 95~97쪽

▌1 ▐ 개념과 원리 탐구하기 2

(1) $x:1=1:x-1$에서

$x(x-1)=1$

$x^2-x-1=0$

(2) $x^2-x-1=0$에서

$a=1$, $b=-1$, $c=-1$이므로 근의 공식에 대입하면

$x=\dfrac{-(-1)\pm\sqrt{(-1)^2-4\times1\times(-1)}}{2\times1}$

$=\dfrac{1\pm\sqrt5}{2}$

(3) 도형의 길이이므로 $x>0$이어야 한다.

따라서 $x=\dfrac{1+\sqrt5}{2}$다.

> 참고 황금 사각형의 가로와 세로의 길이의 비
> $\dfrac{1+\sqrt5}{2}$: 1을 황금비라고 한다.
> $\sqrt5=2.236$임을 대입하면 1.618 : 1이므로 간단한 정수비로 8 : 5를 황금비라고 한다.

▌2 ▐ 개념과 원리 탐구하기 2

$x^2-x=870$을 정리하면 $x^2-x-870=0$이므로 근의 공식에 $a=1$, $b=-1$, $c=-870$을 대입하면

$x=\dfrac{-(-1)\pm\sqrt{(-1)^2-4\times1\times(-870)}}{2\times1}$

$=\dfrac{1\pm\sqrt{1+4\times870}}{2}=\dfrac{1\pm\sqrt{3481}}{2}$

$=\dfrac{1\pm\sqrt{59^2}}{2}=\dfrac{1\pm59}{2}$

x는 한 변의 길이로 양수이므로

$x=\dfrac{1+59}{2}=\dfrac{60}{2}=30$

고대 바빌로니아 사람들의 풀이에서 소수를 분수로 바꿔서 정리하면 근의 공식으로 해를 구한 과정과 같은 결과가 나온다. 따라서 옳다.

$x=0.5+\sqrt{(0.5)^2+870}$

$=\dfrac12+\sqrt{\left(\dfrac12\right)^2+870}$

$=\dfrac12+\sqrt{\dfrac14+\dfrac{4\times870}{4}}$

$=\dfrac12+\sqrt{\dfrac{1+4\times870}{4}}$

$=\dfrac12+\sqrt{\dfrac{3481}{4}}$

$=\dfrac12+\sqrt{\dfrac{59^2}{2^2}}$

$=\dfrac12+\dfrac{59}{2}$

$=\dfrac{60}{2}=30$

▌3 ▐ 개념과 원리 탐구하기 3

정국	$2x^2-x-3=0$을 인수분해하면 $(2x-3)(x+1)=0$ $2x-3=0$ 또는 $x+1=0$ 따라서 $x=\dfrac32$ 또는 $x=-1$이다.
여진	$2x^2-x-3=0$의 양변을 2로 나누면 $x^2-\dfrac12x-\dfrac32=0$ $x^2-\dfrac12x=\dfrac32$ $x^2-\dfrac12x+\dfrac{1}{16}=\dfrac32+\dfrac{1}{16}$ $\left(x-\dfrac14\right)^2=\dfrac{25}{16}$ $x-\dfrac14=\pm\sqrt{\dfrac{25}{16}}=\pm\dfrac54$ $x=\dfrac14+\dfrac54=\dfrac32$ 또는 $x=\dfrac14-\dfrac54=-1$ 따라서 $x=\dfrac32$ 또는 $x=-1$이다.
석진	$a=2$, $b=-1$, $c=-3$이므로 근의 공식에 대입하면 $x=\dfrac{-(-1)\pm\sqrt{(-1)^2-4\times2\times(-3)}}{2\times2}$ $x=\dfrac{1\pm\sqrt{1+24}}{4}=\dfrac{1\pm5}{4}$ $x=\dfrac64=\dfrac32$ 또는 $x=\dfrac{-4}{4}=-1$ 따라서 $x=\dfrac32$ 또는 $x=-1$이다.

학생
답안
1

제목: $x^2 + 4x + 3$ 과 $2x^2 + 2x + 4 = 0$ 가 몸이 가벼워졌다!

A마을에 살고 있는 x^2, B마을에 살고 있는 $4x$, C마을에 살고 있는 3 인 수들이였다. 오랜만에 x^2은 친구를 만나고 싶어 B마을에 모이자고 했다.

걸이 차례로 x^2, $4x$, 3 이 나란히 서있었다. 근데 언디선가 $+$(플러스)가 날아오더니 x^2과 $4x$ 사이에 하나 $4x$와 3 사이에 플러스 하나가 붙었다. 그래서 하나가 되어버렸다. 그랬더니 옆에 지나가던 $(x+2)(x+2)$가 인수분해를 하게 되면 가벼워진다고 하였다. 그래서 $x^2 + 4x + 3$이 인수분해를 하자 $(x+1)(x+3)$으로 몸이 가벼워졌다. 신난 $(x+1)(x+3)$은 멀리 있는 마을에도 놀러 가보았다. 거길 가보니 $2x^2 + 2x + 4 = 0$ 이차방정식 친구들이 몸이 무거워해서 $(x+1)(x+3)$이 근의 공식을 사용해보라고 인 썰해 친구들이 말했다. 그런데 옆에 지나가던 a가 근의 공식은

숲속 어딘가에 숨겨져 있다고 알을 했다. 그래서 인수분해와 이차방정식이 근의 공식을 찾으러 갔다. 산 정상에 거의 도착할 때 좀 산 정상에 서 근의 공식이 반짝거리며 이차방정식을 기다리고 있었다. 신난 $2x^2 + 2x + 4 = 0$ 이차방정식은 근의 공식을 써 보기로 하였다. $\dfrac{-2 \pm \sqrt{8 - (2 \times 2)}}{4} = \dfrac{-2 \pm \sqrt{4}}{4}$ 가 되어 기뻐하였다. 그렇게 목적을 달성한 인수분해가 된 $(x+1)(x+3)$ 과 근의 공식을 쓴 $\dfrac{-2 \pm \sqrt{4}}{4}$ 는 기쁘게 함께 집으로 돌아갔다.

제목: 짱구는 못말려 2편.

어느날 짱구는 이차방정식을 연구하고 있었어요.
짱구는 시계를 분해하여 시곗바늘의 작동원리를 알수있듯이
이차방정식을 분해해보고 싶었어요. $x^2 + 5x + 6 = 0$ 라는 다항식을
분해하려고 노력했어요. 하지만 아무리 생각해 보아도 답이 떠오르지 않았어요.
그래서 짱구는 숲속에 사는 철수박사를 찾아갔어요. "박사님 이차방정식을 더 알기위해
분해해보고 싶은데 잘되지 않아요." 짱구가 말했어요. 그러자 철수박사는 "옛날에 배웠던
곱셈공식을 이용해봐"라고 했어요. 짱구는 집에 돌아와서 여러가지 곱셈공식을 해봤어요.
그때! $(x+3)(x+2) = x^2 + 5x + 6$ 이라는 것을 알게되었어요.
짱구는 여러가지 이차방정식을 곱셈공식을 이용해서 분해해봤어요.
짱구는 각각식의 처음 식을 인수 라고 하고 하나의 다항식을 두개이상의 인수의 곱으로
나타내는 것을 그 다항식을 인수분해 한다고 정했어요.
그런데 문제가 발생했어요. $2x^2 + 2x - 1 = 0$ 이라는 이차방정식은 어떤 곱셈공식을
이용해도 인수분해가 되지 않았어요. 짱구는 다시 철수박사 에게 찾아갔어요,
"철수박사님 $2x^2 + 2x - 1 = 0$ 이라는 이차방정식은 인수분해가 되지 않아요" "짱구가 말했어요.
그때 철수박사가 말했어요". "안되면 되게 해라." 이말을 남기고 철수박사는 갑자기 없어
졌어요. 짱구는 집으로 돌아와 계속 생각했어요. 그때! 짱구의 머리속에 좋은 생각이
떠올랐어요. 인수분해가 안되면 되게해보자. 짱구는 $2x^2 + 2x - 1 = 0$ 을 완전제곱식으로
나타내려고 했어요. $2x^2 + 2x - 1 = x^2 + x - \frac{1}{2}$ 이니까, $(x^2 + x + \frac{1}{4}) - \frac{1}{2} - \frac{1}{4} = 0$
$(x + \frac{1}{2})^2 - \frac{2}{4} - \frac{1}{4} = 0$, $(x + \frac{1}{2})^2 - \frac{3}{4} = 0$, $(x + \frac{1}{2})^2 = \frac{3}{4}$, $x + \frac{1}{2} = \sqrt{\frac{3}{4}}$
$x = \pm \frac{\sqrt{3}}{2} - \frac{1}{2} = \frac{\pm\sqrt{3}}{2}$ 이다!!! 그때 하늘에서 철수박사가 내려왔어요.
"넌 이제 충분한 지식을 가지고 있다. 그러니 세상사람들에게 너의 지식을 알려주거
혹 오는게 없으면 날 찾아오거라" 철수박사는 이말 남기고 사라졌어요.
– 끝 –

제목: 수학 인터넷방의 두 번째 수업요

수학 쌤: 여러분, 반가워요~ 저번 시간에는 실수에 대해서 배웠는데요? 오늘은 이차방정식에 대해 배울겁니다. 먼저 (x에 대한 이차식)=0 꼴로 나타낼수 있는 식을 이차방정식이라고 합니다. 그러면 "이차방정식을 풀어라" 하는 문제가 나오면 풀어야겠죠? 이차방정식은 여러가지 풀이로 해결할수 있어요. 먼저 인수분해를 이용할거에요. 일단 인수란 하나의 다항식을 두 개 이상의 다항식의 곱으로 나타낼때 각각의 다항식을 인수라고 해요. 먼저 $x^2-16=0$ 이라는 식이 있으면 이 식은 $(x+4)(x-4)=0$으로 인수분해가 돼요. 그럴때 좌변이 0이되어야 하므로 하나의 다항식만 0이면 되겠죠? 그래서 $x=-4$ 아 4가 되는거죠. 다음은 제곱근을 이용해보겠습니다. $x^2-5=0$ 라는 이차방정식이 있으면 좌변의 5를 우변으로 이항하면 $x^2=5$ 가 됩니다. 그럼 x의 값은 5의 제곱근이 되야하므로 $x=\sqrt{5}$ 아 $-\sqrt{5}$ 인거죠? 다음은 완전제곱식을 이용해보겠습니다. $x^2+2x+1=0$ 이라는 이차방정식이 있는데 이 식을 인수분해 하면 $(x+1)^2=0$ 으로 정리가 됩니다. 그럼 좌변이 0이어야하므로 $x=-1$ 인데요. 근데 다항식안에 형태가 같아서 저 제곱한것이므로 $x=-1$ (중근) 이라는 중복되는 근이 생기는데 이걸 사용한답니다. 마지막은 근의공식을 이용 할건데요. 제곱근과 인수분해를 이용해서 해결이 되지 않을때 양변을 x에 대해 근의 공식의 유도과정을 써드릴거에요. 여러분 잘 보셨죠? 이차방정식은 이 방법들로 해결할수 있다는것을 배웠습니다~ 여러분 다음에 또 만나요~

① 인수분해
② 제곱근
③ 완전제곱식
④ 근의공식

상수항을 이항한다	$ax^2+bx+c=0 (a\neq0)$
x의계수를 1로한다	$x^2+\frac{b}{a}x+\frac{c}{a}=0$
제곱항을 양변에더함	$x^2+\frac{b}{a}x=-\frac{c}{a}$
좌변을 완전제곱식로 정리한다. (완전제곱식)	$\left(x+\frac{b}{2a}\right)^2=-\frac{c}{a}+\left(\frac{b}{2a}\right)^2$
제곱 근을구해 준다	$\left(x+\frac{b}{2a}\right)^2=\frac{b^2-4ac}{4a^2}$
근을구한다	$x+\frac{b}{2a}=\pm\frac{\sqrt{b^2-4ac}}{2a}$
근의공식 완성	$x=\frac{-b\pm\sqrt{b^2-4ac}}{2a}$

개념과 원리 연결하기 예상 답안

교과서(상) 98~99쪽

1

나의 첫 생각

이차방정식을 풀 때 인수분해가 되는 것은 인수분해를 해야 하므로 근의 공식을 대입한 것은 잘못이다. (1)로만 해야 한다.

다른 친구들의 생각

이차방정식을 푸는 것은 인수분해든 완전제곱식이든 근의 공식이든 어느 방법으로 풀어도 상관없다. (1)과 (2)는 모두 타당하다.

정리된 나의 생각

이차방정식이 인수분해가 되는 것은 인수분해를 통해 해를 구하는 것이 가장 쉽다. 그런데 지금 이 경우는 6과 12라는 수가 곱해지는 경우가 너무 복잡하여 여러 번 시도를 해야 하는 불편함이 예상된다. 그리고 실제로 여러 번 시도 끝에 일차항의 계수를 만들어낼 수 있었다.

이런 경우에는 처음부터 근의 공식을 바로 이용하는 것이 더 편리할 수 있다.

인수분해를 꼭 해야 한다는 생각을 고집할 필요는 없다.

2 (1)

이차방정식의 뜻

등식의 모든 항을 좌변으로 이항하여 정리했을 때

$$(x에 \text{ 대한 이차식})=0$$

의 꼴로 나타내어지는 방정식을 x에 대한 이차방정식이라고 한다.

이차방정식의 풀이

(1) 이차방정식 $ax^2+bx+c=0$ $(a\neq0)$의 좌변을 인수분해 하여 해를 구한다.

$$ax^2+bx+c=a(x-p)(x-q)=0$$

에서 해는 $x=p$ 또는 $x=q$다.

(2) 이차방정식이 $x^2=p$와 같이 완전제곱꼴이면 제곱근을 구한다.

즉, $x^2=p$의 해는 $x=\pm\sqrt{p}$

(3) 이차방정식 $ax^2+bx+c=0$ $(a\neq0)$의 근은 항상 다음과 같이 구할 수 있다.

$$x=\frac{-b\pm\sqrt{b^2-4ac}}{2a}$$

(2)

• 등식이 $(x에 \text{ 대한 일차식})=0$의 꼴로 나타내어지는 방정식을 x에 대한 일차방정식이라고 한다. 이차식으로 나타내어지면 이차방정식이 된다.

• 제곱하여 a가 되는 수, 즉 $x^2=a$를 만족하는 x를 a의 제곱근이라고 하며 $x=\pm\sqrt{a}$다.

그런데 $x^2=a$는 이차방정식이며 이것을 이용하여 완전제곱식이나 근의 공식으로 이차방정식의 근을 구할 수 있다.

• 인수분해는 어떤 다항식을 두 개 이상의 다항식의 곱으로 나타내는 과정으로 곱셈 공식과 서로 반대되는 과정인데, 이차방정식을 푸는 과정에서 인수분해를 이용하면 해를 구하기에 편리하다.

• 어떤 수 a를 나누어떨어지게 하는 수 b를 a의 약수라고 한다. 이때 a를 b의 배수라고 한다. 이차항의 계수와 상수항의 약수를 생각하여 일차항을 만드는 과정을 통하여 인수분해가 이루어진다.

학생
답안
1

나의 첫 생각

나의 생각은 인수분해를 사용해서 문제를 해결하는 것이 좋을 것같다. 왜냐하면 인수분해를 하기 위해서 여러번 시도 하는 것도 어렵겠지만 근의공식을 사용해서 문제를 풀면 식이 복잡해져 때문에 인수분해가 근의공식보다 간단하게 문제를 해결할 수 있을 것같다.

다른 친구들의 생각

나는 근의 공식을 이용한 것 같다. 이차 방정식을 보고 '인수분해가 된다'라고 한 번에 알아차리면 좋겠지만 안 그러면 연습이 더 필요하기 때문에 수를 대입하면 편한 근의 공식을 이용한 것 같다.

정리된 나의 생각

나도 친구의 의견을 들어보고 이차 방정식을 보고 '인수분해가 된다' 라고 한 번에 되려면 연습이 더 필요하므로 수를 공식에 대입하는 근의공식으로 문제를 해결하는 것이 좋을 것같다고 생각이 바뀌었다.

☑ (1) 개념과 원리 연결하기 예상 답안

학생
답안
1

이차방정식: 다항식= 0 에서 최고차항이 2인 방정식

기본형: $ax^2+bx+c=0$ $(a\neq0)$

① $x^2+(a+b)x+ab=0$
$(x+a)(x+b)=0$
$x=-a$ or $x=-b$

② $x^2+2ax+a^2=0$
$(x+a)^2=0$
$x=-a$

③ $x^2-a^2=0$
$(x+a)(x-a)=0$

④ $ax^2+bx+c=0$
$x=\dfrac{-b\pm\sqrt{b^2-4ac}}{2a}$

· 이차방정식이 해는 2개 일수도 있고, 1개 일수도 있다.

☑ (2) 개념과 원리 연결하기 예상 답안

학생
답안
1

두 개념 사이의 연관성	모둠의 정리
· 약수와 배수 · 소인수분해 · 식의 계산 · 일차방정식	· 이차방정식을 풀어 약수나 배수, 소인수분해를 이용하여 인수분해한다. · 인수분해를 이용하여 풀어서 계산할때, 해서 나온 수를 대입하며 확인한다. · $(ax+b)(cx+d)=0$ 로 나눌때 $ax+b=0$, $cx+d=0$ 이 되게 하는 값이 해이다.

학생
답안
1

내가 선택한 문제

이차 방정식 $ax^2+bx+c=0$ (a, b, c는 실수, $a \neq 0$)의 근을 세 상수 a, b, c를 이용하여 나타내 보자.

나의 깨달음

$ax^2+bx+c=0$을 양변을 a로 나누어 $x^2+\frac{b}{a}x+\frac{c}{a}=0$, $\frac{c}{a}$ 를 이항하여 $x^2+\frac{b}{a}x=-\frac{c}{a}$, $\frac{b}{a}$ 의 절반의 제곱을 양변에 더해서 $x^2+\frac{b}{a}x+\frac{b^2}{4a^2}$ $=\frac{b^2}{4a^2}-\frac{c}{a}=\frac{b^2-4ac}{4a^2}$, 양변의 $\sqrt{\ }$ 를 씌워 $x+\frac{b}{2a}=\frac{\pm\sqrt{b^2-4ac}}{2a}$, $\frac{b}{2a}$ 를 이항하여 $x=\frac{-b\pm\sqrt{b^2-4ac}}{2a}$, 이 식을 통해서 근의 공식을 유도하는 방법을 알았고, ax^2+bx+c 가 가장 작은 값을 가질 때는 x 가 $-\frac{b}{2a}$ 일때 가장 작은 값을 가진 다는 것을 알았다.

수학 학습원리

근의 공식이 나오는 원리를 일반적인 식을 통해 축축(추측)할 수 있었다.

학생
답안
2

내가 선택한 문제

탐구하기 5 - 1

나의 깨달음

전에는 인수분해 / 혹은 근의 공식만 사용해왔다. 하지만 이번에 굳이 근의공식 까지 가지 않아도 근을 구할수 있는 새로운 방법을 발견했다. 때에 따라서는 인수분해 보다도 훨씬 간단한 방법으로 풀수 있을것 같다.

수학 학습원리

여러가지 수학적 개념 연결하기

STAGE 3

비스듬히 던져 보자
– 이차함수와 그래프

이 단원은 일차함수 단원(수학의 발견 중2 STAGE 3)의 흐름과 같은 맥락으로 구성했습니다. 기존에는 학생들이 이차함수를 처음 배우는 것임에도 불구하고, 이차함수 자체에 대한 탐구보다는 이차함수에서 식의 변형을 이용한 그래프 그리기를 강조해 왔습니다. 여기서는 기존에 간과했던 이차함수의 핵심 개념을 '대칭성'으로 보고 이를 표, 식, 그래프와 연결지어 지속적으로 탐구합니다. 특히 이차함수의 활용과 탐구를 분리하지 않고 각 상황을 활용과 연결했습니다.

1. 표, 식, 그래프 표현의 연결성 강조

이차함수는 일차함수와 무엇이 다른지 관찰하는 것에서 출발합니다. 일차함수의 그래프가 직선이 됨을 표, 식, 그래프를 통해 분석했던 것처럼 이차함수도 표, 식, 그래프를 통해 분석하고 일차함수와 어떻게 다른지 비교하도록 합니다.

수학의 발견 중1, 중2에서 두 변수의 관계를 식으로 나타내고 표를 이용하여 그래프를 그렸던 것처럼 이차함수도 처음부터 이 식을 만족하는 점을 찾아 표로 나타내고 그래프를 그릴 수 있게 합니다. 검정교과서에서 이차함수를 $y=ax^2+bx+c\ (a\neq0)$으로 정의하고 그래프를 그릴 때는 갑자기 $y=ax^2$의 그래프를 제시하고 평행이동을 이용하는 것과 대조적이라고 할 수 있습니다.

모든 탐구하기에서 식, 그래프를 따로 다루지 않고 함께 연결하게 함으로써 자연스럽게 식과 그래프의 개념을 연결할 수 있으며 변화 관계를 다양한 관점에서 관찰하여 이차함수의 관계에 대한 이해를 높이고자 했습니다. 무엇보다 그래프를 자기만의 방법으로 많이 그려 보게 하고 관계의 규칙성을 발견하도록 유도합니다.

2. 이차함수의 그래프의 특징: 대칭성의 발견

이차함수의 그래프 그리는 방법을 검정교과서와 같이 절차화하지 않고, 다양한 방법으로 점을 찍어 그래프를 그리게 합니다. 이차함수의 대칭성을 표, 그래프에서 찾도록 하고 이를 x절편, y절편과 연결지어 그래프를 보다 쉽게 그리는 방법을 탐구하도록 했습니다.

3. 이차함수의 그래프 그리기

기존 $y=ax^2$의 그래프의 평행이동, 표준형과 일반형으로 그래프를 그리는 방식이 절차적이라고 생각했습니다. x축의 방향으로의 평행이동과 함수식의 관계와 y축의 방향으로의 평행이동과 함수식의 관계는 중학교 3학년 검정교과서에서 직관적으로만 가르칩니다. 실제로는 고등학교 1학년에서 다시 다룹니다. 이것이 학생들로 하여금 평행이동과 표준형의 관계에 대한 이해를 어렵게 만드는 이유 중 하나일 것이라고 생각합니다. 더 자연스러운 방식으로 이차함수의 그래프를 이해하고 최종적으로 이 방법의 의미를 깨달을 수 있도록 여기서는 다음과 같은 순서로 이차함수의 그래프를 탐구합니다.

- 표에서 이차함수의 규칙성 발견: 대칭성에 주목
- 대칭성을 이용한 그래프 그리기: x절편과 꼭짓점의 관계
- 완전제곱식일 때 x절편과 꼭짓점의 관계 이해하기
- 평행이동과 완전제곱식 꼴의 그래프 관계 이해하기
- 평행이동과 표준형의 관계 이해하기
- 일반형을 표준형으로 바꾸어 그래프 그리기

4. 공학적 도구의 활용

그래프의 특징을 탐구할 때, 알지오매스 등의 공학적 도구 이용을 권장하고 구체적으로 안내를 했습니다. 관련 탐구 과제를 따로 표시했으며, 이외에도 학생들이 자신의 추측을 검증할 때 공학적 도구를 이용할 수 있도록 했습니다.

1 생활 속의 곡선 (이차함수의 뜻과 그 그래프)

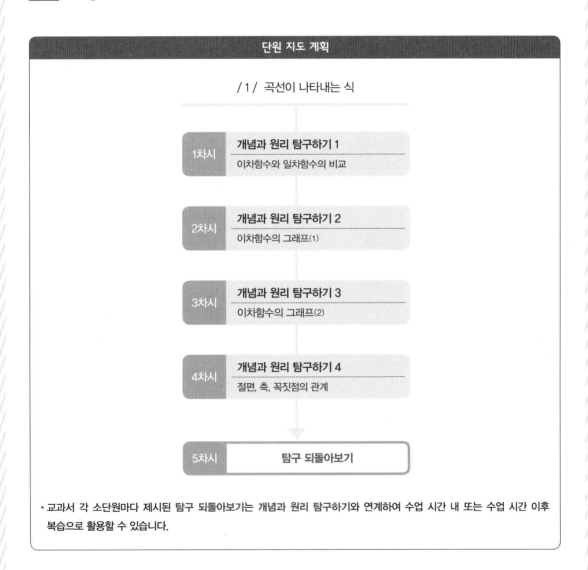

단원 지도 계획

/ 1 / 곡선이 나타내는 식

1차시 개념과 원리 탐구하기 1
이차함수와 일차함수의 비교

2차시 개념과 원리 탐구하기 2
이차함수의 그래프(1)

3차시 개념과 원리 탐구하기 3
이차함수의 그래프(2)

4차시 개념과 원리 탐구하기 4
절편, 축, 꼭짓점의 관계

5차시 탐구 되돌아보기

• 교과서 각 소단원마다 제시된 탐구 되돌아보기는 개념과 원리 탐구하기와 연계하여 수업 시간 내 또는 수업 시간 이후 복습으로 활용할 수 있습니다.

/1/ 곡선이 나타내는 식 (이차함수의 뜻과 그 그래프)

개념과 원리 탐구하기 1 _ 이차함수와 일차함수의 비교

탐구 활동 의도

- 이 탐구활동에서는 이차함수가 되는 상황을 주고 일차함수와 비교하게 했다. 이차함수와 일차함수의 패턴이 표, 그래프, 식에서 어떻게 달라지는지 직관적으로 이해한다.
- ①은 두 변수의 관계가 이차함수인 상황이다. 두 변수의 관계를 이차식으로 표현하고 표에서 여러 가지 패턴을 발견할 수 있게 했다.
- ②는 두 변수의 관계가 일차함수인 상황이다. 두 변수의 관계를 일차식으로 나타낼 수 있으며 표에서 나타나는 특징을 ①과 비교해 보고, ①의 특징을 더 부각시키고자 한 의도다. 즉, x의 값의 증가량에 대한 y의 값의 증가량의 크기가 일정하지 않은 함수가 존재함을 이해하는 활동이다.
- ③은 그래프를 그릴 때 이산적 자료이므로 선으로 연결할 수는 없지만 이후 선으로 연결하더라도 직선이 되지 않음을 학생들이 발견하게 한다. 이번 단원에서는 직선이 아닌 그래프를 다룰 것이라는 예고이기도 하다.

예상 답안

① 학생들의 답은 다양할 수 있다.

(1) • 옆으로도 늘어나고 위로도 올라간다.
- 가운데 선이 중심이 되어 한 칸씩 늘어나고 그 선을 중심으로 양쪽 대칭으로 한 줄씩 늘어나고 있다.
- 아래 방향을 제외하고 모든 방향으로 1개씩 늘어나고 있다.

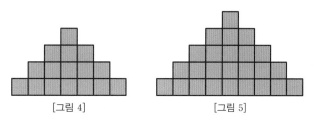

[그림 4]　　　　　　　　[그림 5]

(2)

그림 x	1	2	3	4	5	6	7	8	9	10
타일 y개	1	4	9	16	25	36	49	64	81	100

- x와 y의 관계식 : $y=x^2$

② 관계식 : $y=2x+1$
- 관계식은 일차식이다. ①의 경우 관계식이 $y=x^2$이므로 x에 대한 차수가 2다.
- 표에서 x의 값이 1씩 커질 때 y의 값은 2씩 일정하게 커진다.

반면 ①의 경우는 x의 값이 1씩 커지며 변화할 때 y의 값의 변화량은 $+3$, $+5$, $+7$, …로 커진다. 그러나 y의 값의 변화량들 사이의 차를 구하면 모두 2다.

x	1	2	3	4	5	6	7	8	9	10
y	1	4	9	16	25	36	49	64	81	100

첫 번째 변화량 $+3$ $+5$ $+7$ $+9$ $+11$ $+13$ $+15$ $+17$ $+19$

두 번째 변화량 $+2$ $+2$ $+2$ $+2$ $+2$ $+2$ $+2$ $+2$

(4) 아래 표에서 규칙성을 찾아 관계식을 구해봅시다.

x	0	1	2	3	4	5	6	$\cdots$
y	1	3	5	7	9	11	13	$\cdots$

3   □1 은 직선이 아니고 □2 는 직선이다.

- 그렇게 생각한 이유:
  - x의 값이 1씩 증가할 때 y의 값이 일정하게 증가하면 그래프가 직선 모양이 되는데, □1 은 x의 값이 늘어나는 것에 비해 y의 값이 점점 많이 늘어나므로 그래프를 그리면 곡선 모양이 된다.
  - □2 에서 이 직선의 기울기는 2다. 반면 □1 은 매번 기울기가 바뀐다.
  - 선을 그으면 □1 은 y의 값이 음수로 내려가지 않고 □2 는 음수로 내려갈 수 있을 것 같다.
  - □1 은 □2 와 달리 점들이 한 직선 위에 있지 않다.

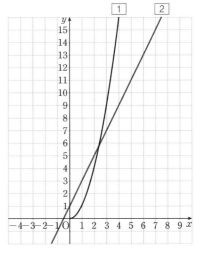

- 예시 답안과 같게 그리지 않더라도 □1 의 경우가 직선이 아님을 보일 수 있으면 된다.

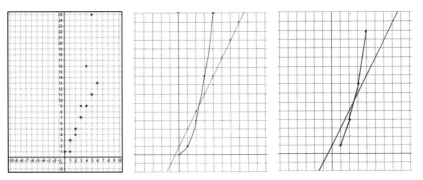

• 그렇게 생각한 이유:

> - 1번; 직선(이다, 아니다).
> - 2번; 직선(이다, 아니다).
> 그렇게 생각한 이유: 일정하게 늘어날때도 직선이고
>   연결해서 않게 늘어낸 때는 직선아니다.

> 3) 기울기가 ⊖ 떨어지만
> 4) 늘 바뀌지 않는다

> 직선이 아니다 y의 증가폭이 점점
> 커진다. (x가 일정하게 증가 할때 아님)

> 차이점:
> y=(αx)²는 y가 음수내려가지않는다.
> y=2αx+1은 기울기가 일정하다
> y의최저점은 없다.

수업 노하우

• 이 탐구활동은 이차함수를 어떻게 소개할지 고민하다가 제작된 과제다. 이차함수를 시작부터 바로 정의 하기보다는 일차함수와 변화 패턴이 다른 함수가 있다는 것을 먼저 경험하게 할 필요가 있다는 판단을 했다.

• 지금까지 배운 수준의 물리와 수학 지식으로는 주어진 상황에서 이차함수가 왜 이런 식이 나왔는지 설명 하기 어렵다. 자유낙하운동에서 시간과 거리의 관계, 등차수열에서 일반항의 합을 배워야 가능하다. 여 기서는 왜 이런 이차식이 나오는지가 아니라 일차식이 아닌 식이 있다는 관점에서 논의해야 한다.

• ①은 x의 값이 일정하게 변할 때, y의 값도 일정하게 변하는 관계가 아님을 인식하게 하는 활동이다. 두 변수의 관계가 모두 선형 관계로만 이루어져 있다고 쉽게 생각해 버리지 않도록 할 수 있다. 물론 2차 변 화율을 살펴보는 것은 중학교 교육과정에서 다루지 않는 내용이다. 2차 변화율을 다루는 것이 목적이 아 니라 일차함수와 변화의 패턴이 다름을 이해하는 것이 목적이다.

• ①에서 표의 규칙성보다 타일의 구조를 통해 식을 유도한 학생들도 있다. 이 경우 표와 결과를 연결짓 도록 발문할 수 있다.

> 그 모양의 반을 꼴라서 위에 붙이면
> 정사각형 모양이 된다

> ⊞ = ⊞ 2×2=4

> ⊞⊞⊞ = ⊞⊞⊞ 3×3=9

• ①에서 두 번째 변화량까지 고려한다는 것이 학생들에게 어려울 수 있다. ②까지 하고 나서 ①과 ② 를 동시에 비교하며 일차함수와 이차함수의 차이를 찾아보도록 진행할 수 있다.

• 표만 주어질 경우 학생들이 표에서 찾아낸 변화를 이용하여 두 함수를 구분할 수 있음을 발견하게 할 수 도 있다. 어떻게 발견할 수 있을지 질문해 보고 다른 예에도 적용이 되는지 논의하게 할 수 있다. 학생들 의 다양한 의견 속에서 일차함수와는 다른 이차함수의 특징이 무엇인지 직관적으로 이해할 수 있다.

• ③의 경우 직선이 아니라고 답을 찾은 후에 이 그래프는 어떻게 그려질지 예측해 볼 수 있는 발문을 할 수 있다. ③까지 한 후에 그래프와 표의 관찰을 종합하여 일차함수와의 공통점과 차이점을 찾아보는 것 도 좋다.

주
의

• 이차함수라는 용어는 도입하기 이전이므로 이차함수라는 용어를 사용하지 않도록 한다.
• 이번 탐구 활동에서 ③의 그래프를 포물선이라고 말하기는 어렵다. 직선이 아님을 인식하는 정 도로만 그려 볼 수 있게 한다.

탐구 활동 의도

- 일차함수 단원과 동일하게 두 변수의 관계를 표, 식, 그래프로 나타내게 한다. 표, 식, 그래프가 일차함수와 어떤 차이가 있는지 **탐구하기 1**에 비해 더 구체적으로 관찰하여 이차함수의 뜻과 그 그래프의 형태를 직관적으로 탐구하는 과제다.

- 1은 이차함수의 뜻을 먼저 제시하지 않고 주어진 상황에 맞게 표를 완성하면서 관계식을 찾고 그래프로 나타내게 한다. 이후 이것이 이차함수라는 것을 연결하려고 한다.

- 2는 표를 그래프로 나타내어 보게 하고, 3은 관계식이 이차식일 때 이 그래프가 직선인지, 곡선인지 추론하고 수학적으로 설명하게 한다. 그래프가 당연히 곡선이라고 가르치는 것이 아니라 이 그래프의 특징을 다양한 관점에서 분석하게 하는 것이 목표다.

- 1~3에서 다양한 이차함수의 그래프의 특징을 발견할 수 있게 한다. 표와 그래프에서 이차함수의 주요한 특징인 대칭성을 자연스럽게 발견할 수 있다.

- 4에서 '포물선(抛物線)'은 물체를 비스듬히 위쪽으로 던질 때 그 물체가 그리는 곡선이라는 뜻이다. 이 용어의 사전적 정의와 이차함수의 그래프의 뜻과 연결지을 수 있도록 했다. 학생들이 실제로 물체를 던져서 나타나는 곡선이 이차함수의 그래프 모양과 비슷함을 이해하고 앞으로 이 곡선을 배울 수 있는 동기를 유발할 수 있다.

예상 답안

1 직사각형 모양의 꽃밭의 둘레의 길이가 16 m이므로 (가로의 길이)+(세로의 길이)=8이다.
따라서 (세로의 길이)=(8−x) m이므로 y=(가로의 길이)×(세로의 길이)=x(8−x)다.

꽃밭의 가로의 길이 (x m)	0	1	2	3	4	5	6	7	8
꽃밭의 넓이 (y m²)	0	7	12	15	16	15	12	7	0

x와 y의 관계식 : $y=x(8-x)$ 또는 $y=-x^2+8x$

2 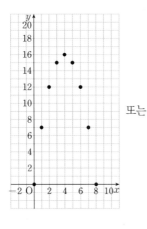 또는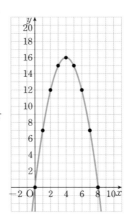

3 선나가 옳게 그렸다고 생각한다.

보현이의 그래프는 두 점을 이은 선분들이 여러 개 모여 있다. 일차함수에서 두 점을 지나는 직선은 1개이므로 구간마다 다른 일차함수의 식을 가진 형태다.

자연수만 대입하지 않고 x의 값 사이의 간격을 점점 좁게 하여 점을 찍어 보면 점과 점 사이에서도 직선이 아닌 부드럽게 연결된 곡선에 가까워짐을 확인해 볼 수 있다.

학생들의 의견은 다양할 수 있으며 더 구체적인 사례는 **수업 노하우**를 참고한다.

• 더 다양한 수를 대입하여 패턴을 관찰한 경우

> -옳게 그린 사람: 선나의 그림.
>
> -그렇게 생각한 이유: 아바함수는 일정하게 늘어나지 않게 때문에
> 많으나 정수가아닌 수를 넣어보면 선나의 그림처럼 된다.

> -옳게 그린 사람: 선나.
>
> -그렇게 생각한 이유: 보현이의 그래프는 점과 점 사이가 직선이기 때문에 1차이다.
> 점 사이의 수많은 점들을 찍어내면 이차는 선나의 그림처럼
> 나올 것이다.

• 점과 점을 직선으로 연결하려면 그 구간 안의 점들 사이에는 변화가 일정해야 하는데 실제의 값을 구해 보면 일정하지 않으므로 직선이 아니라는 설명을 한 경우

> 선나. 보현이 그림은 계속해서 다른
> 1차함수가 반복되는 모양이다.
> 따라서 저 점들 사이에 있는 좌표의 점들도
> 성립하기 위해서는 선나의 그림처럼 곡려.
> 연속성을 만들어 주어야 한다.

4 학생들의 답은 다양할 수 있다.

공을 던질 때 공이 그리는 모양, 분수가 뿜어져 나올 때 물줄기가 나타내는 모양, 물체를 위로 비스듬히 던질 때 나타나는 모양 등을 모션 캡처 애플리케이션을 통해 사진을 찍고 그 위에 공의 자취를 따라 곡선을 그려 볼 수 있다.

- 이 탐구 활동에서 x는 꽃밭의 가로의 길이이므로 해당하는 범위는 $0 < x < 8$이지만 이차함수의 그래프를 그리는 것이 중요하므로 $x=0$, $x=8$인 경우를 허용했다.
- 이 탐구 활동은 검정교과서의 이차함수의 그래프 학습 방향과 다르다. 검정교과서에서는 이차함수의 뜻을 학습하고 $y=ax^2$의 그래프가 포물선임을 제시하고 그 그래프를 평행이동시킨다. 이차함수의 뜻은 $y=ax^2+bx+c$의 일반형 형태로 제시하는데 갑자기 평행이동을 한 형태의 이차함수로 그래프를 지도하며 이 사이의 관련성은 숨겨 두었다.

  반면 여기서는 이차함수의 뜻, 표현 그대로 두 변수의 관계가 이차식인 상황을 주고, 직접 점을 찍어서 그래프를 그려 보게 하고 있다. 그래프의 모양이 어떻게 될 것인지 사전에 안내하지 않으며 표를 이용하여 그래프를 직접 그리면서 개형을 추론하게 한 것이다.
- 특히 일차함수와 달리 이차함수의 그래프는 왜 곡선으로 연결하는가, **수학의 발견 중2 STAGE 3 일차함수**에서 변화의 패턴을 주요하게 분석하였고 이에 대한 연장선으로 여기서도 변화의 패턴을 비교하여 이차함수의 그래프가 곡선임을 직관적으로 이해하고 설명할 수 있게 했다.
- 학생들이 이차함수의 그래프를 그릴 때 대충 그리면서 선분으로 연결하는 경우가 있다. 이때 이를 오류라고 단정지으며 이차함수부터는 그냥 곡선으로 연결하는 것이라고 접근하지 않고 그 이유를 탐구하게 하는 과제다.
- 검정교과서에서는 $y=ax^2$ 꼴로 시작하지만 주어진 상황이 오히려 이차함수의 그래프의 개형을 발견하기에 적절하다고 판단했다. 학생들은 x에 0 또는 1부터 넣어서 계산하여 그래프를 그릴 수 있다.
- ②에서 학생들이 먼저 그래프를 그리고 옳게 그린 것의 여부는 ③에서 다루므로 정답을 여기서 맞히며 설명하지 않아도 된다. 오히려 수업 중에 여러 가지 그래프가 나온다면 이를 공유하고, ③에서 어떻게 그리는 것이 정확한 것인지 논의하게 할 수 있다.
- ③에서 학생들이 설명하기 어려운 경우 다음의 사례를 기반으로 학생들이 생각할 수 있도록 안내한다. 학생들은 다음과 같이 다양하게 설명했다.
  - 공학적 도구를 이용하여 더 많은 점을 찍어 보고 곡선이 됨을 설명할 수 있다.

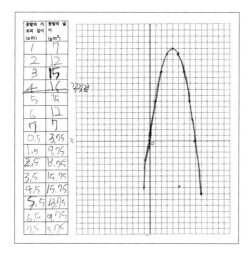
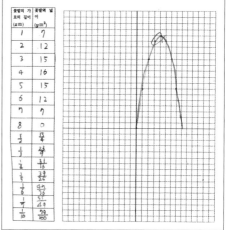

- 아래와 같이 중학교 1학년 때 배운 반비례 그래프를 곡선으로 그렸던 이유를 떠올리도록 하면서 그래 프에 대한 이해를 도울 수 있다.

수학의 발견 중1 STAGE 6 탐구하기 6

다음은 민석이가 $y=\dfrac{8}{x}$을 그래프로 그린 것입니다. 민석이가 그래프를 왜 이렇게 그렸는지 추측하여 설명해 보자. 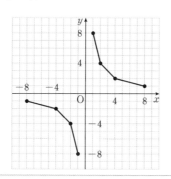	**그래프를 올바르게 그린 경우** 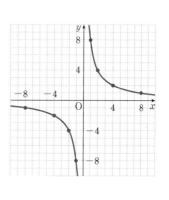

- 다음과 같이 $4 \leq x \leq 5$일 때의 직선의 방정식 $y=-x+20$을 구했다. 여기에 x의 범위의 가운데 값 인 $x=4.5$를 대입하면 $y=15.5$가 나온다. 그래서 $y=8x-x^2$이 점 $(4.5,\ 15.5)$를 지나는지를 확인 해 보았다. 이차함수 $y=8x-x^2$의 그래프는 점 $(4.5,\ 15.5)$를 지나지 않으므로 직선이 아님을 알 수 있다.

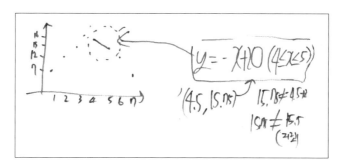

- 이외에도 학생들은 표와 식을 이용하여 구하지 않은 부분에 대해 그래프를 어떻게 연결해야 할지 기울기와 관련짓기도 했다.

- ④는 던진 물체가 그리는 곡선이 ②에서 그린 그래프와 모양이 비슷하다는 것을 실제로 경험해 보는 과제다. **STAGE 3**의 제목 '비스듬히 던져 보자'와 같이 던진 물체의 운동과 연관지을 수 있으며, 이러한 형태의 그래프에 친숙해질 수 있는 기회가 될 수 있다.
- ①~④의 과정에서 우리가 이차함수를 그래프로 나타내 본 것임을 이차함수의 정의와 연결지을 수 있도록 한다. 이때 ②에서 그린 그래프를 정확하게 그리고, 새로 학습한 용어를 이용하여 설명하게 할 수 있다.

참고 추가적으로 꽃밭의 넓이가 가장 클 때의 가로의 길이를 질문하면서 자연스럽게 꼭짓점, 최대, 최소와 연결시켜 볼 수도 있다. 즉, 꽃밭의 넓이가 가장 클 때는 $16 \ \mathrm{m}^2$이고 가로의 길이가 $4 \ \mathrm{m}$일 때다. 즉, '$x=4$일 때, y의 값이 가장 큰 값(최댓값) 16이다.'라고 표를 해석해 볼 수 있다.

개념과 원리 탐구하기 3 _ 이차함수의 그래프(2)

탐구 활동 의도

- **탐구하기 2**에 이어서 일반형 $y=ax^2+bx+c$ $(a\neq0)$으로 주어진 여러 가지 이차함수의 그래프를 직접 그린다. 그린 결과를 수학적으로 관찰하여 이차함수의 특징을 일반화하는 과제다.
- 1(1)에서는 표에서 좌우대칭으로 나타나는 y의 값의 패턴이 그래프에서 좌우대칭의 모양으로 그려지는 모양을 관찰할 수 있다.
- 1(2)는 그래프를 관찰하여 그 특징을 친구에게 설명해 보는 과제다. 수학용어를 사용하여 표현하기에 앞서 학생들의 언어로 충분히 표현해 보는 시간을 갖도록 하여 2와 연결하려는 것이 목적이다.
- 1(3)은 친구의 설명을 들으면서 그래프를 직접 그려 보는 과정을 통해 이차함수의 개형을 그리는 데 필요한 요소를 생각해 보게 했다.
- 2는 학생들의 언어로 표현해 본 그래프의 특징을 수학용어를 사용하여 다시 설명하게 했다. 그래프의 모양, 축, 꼭짓점, 절편 등 약속된 용어를 사용하여 설명하는 것이 간단하고 분명한 의사소통임을 깨닫게 하기 위함이다.

예상 답안

각 모둠별로 제시된 1의 답은 다음과 같다.

1모둠

1 (1)

x	-2	-1	0	1	2	3	4
y	18	8	2	0	2	8	18

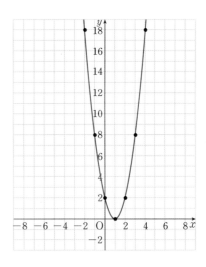

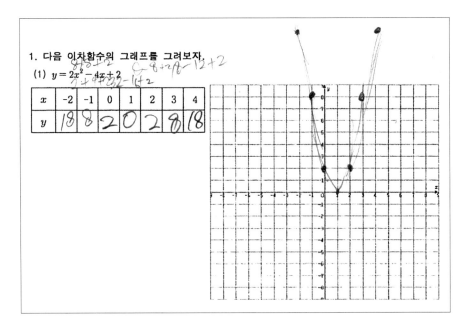

1. 다음 이차함수의 그래프를 그려보자.

(1) $y = 2x^2 - 4x + 2$

x	-2	-1	0	1	2	3	4
y	18	8	2	0	2	8	18

(2) 점 $(-2, 18)$, $(-1, 8)$, $(0, 2)$, $(1, 0)$, $(2, 2)$, $(3, 8)$, $(4, 18)$을 찍어. 이제 점들을 포물선으로 연결하자. 점 $(-1, 8)$에서 시작해서 밑으로 내려오면서 점을 지나가게 곡선을 그리다가 점 $(1, 0)$을 지나는 순간 다시 위로 올라가면서 점을 지나가게 그리다가 점 $(3, 8)$에서 멈춰. 이때 점 $(1, 0)$을 기준으로 그래프가 좌우대칭이 되도록 그려야 해. 이제 양 끝점 $(-1, 8)$, $(3, 8)$에서 멈췄던 곡선을 더 위로 뻗게 그려. 곡선이 양 끝점도 지나도록 그리는 거야. 점과 점 사이를 직선으로 잇지 말자. 특히 점 $(1, 0)$ 근처를 주의해야 해. 뾰족한 각처럼 그리면 안 되고 부드럽고 자연스러운 곡선으로 그려. ∪모양의 포물선이야.

② $(-2, 18)$ ㈐ $(3, 8)$
③ $(-1, 8)$ ⑧ $(4, 18)$를 찍고, 곡선을 지난다
④ $0, 2)$ y절편이 2이다
⑤ $(1, 0)$ x(절편이 1이다
  $(2, 2)$

$(-2, 18), (-1, 8), (0, 2), (1, 0), (2, 2), (3, 8), (4, 18)$를 찍는다
점을 모두 포물선으로 있는다

2모둠

1 (1)

x	-4	-3	-2	-1	0	1	2	3	4
y	-12	-5	0	3	4	3	0	-5	-12

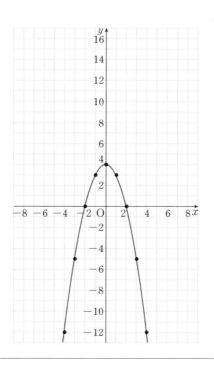

학 생
답 안

1. 다음 이차함수의 그래프를 그려보자.

(1) $y = -x^2 + 4$

x	-2	-1	0	1	2	3	4
y	0	3	4	3	0	-5	-12

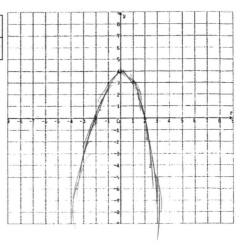

(2) 위 그래프를 친구에게 전화로 설명하여 친구가 그리도록 하려고 한다. 어떻게 설명
할 것인지 정리해 보자. (단, 계수 또는 식을 그대로 설명할 수는 없다.)

(-2, 0), (2, 0) 를 지나고 (0, 4)를 기준으로 대칭이다.

(2) 점 $(-2, 0)$, $(-1, 3)$, $(0, 4)$, $(1, 3)$, $(2, 0)$, $(3, -5)$를 찍어. 이제 이 점들을 ∩ 모양이
되게 포물선으로 잇자. 점들을 보면 점 $(0, 4)$가 가장 높은 곳에 있고 이 점을 중심으로 아래로
내려오면서 ∩ 모양으로 그래프가 좌우대칭이 되도록 그려주면 돼. 이때 점 $(0, 4)$에서 뾰족한
각이 생기지 않도록 부드럽게 그려. 점 $(0, 4)$를 기준으로 그래프가 좌우대칭이 되도록 그리는
거니까 점 $(0, 4)$의 오른쪽 곡선을 보면서 왼쪽도 잘 맞추어 그리면 돼.

1 (1)

x	-8	-7	-6	-5	-4	-3	-2	-1	0
y	15	8	3	0	-1	0	3	8	15

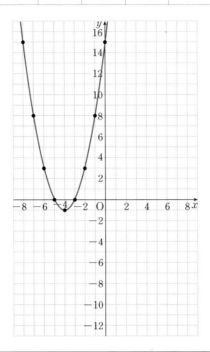

학생
답안

1. 다음 이차함수의 그래프를 그려보자.

(1) $y = x^2 + 8x + 15$

x	-6	-5	-4	-3	-2	-1	0
y	3	0	-1	0	3	8	15

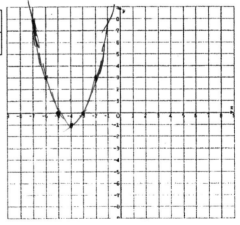

(2) 위 그래프를 친구에게 전화로 설명하여 친구가 그리도록 하려고 한다. 어떻게 설명
할 것인지 정리해 보자. (단, 계수 또는 식을 그대로 설명할 수는 없다.)

$(-5,0)$, $(3,0)$ 을 지나고 $(-4,-1)$ 을 지나면서 이 점을 기준으로 대칭이다

(2) 점 $(-4, -1)$이 꼭짓점이고 x절편이 -5와 -3인 포물선을 그릴거야. 점 $(-6, 3)$, $(-2, 3)$, $(-1, 8)$을 찍고 ∪모양처럼 꼭짓점을 중심으로 좌우대칭인 포물선을 그려. 이때 주의할 점은 점과 점 사이를 직선으로 이으면 안돼. 그래프 전체 모양이 부드러운 곡선이 되도록 그려야 해.

4모둠

1 (1)

x	-2	-1	0	1	2	3	4
y	-5	0	3	4	3	0	-5

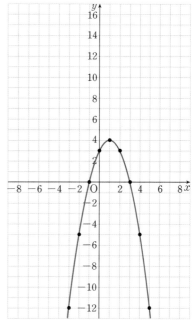

(1) $y = -x^2 + 2x + 3$

x	-2	-1	0	1	2	3	4
y	-5	0	3	4	3	0	-5

(2) 점 $(-2, -5)$, $(-1, 0)$, $(0, 3)$, $(1, 4)$, $(2, 3)$, $(3, 0)$, $(4, -5)$를 찍어. 이 점들을 다 지나가게 ∩ 모양 곡선으로 그릴건데 점 $(1, 4)$가 ∩ 모양 곡선의 가장 위에 있을 거야. 이 곳을 중심으로 아래로 내려오면서 점들을 모두 지나가게 좌우대칭의 그래프를 그리면 돼. 이때 주의할 점이 있어. $(1, 4)$에서 뾰족한 각이 생기지 않도록 ∩ 모양 꼭대기처럼 부드럽게 그려야 해. 또 하나 두 점 $(-2, -5)$, $(4, -5)$에서 선을 멈추면 안 돼. 두 점을 통과해서 아래로 더 그려야 해.

1. (1,4)(2,3)(3,0),(4,-5) 이점을찍고긋는다.
2. (1,4)에 x축을긋는다.
3. 반대쪽으로같게그으면 이그래프를 그릴수있다.

(3) **1모둠** ~ **4모둠** 의 결과와 같다.

2 학생들의 답은 다양할 수 있다.

1모둠 : $y = 2x^2 - 4x + 2$	2모둠 : $y = -x^2 + 4$
위로 열려있는 포물선이다. x가 1인 곳을 통과하는 직선이 축(대칭축)이고 꼭짓점은 $(1, 0)$이다. x절편은 1이고 y절편은 2다.	아래로 열려있는 포물선이다. x가 0인 곳을 통과하는 직선이 축이고 꼭짓점은 $(0, 4)$다. x절편은 -2, 2이고 y절편은 4다.
3모둠 : $y = x^2 + 8x + 15$	4모둠 : $y = -x^2 + 2x + 3$
아래로 볼록한 포물선이다. 대칭축은 직선 $x = -4$이고 꼭짓점은 $(-4, -1)$이다. x절편은 -5, -3이고 y절편은 15다. 두 x절편은 대칭축(또는 꼭짓점)에서 같은 거리만큼 떨어져 있다.	위로 볼록한 포물선이다. 대칭축은 직선 $x = 1$이고 꼭짓점은 $(1, 4)$다. x절편은 -1, 3이고 y절편은 3이다. 두 x절편은 대칭축(또는 꼭짓점)에서 같은 거리만큼 떨어져 있다.

[4모둠 학생 예시]

1) (3,0) (-1,0)를 찍어. 따라서 x절편은 3, -1 일거야
2) (0,3)을 찍어. y절편은 3이야
3) (1,4)를 찍고 그 점을 지나는 x축에 평행한 직선을 그려 (대칭축) (축)
4) 그 직선에 대해 선대칭이고 x절편과 꼭짓점인 포물선을 그려

수업 노하우

- **1** (1)에서 그래프는 **탐구하기 2**에서 다룬 것과 같이 부드럽게 이어진 곡선으로 표현하게 한다. 점만 찍어 그래프를 그리는 학생들이 있을 수 있다. 이때 이런 학생들이 소수이면 각 학생에게 x의 조건에 아무 말이 없을 때는 수 전체로 본다는 사실을 알려준다. 다수의 학생들이 있다면 복습하는 의미에서 전체에게 묻고 함께 논의해 보도록 한다.
- **1** (2)에서 좌우대칭의 특징은 학생들이 충분히 찾을 수 있는 말이나 '아래로 볼록, 위로 볼록'이란 말은 학생들이 표현하기 어려운 용어다. 학생들이 '아래로 볼록'을 '컵 모양', '알파벳 U자 모양', '위로 팔을 뻗은 모양' 등으로 다양하게 표현할 수 있도록 열어놓는다. 이 과제는 학생들의 언어로 충분히 표현하는 것이 목적이다.

봉우리, 땅굴, 바위, U자, 칼, 말급가석, 혀, 손톱, 손가락

• ①(2)에서 꼭 설명을 길게 쓸 필요는 없다.

> [1모둠 예] $y=2x^2-4x+2$
>
> 위로 열려있는 모양이다. x가 1인 곳이 가장 뾰족하다. 가장 뾰족한 곳을 중심으로 접으면 좌우가 겹쳐진다. 그래프가 y가 2인 곳에서 y축과 만난다. 그래프가 x가 1인 곳에서 x축과 만난다.

• ①(2)에서 학생들이 다양하게 설명한다. 꼭 효율적으로 설명할 필요없다. 오른쪽과 같이 설명한 모둠도 있었다. 이를 이후에 꼭짓점, 절편, 축 등의 용어로 설명하면 더 명확해짐을 경험할 수 있는 기회로 삼는다.

> 그래프 원점에서 위로 두칸 오른쪽으로 한칸 가서 점 찍고 밑으로 3칸 오른쪽으로 한칸 가서 찍고 대칭하게 하나더 찍고 곡선으로 이어

• ①(2)에서 그래프를 가장 그리기 쉽게 설명한 방법과 그 이유를 나열식 발표로 그치기 쉽다. 이때 어떻게 수업을 진행할 것인지 미리 사전에 계획한다. 이는 수학적 의사소통과 전달력 향상에 무엇이 필요한지 학생들이 스스로 느낄 수 있게 해 주며, 나아가 다음 과제인 ② **같은 곡선, 다른 곡선**에서 탐구할 때도 도움이 된다.

> **예** ①에서 특징이 분명한 설명 두 개 정도를 선택하여 설명하게 하고, 나머지 학생들이 자기 활동지에 그 설명을 듣고 그래프를 그린 후, 서로 비교해 보게 할 수 있다. 얼마나 정확하게 잘 그렸는지 의도대로 그릴 수 있는지도 경험할 수 있다.

• 다음은 한 학생이 ①(2)에서는 점들을 나열했는데, ②에서 이를 수학용어로 다시 설명한 예다. 이렇게 ①과 ②를 연결하며 이차함수의 그래프의 특징을 정리해 볼 수 있다.

> ① (-2,-5)에 점 찍어
> ② (-1,0)에 점 찍어
> ③ (0,3)에 점 찍어
> ④ (1,4)에 점 찍어
> ⑤ (2,3)에 점 찍어
> ⑥ (3,0)에 점 찍어
> ⑦ (4,-5)에 점 찍어
> ⑧ 점들을 이어.

> ⇒ (-2,-5),(1,4),(2,3),(4,-5) x절편 -1,3 y절편 3에 점을 찍고 x절편이 1인 지점을 특으로 선대칭을 그린다음 포물선으로 이른다.

• ②에서 수학용어를 사용하여 다시 표현을 정리할 때 '축'에 대한 부분은 주의한다. 대칭성에 대해서는 대다수 학생들이 이해했지만 대칭축을 식으로 표현하는 것은 중학교 2학년 내용이므로 이를 연결해 줄 필요가 있다.

처음에는 학생들의 답을 열어놓고 자유롭게 표현하게 한 다음 이 직선을 나타내는 식이 무엇인지 발문을 통해 상기하게 할 수 있다. 다음 그림과 같이 학생들이 축을 식으로 표현한 경우가 별로 없었다.

꼭짓점좌표가 (1,5)이고
y절편이 (0,5)이고 아래로볼록
하단다

꼭짓점은 (1,5),
y축과의 교점이 3,
(-1,-3)을 지나는 그래프

꼭짓점(-2,-2)
저어 절대값=1

- 2 (1)에서 축을 'x=1'로만 쓰는 학생들이 많은데 '직선 x=1'로 정확하게 쓰도록 지도한다. '위로 볼록', '아래로 볼록'이라는 표현은 약속된 표현이므로 학생들의 답에서 나오지 않는다면 1 (2), 2 에서 다양하게 표현한 답을 이용히여 연결할 수 있다.

- 2 에서는 1 보다 간결하게 이차함수의 그래프를 설명할 수 있음을 학생들이 발견할 수 있다. 그래프가 달라도 그래프를 설명하는 방식이 비슷하다는 점에 대해 논의해 볼 수도 있다. 예를 들어 다음 경우에서 세 명은 모두 꼭짓점과 x절편을 이용하여 설명했다. 이것이 이차함수의 주요한 특징이 된다는 점을 연결해 줄 수 있다.

꼭짓점의 좌표 (1,4)와 좌우대칭되는 (-1,0), (3,0)
을 알려주면 복모하게 이어짐.

(0,4)가 꼭짓점이고, 위로 볼록한 모양이야. (-2,0)와 (2,0)을
지난다.

(-2,0), (2,0) 을 지나고 (0,4)를 기준=로 대칭이다.

- 각 그래프의 x절편의 개수가 왜 다른지 궁금해 하거나 질문하는 학생이 있을 수 있다. 이때 교사가 칠판에 $y=x^2+1$의 그래프를 그리면서 학생들이 x절편이 없는 포물선도 있다는 것을 생각해 보도록 하는 것도 좋다. 이차함수에서는 일차함수와 달리 x절편의 다양함을 소개한다.

주의   2 에서 '위로 볼록, 아래로 볼록'이란 말은 약속된 표현이므로 예습한 학생들은 그래프의 특징으로 '위로 볼록, 아래로 볼록'을 말할 수도 있다. 이 말이 나왔을 때 교사는 포물선의 모양과 연결하여 자연스럽게 약속된 표현을 소개할 수 있으나, 이차항의 계수 a의 부호와 연결하여 지도하는 것은 너무 이른 시기이므로 무리하게 지도하지 않도록 주의한다.

참고 x절편, y절편이라는 용어는 일차함수의 고유명사가 아니다. 미국이나 유럽 교과서에서는 이차함수에서도 이 용어들을 사용하고 있으며 우리나라의 일부 교과서에서도 이차함수에 이 용어들을 사용하고 있다.

수업 연구

검정교과서에서는 $y=ax^2$의 그래프를 여러 개 그린 후 설명식으로 '좌우대칭', '아래로 볼록, 위로 볼록'이란 표현을 제시하고 있다. 포물선, 축, 꼭짓점의 정의를 주고 그래프의 특징을 설명하고 있다. 수학의 발견에서는 이차함수 $y=ax^2+bx+c$의 그래프를 다양하게 그린 후 친구에게 자신의 언어로 설명하는 과정을 통해 스스로 포물선의 특징을 파악하는 데 초점을 두었다. 또한 포물선, 선대칭도형, 축, 꼭짓점, x절편, y절편을 사용하여 다시 친구에게 수정 설명하는 과정을 통해 약속된 표현의 사용이 수학적 의사소통과 전달력 향상에 영향을 미친다는 것을 느끼게 했다.

탐구 활동 의도

- 이 탐구 활동은 직접 점을 찍어 그래프를 그리는 것이 아니라 이차함수의 그래프의 특징을 이용해 그래프를 그리는 방법을 발견하는 과제다.

- 검정교과서와 달리 평행이동(이차함수의 표준형)을 이용하지 않고 이차함수의 그래프의 대칭성을 x절편과 꼭짓점, 축의 관계로 분석하게 한다. 이를 이용하여 그래프를 그리는 방법을 추론하게 했다.

- 1은 이차함수 $y=ax^2+bx \ (a \neq 0)$의 x절편과 꼭짓점의 관계를 이용하여 그래프를 그려 보게 했다. 이런 꼴은 $y=x(ax+b)$의 형태로 인수분해가 되어 항상 x절편이 0과 $-\dfrac{b}{a}$의 2개가 나오므로 축과의 관계를 쉽게 발견할 수 있다. 여기서는 앞의 **탐구하기 3**에서 배운 내용을 이용하여 축이 두 x절편의 중점을 지난다는 것을 발견할 수 있다.

- 이후 이 내용을 확장하여 x절편이 1개이거나 없는 경우의 그래프 그리는 방법도 탐구할 것이다.

- 2는 이차함수 $y=ax^2+bx+c \ (a \neq 0)$의 그래프에 대해 $y=ax^2+bx$의 그래프를 y축의 방향으로 c만큼 평행이동한 것임을 발견하게 했다. $y=ax^2+bx+c$를 표준형으로 변형하지 않고도 그래프를 그리게 할 수 있다. 이 경험은 이후 표준형으로 바꾸는 이유를 이해하게 하여 이차함수를 다양하게 볼 수 있게 만든다.

- 2(3)은 이차함수의 그래프를 그릴 수 있는 여러 가지 방법을 수학적으로 정리해 보는 과제다. 몇 개의 순서쌍 (x, y)를 이용하는 방법, x절편과 꼭짓점을 이용하는 방법, 평행이동을 이용하는 방법 등을 추론해 보고 공학적 도구로 확인하는 과정을 통해 같은 결과임을 이해할 수 있다.

예상 답안

1 (1) x절편을 구하기 위해 $y=0$을 대입한다.

$$2x^2-8x=0$$
$$2x(x-4)=0$$
$$x=0 \text{ 또는 } x=4$$

따라서 x절편은 0, 4다.

(2) 이차함수의 그래프는 좌우가 대칭이므로
대칭축은 두 x절편의 중점을 지난다.
따라서 오른쪽 그림과 같이 그릴 수 있다.
(꼭짓점의 좌표를 정확하게 구하지 않아도 된다.)

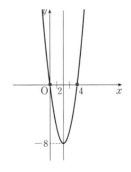

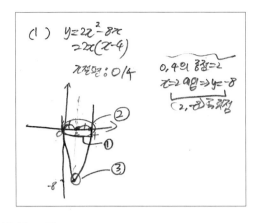

(3) $(2, -8)$

꼭짓점의 x좌표는 두 x절편의 중점의 좌표이므로 $\dfrac{0+4}{2}=2$다.

$x=2$를 식 $y=2x^2-8x$에 대입하면 $y=-8$이므로 꼭짓점의 좌표는 $(2, -8)$이다.

(4) 주어진 함수의 그래프는 두 점 $(0, 0)$, $(4, 0)$을 지나고 꼭짓점이 $(2, -8)$인 포물선이다.

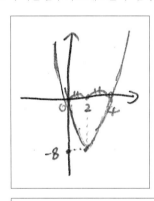

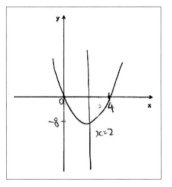

2 (1)

x	$\cdots$	-1	0	1	2	3	4	5	$\cdots$
y	$\cdots$	10	0	-6	-8	-6	0	10	$\cdots$

(2)

x	$\cdots$	-1	0	1	2	3	4	5	$\cdots$
y	$\cdots$	15	5	-1	-3	-1	5	15	$\cdots$

(3) 같은 x의 값에 대해 $2x^2-8x+5$의 값은 $2x^2-8x$의 값보다 항상 5가 더 크다. 따라서
$y=2x^2-8x+5$의 그래프는 $y=2x^2-8x$의 그래프의 모든 점에서 y의 값만 5가 더 큰 점들로
이루어져 있으며 $y=2x^2-8x$의 그래프를 y축의 방향으로 5만큼 평행이동한 것과 같다. 그래
서 그래프를 쉽게 그리는 방법은 $y=2x^2-8x$의 꼭짓점 $(2, -8)$, x축과 만나는 점 $(0, 0)$,
$(4, 0)$을 이용한다. y의 값만 5가 커진 새로운 꼭짓점 $(2, -3)$과 $(0, 5)$, $(4, 5)$를 찍고 곡선
으로 부드럽게 연결한다.

- 꼭짓점 : $(2, -8) \longrightarrow (2, -8+5)$이므로 $(2, -3)$
- x절편 : $(0, 0) \longrightarrow (0, 0+5)$이므로 $(0, 5)$, $(4, 0) \longrightarrow (4, 0+5)$이므로 $(4, 5)$

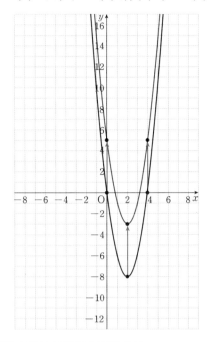

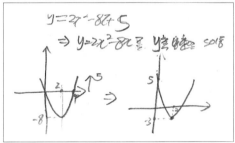

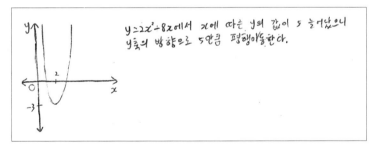

수업 노하우

- 이 탐구하기는 표준형을 사용하지 않고 이차함수의 그래프의 대칭성을 이용하여 그래프를 그리는 과제
다. 표준형을 이용하면 더 간단한데 이 방법을 왜 배워야 하는지에 대한 고민을 많이 했다. 논의를 통해
이차함수의 그래프를 표준형부터 배우는 이유에 대한 물음이 검정교과서에는 없으며, 이는 이차함수를
기계적으로 계산하게 만든다는 점을 알게 되었고 이를 보완하고자 이차함수의 그래프를 다각적으로 분
석하는 과제를 넣게 되었다.

- ①(2)에서 x절편을 이용하여 그래프의 개형을 그릴 때 좌표평면에 두 개의 x절편을 표시하도록 안내한다. 그림에 표시하면 축과의 관계를 보다 쉽게 발견할 수 있다. 꼭짓점을 정확하게 찾지 못해도 (3)에서 찾는 방법을 고민할 것이므로 답을 제시하거나 정리하지 않아도 된다.
- ②(3)에서 $y=2x^2-8x+5$의 그래프를 그리는 방법으로 몇 개의 x의 값을 대입하여 y의 값을 구하여 순서쌍 (x, y)를 이용하여 그린다는 답안이 나올 수 있다. 틀린 말은 아니므로 '이외의 어떤 방법이 또 있을까?' 등의 발문을 통해 다른 방법을 생각해 보도록 지도한다.

- 평행이동한 그래프를 오른쪽과 같이 그리는 경우가 나오면 전체 공유를 통해 학생들이 스스로 수정해 볼 수 있도록 진행한다. 예상되는 학생들의 반응은 '그래프의 평행이동은 모든 점의 평행이동이므로 (a)처럼 그래프의 바깥쪽이 붙을 수 없다.', '(b)의 경우는 폭이 다르므로 평행이동이라고 볼 수 없다.' 등이다.

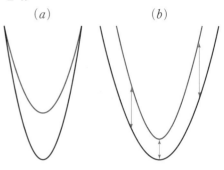

(a) 　　 (b)

- (a)에 대한 학생 의견:

> 모든 x 좌표에 따라 y값이 정확히 5씩 커야 하므로 만날 수 없다.

> 두 식은 $y=2x^2-8x$, $y=2x^2-8x+5$ 이다. x좌표 중 하나를 정해도 y의 값은 꼭 5씩 차이가 나기 때문에 겹치지 않는다.

> '평행하다' 라는 선은 두 도형l 선이 만나지 않고 모양과 폭이 똑같은 상태로 일직선 상에 놓여 있다는 뜻이다. 그래서 그래프의 평행이동을 할 때는 그 어떠한 경우 (겹치는 저 제외)여든 한점이상이 만나는 경우가 없다. 그럼 저 그래프는 틀렸다.
>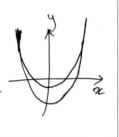

- (b)에 대한 학생 의견:

> 바르지않다. 각 그래프의 같은 x좌표에 대응하는 점들의 y좌표의 차가 모두 5이어야 하는데 꼭짓점만 제외하고서는 차가 점점 줄어들다 두 그래프가 교차하기에 이른다.

- 공학적 도구를 사용하면 같은 폭의 이차함수를 y축의 방향으로 이동시키면 오른쪽과 같은 모양이 됨을 쉽게 확인할 수 있다.

이 부분이 좁아짐

- $\boxed{2}$(2)에서 $y=2x^2-8x+6$과 같이 인수분해가 되는 식을 줄 경우 $y=2(x-1)(x-3)$으로 인수분해하여 두 x절편의 중점에 꼭짓점 $(2, -2)$가 있음을 이용할 수도 있을 것이다. 그러나 $\boxed{2}$는 y축의 방향으로의 평행이동을 학습하는 것이 목표이므로 일부러 인수분해되지 않는 경우를 주어, 평행이동에 집중하게 했다.
  - 인수분해가 되는 경우 평행이동의 개념으로 접근하지 않음을 볼 수 있다.

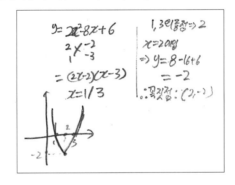

- $\boxed{2}$(3)에서 공학적 도구를 사용하면 그래프의 평행이동은 모든 점의 평행이동임을 시각적으로 관찰할 수 있다. 공학적 도구를 사용하는 목적은 분수나 소수점 아래 숫자가 있는 경우, 매우 크거나 작은 값을 가지는 좌표에 신경쓰지 않고 확장된 좌표평면에서 자유롭게 탐구하기 위함이다. 이차함수의 그래프를 그리는 원리를 분명하게 이해했다면 공학적 도구를 사용하여 이차함수의 그래프를 그리는 여러 가지 방법이 적용되는지 탐구하게 해 볼 수도 있다.

주의 — $\boxed{1}$은 그래프의 개형을 그리는 과제로 의도적으로 모눈이 아닌 좌표평면을 제시하였다. 모눈 좌표평면을 주면 학생들은 다른 부분까지 정확하게 그리려는 성향을 보여 개형을 완성하지 못할 수도 있다. 그래프의 개형을 그리는 것도 중요한 활동 중의 하나임을 깨달을 수 있도록 지도한다.

참고 — 이차함수식 $y=ax^2+bx\,(a\neq0)$에서 이차식 부분은 공통인수 묶기로 항상 $y=ax(x+k)$ (단, k는 상수)의 꼴로 인수분해가 된다. 이차함수의 인수분해형은 우리나라 검정교과서에서 따로 다루지는 않으나 그래프의 x절편을 구하는 과정에서 $ax(x+k)=0$ (단, k는 상수)을 이용하게 되는데 STAGE 2에서 배운 이차방정식이므로 교육과정에 벗어나지 않는다.

탐구 되돌아보기 예상 답안

교과서(상) 117~119쪽

1 개념과 원리 탐구하기 2

- 가로의 길이가 세로의 길이 x cm보다 10 cm만큼 더 긴 직사각형의 넓이를 y cm^{2}라고 하면
$$y=(x+10)x=x^2+10x$$
이므로 이차함수다.

- 합이 10인 두 수 중 한 수를 x라 하고 곱을 y라고 하면
$$y=x(10-x)=-x^2+10x$$
이므로 이차함수다.

- 물체의 질량이 m이고 속력이 v인 물체의 운동에너지는 E는 $E=\dfrac{1}{2}mv^2$이므로 이차함수다.

- 한 변의 길이가 x인 정사각형의 넓이 y는 $y=x^2$이므로 이차함수다.

- 물체를 무심히 떨어뜨릴 때, x초 후 떨어진 거리를 y m라고 하면 $y=4.9x^2$이므로 이차함수다.

2 개념과 원리 탐구하기 1

이차함수는 x의 값의 증가량에 대한 y의 값의 증가량의 크기가 일차함수와 다르게 일정하지 않다. 일차함수는 이 비율이 일정하기 때문에 그래프의 모양이 직선이 되지만 이차함수는 이 비율이 일정하지 않은 함수다. 그래서 이차함수의 그래프는 일차함수의 그래프와 달리 곡선의 형태가 된다.

3 개념과 원리 탐구하기 4

(1) 이차함수 $y=x^2-4x-12$의 x절편을 구하기 위해 $y=0$을 대입하면
$$0=x^2-4x-12,\ (x+2)(x-6)=0$$
$$\therefore x=-2 \text{ 또는 } x=6$$
이므로 x절편은 -2와 6이다. 이차함수는 꼭짓점을 지나는 축을 중심으로 좌우대칭이므로 꼭짓점의 x좌표는 두 x절편의 중점인 2다.
$x=2$를 $y=x^2-4x-12$에 대입하면
$y=2^2-4\times2-12=-16$이므로 꼭짓점의 좌표는 $(2, -16)$이다.

(2) 이차함수 $y=x^2-4x-11$은 인수분해가 되지 않지만 상수항을 제외하고 생각하면 (1)과 같은 방법으로 구할 수 있다. $y=x^2-4x-11$은 $y=x^2-4x$의 그래프를 y축의 방향으로 -11만큼 평행이동한 그래프이므로 꼭짓점의 x좌표는 같다.
$y=x^2-4x=x(x-4)$이므로 x절편은 0과 4이고 꼭짓점의 x좌표는 두 x절편의 중점의 x좌표인 2다.
$x=2$를 $y=x^2-4x-11$에 대입하면
$y=2^2-4\times2-11=-15$이므로 꼭짓점의 좌표는 $(2, -15)$다.

4 개념과 원리 탐구하기 3

㉠-B, ㉡-C, ㉢-A, ㉣-D, ㉤-E

[그래프의 특징]

그래프	축	꼭짓점	x절편	y절편
A	직선 $x=-2$	$(-2, 1)$	$-3, -1$	-3
B	직선 $x=-1$	$(-1, 2)$	없다.	4
C	직선 $x=2$	$(2, 0)$	2	4
D	직선 $x=4$	$(4, -1)$	3, 5	
E	직선 $x=4$	$(4, 3)$	3, 5	

그래프 B와 C는 y절편이 4다. y절편이 4인 그래프는 이차함수 ㉠ $y=2x^2+4x+4$와 ㉡ $y=(x-2)^2$인데 그래프 C의 꼭짓점이 $(2, 0)$이기 때문에 이차함수 ㉡ $y=(x-2)^2$의 그래프가 C이고 이차함수 ㉠ $y=2x^2+4x+4$의 그래프는 B다.
$y=-x^2-4x-3=-(x+3)(x+1)$이므로 x절편이 $-1, -3$이기 때문에 그래프 A가 이차함수 ㉢ $y=-x^2-4x-3$의 그래프다.
그래프 D와 E는 x절편이 3, 5이고 축도 직선 $x=4$로 일치한다. $y=x^2-8x+15$의 y절편은 15(양수), $y=-3(x-3)(x-5)$의 y절편은 -45(음수)이므로 그래프 D가 이차함수 ㉣ $y=x^2-8x+15$의 그래프고 그래프 E가 이차함수 ㉤ $y=-3(x-3)(x-5)$의 그래프다.

[다른 풀이]
㉠ $y=2x^2+4x+4=2(x+1)^2+2$이므로 꼭짓점의 좌표가 $(-1, 2)$다. 따라서 그래프 B의 꼭짓점으로 볼 수 있다. 마찬가지로

㉣ $y=x^2-8x+15=(x-4)^2-1$이므로 꼭짓점의 좌표가 $(4, -1)$이고 그래프 D의 꼭짓점으로 볼 수 있다. 또는 ㉤ $y=-3(x-3)(x-5)=-3(x-4)^2+3$이므로 꼭짓점의 좌표가 $(4, 3)$이고 이는 그래프 E의 꼭짓점으로 볼 수 있다.

ᅡ5 　　　　　　　　**개념과 원리 탐구하기 4**

학생들의 답은 다양할 수 있다.

(1)
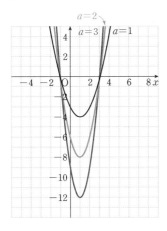

(2) x절편이 -1, 3이면서 y절편이 -5인 이차함수의 그래프는 다음 그림과 같이 한 개다.

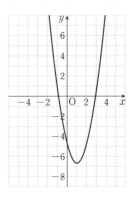

(3) x절편이 -1과 3인 이차함수의 식은 $a \ne 0$인 실수에 대하여 $y=a(x+1)(x-3)$의 꼴로 표현할 수 있고 y절편이 -5이므로 점 $(0, -5)$를 지난다.

$-5=a(0+1)(0-3)$에서

$-5=-3a$이고 $a=\dfrac{5}{3}$다.

따라서 이를 만족하는 이차함수는

$y=\dfrac{5}{3}(x+1)(x-3)$

이다.

$\boxed{2}$ 같은 곡선 다른 곡선 (이차함수 $y=ax^2+bx+c$의 그래프)

단원 지도 계획

/ 1 / 나도 그래프 전문가

1차시 개념과 원리 탐구하기 1
$y=ax^2+bx+c$에서 a의 의미

2차시 개념과 원리 탐구하기 2
$y=a(x-p)^2\,(a\neq0)$의 그래프

3차시 개념과 원리 탐구하기 3
$y=a(x-p)^2+q\,(a\neq0)$의 그래프

4차시 개념과 원리 탐구하기 4
$y=ax^2+bx+c$와 $y=a(x-p)^2+q$의 관계 $(a\neq0)$

5차시 게임하며 탐구하기 5
이차함수의 식과 그 그래프

6차시 개념과 원리 탐구하기 6
이차함수의 식 구하기

7차시 탐구 되돌아보기

8차시 개념과 원리 연결하기

9차시 수학 학습원리 완성하기

• 교과서 각 소단원마다 제시된 탐구 되돌아보기는 개념과 원리 탐구하기와 연계하여 수업 시간 내 또는 수업 시간 이후 복습으로 활용할 수 있습니다.

/1/ 나도 그래프 전문가 (이차함수 $y=ax^2+bx+c$의 그래프)

학습목표

1 이차함수 $y=ax^2+bx+c$에서 a의 값이 그래프의 방향과 폭을 결정한다는 것을 식, 표, 그래프의 분석을 통해 발견할 수 있다.

2 $y=a(x-p)^2$ $(a \neq 0)$의 그래프의 특징을 식과 그래프에서 발견하고 이를 x축의 방향으로의 평행이동과 연결지을 수 있다.

3 $y=a(x-p)^2$ $(a \neq 0)$의 그래프를 이용하여 $y=a(x-p)^2+q$의 그래프 그리는 방법을 발견할 수 있다. 또한 $y=a(x-p)^2+q$의 그래프의 특징을 종합적으로 설명할 수 있다.

4 $y=ax^2+bx+c$ $(a \neq 0)$의 꼴로 주어진 식을 $y=a(x-p)^2+q$의 꼴로 변형하여 그래프를 그리는 방법을 고안한다.

5 이차함수의 그래프를 여러 가지 방법으로 그릴 수 있으며 각각의 방법을 비교하고 상황에 따라 적절한 방법을 선택해 문제를 해결하게 할 수 있다.

6 도미노 게임을 통해 여러 가지 이차함수의 표현 방법과 그래프를 연결할 수 있다.

7 공학적 도구를 활용해 실생활에서 직접 찾을 수 있는 포물선에 가장 가까운 이차함수의 식을 구하고 이 과정을 설명할 수 있다.

2015 개정 교육과정 성취기준

1 이차함수의 의미를 이해하고 그 그래프를 그릴 수 있다.

2 이차함수의 그래프의 성질을 이해한다.

교수 · 학습 방법 및 유의 사항

1 다양한 상황을 이용하여 이차함수의 의미를 다룬다.

2 함수의 그래프를 그리고 여러 가지 성질을 탐구할 때 공학적 도구를 이용할 수 있다.

평가 방법 및 유의 사항

함수와 관련하여 지나치게 복잡한 활용 문제는 다루지 않는다.

핵심발문

이차함수의 그래프를 어떻게 그릴 수 있을까?

탐구 활동 의도

- 이 탐구하기는 이차함수 $y=ax^2+bx+c$ $(a \neq 0)$에서 a의 의미를 입체적으로 분석한 과제다. 앞서 일차함수에서는 a의 의미에 대해 여러 개의 탐구 과제를 다루고 학생들이 a가 직선의 기울어진 정도를 나타낸다는 것을 식, 표, 그래프에서 발견하도록 했다. 특히 a가 양수이거나 음수일 때 그래프의 방향이 어떻게 달라지는지에 대해 고민하게 했었다. 여기서도 마찬가지로 이차함수 $y=ax^2+bx+c$ $(a \neq 0)$에 대해 지금까지 형식적으로 암기해 온 a의 의미를 학생들이 발견할 수 있도록 한다.

- 1은 그래프를 그려 보지 않고 완전제곱식 꼴의 이차함수 $y=ax^2$, $y=a(x-p)^2$에서 그래프가 아래로 볼록인지 위로 볼록인지 판단하는 방법을 탐구하는 과제다. 일부러 $y=ax^2$의 꼴 외에 $y=a(x-p)^2$의 꼴도 제시했다.

- 1(1)은 실수의 제곱은 0 이상임을 이용하여 완전제곱식 꼴의 이차함수의 y의 값의 범위를 추론하게 한다. 실수의 성질과 완전제곱식으로 나타낸 이차함수의 꼴을 연결지어 설명하게 했다.

- 1(2)는 a의 값이 y의 값의 범위에 영향을 끼치는 것을 이해하게 한다. (1)의 결과를 바탕으로 왜 그래프의 방향이 a의 값에 의해 결정되는지 설명할 수 있다.

- 2는 이차함수의 그래프에서 폭을 탐구하는 활동이다. 검정교과서는 a의 값이 같으면 폭이 같다고 제시하지만 정작 이차함수의 그래프에서 폭이 무엇인지는 구체적으로 다루지 않는다. 직관적으로 눈으로 비교할 뿐이다. 여기서는 폭을 어디서 잴 것인지 토론하게 하고, (1)에서는 여러 그래프에서 일정한 기준을 잡아 폭을 비교해야 함을 발견하게 한다. 폭이 다른 그래프처럼 보여도 같은 폭임을 그래프에서 확인하고, (2)의 표에서 확인할 수 있도록 했다.

- 3은 이차함수 $y=ax^2+bx+c$에서 a의 값이 그래프에 어떤 영향을 주는지 최종적으로 정리하는 활동이다. 식의 a의 값, 표와 그래프에서 나타나는 특징을 연결하여 추론하게 한다. 결론적으로 이 활동을 통해 a의 값이 그래프의 모양과 폭을 결정짓는 값임을 깨닫게 한다.

예상 답안

1 (1) • $y=x^2$, $y=(x-3)^2$은 함수식의 우변이 완전제곱식 꼴이므로 x가 어떤 값을 갖더라도 y의 값은 항상 0 이상이다. 따라서 그래프는 x축에 접하면서 x축의 위쪽에만 그려지는 포물선이다.

      • $y=-2x^2$, $y=-5(x+1)^2$은 함수식의 우변이 완전제곱식 꼴이고 x^2의 계수가 음수이므로 x가 어떤 값을 갖더라도 y의 값은 0이하가 된다. 따라서 그래프는 x축에 접하면서 x축의 아래쪽에만 그려지는 포물선이다.

  (2) 분류 기준은 a의 값이다.

     a의 값이 양수인 경우는 y의 값이 0 이상이어서 ∪ 모양으로 아래로 볼록이고,

     a의 값이 음수인 경우는 y의 값이 0 이하이므로 ∩ 모양으로 위로 볼록이다.

(3)

나의 생각	모둠의 의견

• 그래프 모양이 위로 볼록한지 아래로 볼록한지 그 방향을 알려준다.
• a가 양수인지 음수인지에 따라 아래로 볼록한 모양인지, 위로 볼록한 모양인지가 결정된다.
• a의 부호가 중요하다.
	• $x^2 \geq 0$이므로
	  a가 양수면 $ax^2 \geq 0$
	  a가 음수면 $ax^2 \leq 0$가 된다.
	• $(x-p)^2 \geq 0$이므로
	  a가 양수면 $a(x-p)^2 \geq 0$
	  a가 음수면 $a(x-p)^2 \leq 0$가 된다.
	• a가 양수면 그래프가 아래로 볼록한 포물선이고, a가 음수면 그래프가 위로 볼록한 포물선이다.

2 (1) 꼭짓점에서 y축의 방향으로 2만큼 떨어진 곳에서 그래프의 너비를 재어 비교해 보니 4개의 그래프의 폭(너비)이 2로 모두 같다.

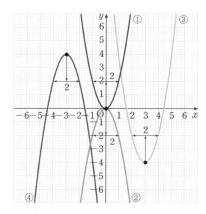

학 생
답 안

그냥 아무렇이나 마음대로 측정하면 안되고, 꼭짓점과 측정하는 선 사이의 거리를 각각 같게 만들어야 한다. 폭은 평행이동 시켜서 꼭짓점을 일치 시킨다.

폭 이란 꼭짓점에서 같은 거리 만큼 떨어진 $y=a$ 꼴의 직선과 그래프와의 교점
각각의

(2) 선재는 각 표를 완성한 후, 꼭짓점을 중심으로 비교했을 것이다.

학 생
답 안

x	$\cdots$	-3	-2	-1	0	1	2	3	$\cdots$
y	$\cdots$	18	8	2	0	2	8	18	$\cdots$

x	$\cdots$	-3	-2	-1	0	1	2	3	$\cdots$
y	$\cdots$	-18	-8	-2	0	-2	-8	-18	$\cdots$

x	$\cdots$	0	1	2	3	4	5	6	$\cdots$
y	$\cdots$	14	4	-2	-4	-2	4	14	$\cdots$

x	$\cdots$	-6	-5	-4	-3	-2	-1	0	$\cdots$
y	$\cdots$	-14	-4	2	4	2	-4	-14	$\cdots$

표에서 꼭짓점의 y의 값을 기준으로 비교해 보면 ①~④의 모든 표가 꼭짓점의 y의 값을 기준으로 증가하거나 감소하는 간격의 크기가 첫 번째는 2, 두 번째는 8, 세 번째는 18이다. 즉, 간격이 같으므로 그래프를 그렸을 때 폭이 모두 같음을 알 수 있다.

꼭짓점을 찾는다.
꼭짓점에서 [아래로 볼록한 경우 위로, 그리고
위로 볼록한 경우 아래로, 그리고] 이동하며 x값의 차이를 확인한다.

3 a의 값에 따라 그래프의 모양의 볼록한 방향이 정해지고, a의 절댓값이 같으면 그래프의 폭도 같아진다. a의 값이 양수면 그래프가 아래로 볼록한 곡선이고, a의 값이 음수면 그래프가 위로 볼록한 곡선이다.

a의 값에 의해 그래프의 폭과 볼록한 방향이 바뀐다.

(1)~(4)는 폭이 모두 같다.
이 식들은 모두 $|a|$가 같다.
즉, $|a|$는 그래프 폭에 영향을 준다고 볼 수 있다.
n대로 $y=2x^2$을 $y=x^2$으로 바꾸면 폭이 넓어짐을 확인할 수 있다.

(1), (3)은 아래로 볼록하고, (2), (4)는 위로 볼록하다.
즉, a의 부호는 위로 볼록과 아래로 볼록을 결정한다.

수업 노하우

- 검정교과서는 $y=ax^2$에서 a가 방향과 폭을 결정한다고 제시하고 $y=a(x-p)^2+q$, $y=ax^2+bx+c$ 등의 꼴에도 똑같이 적용된다고 설명한다. 여기서는 다양한 꼴의 이차함수의 식에서 a의 의미를 방향과 폭의 관점에서 깊게 탐구한다.
- 검정교과서는 $y=ax^2$에서 포물선의 성질을 다룬 후, 나머지 꼴의 포물선에도 모두 적용된다는 논리를 따르고 있지만, 여기서는 처음부터 다양한 꼴의 이차함수를 제시하고 공통적으로 적용되는 원리를 탐구하게 하고 있다.

- 이차함수에서 a에 대한 이해가 중요한데 지금까지는 간과된 경향이 있다. 학생들이 그래프를 식으로 나타낼 때 $y=a(x-p)^2+q$의 꼴로 놓고, a의 값을 구해야 한다는 생각을 못한 채 $y=(x-p)^2+q$로 놓고 푸는 경우가 많다. 포물선의 개형을 결정하는 데 있어서 꼭짓점뿐만 아니라 방향과 폭도 주요한 것임을 여기서 발견할 수 있게 했다.
- $\boxed{1}$에서 학생들은 a가 양수면 아래로 볼록, 음수면 위로 볼록이라고 결론만 이야기하고 왜 그렇게 나타나는지는 설명하지 못할 수 있다. 실수의 제곱은 음수가 아닌 되는 실수가 되는 성질과 연결지어 이유를 설명할 수 있도록 안내할 수 있다.
- $\boxed{1}$에서 공학적 도구를 미리 사용하지 않은 이유는 위와 같은 식의 특징을 이용하여 y의 값의 범위를 추론해 보도록 하기 위해서다.
- $\boxed{1}$에서 원래 의도는 그래프를 그리지 않고 식의 성질로서 판단하는 것이나 학생들이 앞에서 배운 대로 다음과 같이 그래프 또는 표를 이용하여 판단하기도 했다.

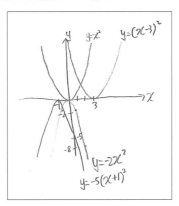

	...	-2	-1	0	1	2	3	4	5	...
① $y=x^2$		4	1	0	1	4	9	16	25	
② $y=(x-3)^2$		25	16	9	4	1	0	1	4	
③ $y=-2x^2$		-8	-2	0	-2	-8	-18	-32	-50	
④ $y=-5(x+1)^2$		-5	0	-5	-20	-45	-80	-125	-180	

① $y=x^2$: $x=0$을 중심으로 y값이 대칭
② $y=(x-3)^2$: $x=3$을 중심으로 y값이 대칭] y값이 모두 0보다 크거나 같다.
③ $y=-2x^2$: $x=0$을 중심으로 y값이 대칭
④ $y=-5(x+1)^2$: $x=-1$을 중심으로 y값이 대칭] y값이 모두 0보다 작거나 같다.

- 학생들이 이차함수의 그래프에서 최댓값과 최솟값이 어떻게 하여 생기는지도 자연스럽게 이해할 수 있는 과정이 된다. 이차함수를 단순히 차수가 2인 함수식으로 형식적인 암기를 하기 보다는 '제곱한 식'으로서 어떤 특징이 있는지를 식의 차원에서 분석하게 해 본 것이다.
- $\boxed{2}$는 검정교과서에서는 a의 절댓값이 같으면 폭이 같다고 선언하고 넘어가는 내용을 실제 학생들이 발견할 수 있도록 한 과제다. 폭이 같은데 위치의 변화를 준 그래프를 일부러 제시했다. 이차함수의 그래프에서 어떻게 폭을 잴 수 있는지 논의할 수 있도록 한다.
- 다음과 같이 학생들이 설명하기도 했다. 폭은 방향과 상관없는 개념임을 이해할 수 있도록 할 수 있다.

- 서로 대칭인 경우만 폭이 같다고 했다.

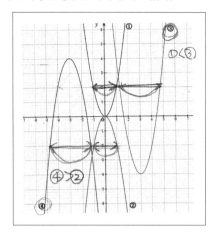

- 같은 y의 값에 대해서 비교하여 보이는게 넓어 보이면 폭이 넓다고 했다.

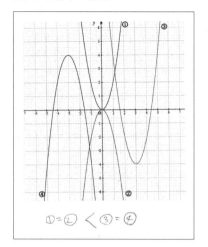

- 학생의 의견이 위 두 가지만 나온 경우 $a=2$, $a=1$, $a=\frac{1}{2}$의 그래프를 제시하고 이차함수의 폭을 비교하는 기준을 고민해 보게 한다. '같은 y의 값', '꼭짓점으로부터 y축의 방향으로 몇 칸 떨어진 곳', '축에서 같은 거리만큼 떨어진 곳에서 꼭짓점까지의 거리' 등 여러 가지 생각을 해보게 할 수 있다.
- 이차함수의 폭을 그래프와 표로 분석한 것에 대해 학생들은 신기하다는 반응이 많았다.

> 폭이 같다는 걸 증명하는 방법들이 신선한 것이 많았다.

개념과 원리 탐구하기 2 _ $y=a(x-p)^2\,(a\neq0)$**의 그래프**

교과서(상) 124쪽

탐구 활동 의도

- 검정교과서에서는 $y=a(x-p)^2$의 그래프는 $y=ax^2$의 그래프를 x축의 방향으로 p만큼 평행이동한 식이라고 제시하나 y축의 방향으로의 평행이동에 비해 x축의 방향으로의 평행이동은 직관적으로 이해하기에 몇가지 어려운 점이 있어 학생들이 주로 암기하는 부분이다.

- 여기서는 앞서 다양한 방법으로 그래프를 그린 방법으로 $y=a(x-p)^2$의 그래프를 먼저 그려 보게 한다. 이 함수의 식과 그래프에서 나타나는 특징을 분석하고, 이를 토대로 평행이동의 개념과 연결하여 식과 그래프의 관계를 일반화하는 탐구 과제다.

- ①에서 x절편이 1개인 경우의 이차함수의 식은 완전제곱식 $y=a(x-p)^2$의 꼴이며 그래프는 x축에 접하는 모양임을 발견하는 과제다. 이 경우 축의 방정식은 직선 $x=p$가 됨을 설명할 수 있다.

- ②는 $y=a(x-p)^2$의 그래프가 어떤 함수를 x축의 방향으로 평행이동해서 그린 것인지를 묻는다. 이것은 검정교과서와 순서가 반대다. 그래프를 그리는 과정에서 이 그래프와 모양이 같은 다양한 그래프를 찾아볼 수 있다. 꼭 $y=ax^2$의 그래프만 평행이동한다는 고정관념에서 벗어나게 할 수 있다.

- ①과 ②를 통해 학생들은 $y=a(x-p)^2$의 그래프는 x축에 접하는 형태임을 알 수 있다. $y=ax^2$과 $y=a(x-p)^2$의 관계만 학습하는 것이 아니라 $y=a(x-p)^2$의 그래프의 전반적인 개형을 폭넓게 이해할 수 있으며 이런 이차함수의 그래프들의 관계도 추론하게 하는 것이 목적이다.

예상 답안

① (1) x절편은 포물선이 x축과 만나는 점의 x좌표이므로 연우가 뽑은 카드는 그래프를 그려서 x축과 만나는 점이 1개인 그래프를 찾으면 된다.

㉠ $y=x^2-2x-3$ ㉡ $y=x^2-4x+4$

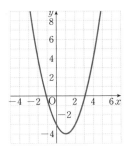 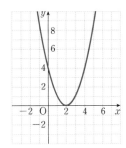

㉢ $y=-2x^2+12x-18$ ㉣ $y=-x^2-2x+8$

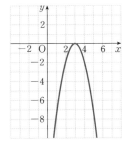 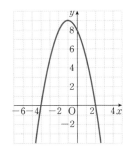

주어진 식에 $y=0$을 대입하여 x절편을 구하고 그래프를 그려 본다.

㉠ $x^2-2x-3=0$, $(x+1)(x-3)=0$, $x=-1$ 또는 $x=3$

x절편이 2개다.

㉡ $x^2-4x+4=0$, $(x-2)^2=0$, $x=2$

x절편이 1개다.

㉢ $-2x^2+12x-18=0$, $-2(x-3)^2=0$, $x=3$

x절편이 1개다.

㉣ $-x^2-2x+8=0$, $-(x+4)(x-2)=0$, $x=-4$ 또는 $x=2$

x절편이 2개다.

x절편이 1개인 함수는 ㉡, ㉢이다. 따라서 연우가 뽑은 카드는 ㉡과 ㉢ 중에 있다.

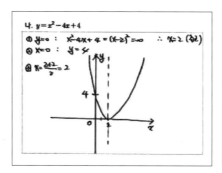
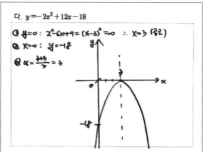

(2) x절편이 1개인 이차함수는 이차함수식의 우변이 중근을 갖는 완전제곱식 형태로 인수분해가 되는 특징이 있다. 이 이차함수는 꼭짓점이 x축 위에 있다. 즉, x절편이 꼭짓점의 x좌표가 된다. 따라서 이차함수의 식은 $y=a(x-p)^2\,(a\neq0)$ 꼴이다.

① x절편이 꼭짓점이 된다

② 중근

③ 대칭

(2) 연우가 뽑은 카드에 적힌 이차함수처럼 x 절편이 한 개인 함수의 대칭축은 어떻게 구할 수 있을지 (1)에서 그린 그래프를 이용하여 설명해보자. ①을 인수분해하면 해가 2개가 나오고 ①을 인수분해하면 완전제곱식이 나오기 때문에 중근이 나와서 그래프에서 x절편이 한개다.

(3) x절편이 한 개인 이차함수는 x절편이 꼭짓점의 x좌표가 된다. 따라서 x절편을 지나고 y축과 평행선 직선이 축이 된다. 즉, 직선 $x=(x$절편$)$이 축의 방정식이다.

• x절편이 2개라 생각하고 중점을 구했다. 또는 꼭짓점의 x좌표가 축이라고 설명했다.

S동현: x절편이 1개인데 ⇒ x절편이 2개라고 생각하고 평균
나 인수분해를 사용해서 구한다. K동현: x절편이 한개일때 x절편이 있는 대칭축에

석진: x절편이 1개이면 꼭짓점 좌표이다 (x, 0)

- x절편을 지나고 y축과 평행한 직선이 축이라고 설명했다.

x절편이 1개라면 그 점은 꼭짓점 한개인 x절편에 y축을 그으면 대칭축을 만들수있다.

2 학생들의 답은 다양할 수 있다.

- 연우가 뽑은 카드가 ㉡일 경우

이 함수는 $y=x^2-4x+4=(x-2)^2$으로 직선 $x=2$를 축으로 하고, 점 $(2,\ 0)$을 꼭짓점으로 하는 포물선이다. $y=(x-2)^2$은 $y=x^2$의 그래프를 x축의 방향으로 2만큼 평행이동하면 그릴 수 있다.

[다른 풀이]

$y=(x-2)^2$의 그래프는 $y=(x-5)^2$의 그래프를 x축의 방향으로 왼쪽으로 3만큼 평행이동한 것이다.

$y=(x-2)^2$의 그래프는 $y=(x+2)^2$의 그래프를 x축의 방향으로 오른쪽으로 4만큼 평행이동한 것이다.

학 생
답 안

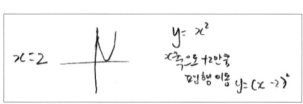

- 연우가 뽑은 카드가 ㉢일 경우

이 함수는 $y=-2x^2+12x-18=-2(x-3)^2$으로 직선 $x=3$을 축으로 하고, 점 $(3,\ 0)$을 꼭짓점으로 하는 포물선이다. $y=-2(x-3)^2$의 그래프는 $y=-2x^2$의 그래프를 x축의 방향으로 3만큼 평행이동하면 그릴 수 있다.

[다른 풀이]

$y=-2(x-3)^2$의 그래프는 $y=-2(x-10)^2$의 그래프를 x축의 방향으로 왼쪽으로 7만큼 평행이동한 것이다.

$y=-2(x-3)^2$의 그래프는 $y=-2(x+1)^2$의 그래프를 x축의 방향으로 오른쪽으로 4만큼 평행이동한 것이다.

학 생
답 안

$y=x^2$ x축이 양의 방향 2만큼 $y=(x-2)^2$
$(+2$만큼$)$

$y=-2x^2 \longrightarrow y=-2(x-3)^2$
x축 $+3$만큼

- **1 생활 속의 곡선**에서는 기존에 이차함수의 그래프를 절차적으로 그리게 지도했던 방법에 대한 문제 의식을 가지고 다른 접근으로 이차함수의 그래프를 분석했다. 여기서는 그 방법과 기존 방식을 연결하게 하는 것이 목적이다.

- **1 생활 속의 곡선 탐구하기 4**에서 y축의 방향으로의 평행이동을 다루었고, 여기서는 x축의 방향으로의 평행이동, **탐구하기 3**에서 표준형 $y=a(x-p)^2+q \ (a\neq 0)$을 다룰 것이다.

- **1**(1)에서 학생들은 그래프를 다양한 방법으로 그릴 수 있다. 단, ㉡과 ㉢의 그래프에서는 꼭짓점은 구할 수 있는데 다른 점을 찾지 못해 그림을 그리지 못할 수도 있다.

  - ㉠은 $y=x(x-2)$의 그래프를 y축의 방향으로 -3만큼 평행이동했다.

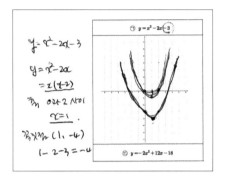

  - ㉠은 $y=(x+1)(x-3)$으로 인수분해하고 x절편과 꼭짓점을 찾아 그렸다.

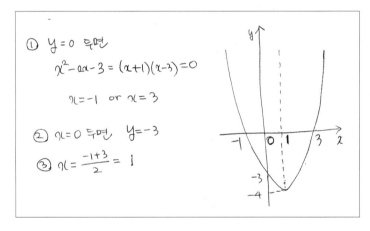

- x절편이 한 개일 때 그래프를 어떻게 그려야 할지 고민할 수 있는 시간을 충분히 준다. 학생들이 여러 번 실패하고 그리지 못하더라도 그래프가 어떤 형태가 나올지 학생들이 논의하게 한다. 학생들이 찾지 못하면 앞서 **탐구하기 1**에서 완전제곱식의 꼴일 경우 그래프의 특징을 복습하고 그래프가 지나는 점 중 더 찾을 수 있는 점은 없는지 그 점은 어떻게 구할 수 있는지 발문할 수도 있다.

  - 몇 개의 점의 좌표를 구해 좌표평면에 나타내고 곡선으로 연결했다.

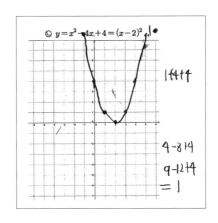

• 꼭짓점을 먼저 찾고 꼭짓점 주변의 두 개의 점을 찾아서 곡선으로 이었다.

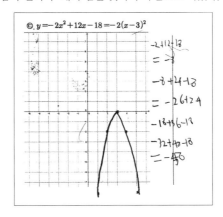

• 이외에도 아래로 볼록함을 알고 y절편($x=0$일 때의 y의 값)을 구하는 경우도 있었다. 이때 꼼꼼하고 완벽한 그래프를 그려내기보다는 그래프의 개형을 파악하고 특징을 이해하는 데 초점을 맞추도록 한다.
• ②에서 학생들이 $y=ax^2$의 그래프를 x축의 방향으로 p만큼 평행이동했다는 것 외에 $y=a(x-p)^2$의 그래프가 x축에 접한 형태이므로 서로 평행이동하여 만들 수 있는 것임을 발견할 수 있도록 수업을 진행할 수 있다.
  학생들이 $y=a(x-p)^2$의 꼴의 그래프는 'x축에 붙어서 이동하는 그래프'라고 이름 붙이기도 하였다.
• 평행이동의 방향과 양을 불분명하게 표현할 수도 있다. 학생들에게 2만큼 이동한 것이 무슨 의미인지 명확히 할 수 있도록 하며, 평행이동의 경우 방향을 나타내는 표현이 필요함을 인식하게 한다.
• 이차함수에서 x절편이 항상 존재하는지 질문하는 학생들도 있었다. 역으로 x절편과 y절편이 항상 존재하는지 발문해 볼 수 있다. x절편이 존재하지 않는 경우는 그래프의 개형을 나타내어 설명하게 할 수 있다. 이는 **탐구하기 3**과 연결된다.

수업 연구

검정교과서에서는 표준형을 왜 학습해야 하는지 과정에 대한 설명 없이 그래프를 그리기 위해서 무조건 완전제곱식 꼴로 진행한다. 본 과정에서는 학생들이 인수분해된 식의 꼴로 그래프를 그리는 방식과 완전제곱식의 꼴로 그래프를 그리는 방식을 모두 익히고, 두 방식으로 그래프를 그리는 과정에 대한 장단점을 파악하는 과정을 스스로 경험할 수 있도록 한다.

개념과 원리 탐구하기 3 _ $y=a(x-p)^2+q$ $(a\neq0)$의 그래프

교과서(상) 126쪽

탐구 활동 의도

- 이 탐구하기는 $y=a(x-p)^2$의 그래프를 이용하여 $y=a(x-p)^2+q$의 그래프 그리는 방법을 발견하는 과제다.
- 1은 탐구하기 2에서 학습한 $y=a(x-p)^2$의 그래프 그리는 방법을 정리하고, 2에서 이를 이용하여 $y=a(x-p)^2+q$의 그래프를 해석하고 그리는 방법을 발견하게 한다.
- 학생들이 $y=a(x-p)^2+q$의 꼴에서도 a가 음수일 때 위로 볼록한 모양임을 앞의 내용들과 연결하여 설명해 보게 한다.
- 3은 2의 내용을 적용하여 그래프 그리는 방법을 정리하고, 이를 공학적 도구를 사용하여 확인해 봄으로써 추측을 검증하게 한다. 이때 더 다양한 그래프를 자신이 구성하여 그래프를 추측하고 검증하는 과정을 추가할 수 있다.

예상 답안

1 [그리는 방법]

$y=-2(x+2)^2$의 그래프는 탐구하기 2에서 학습한 것과 같이 x절편이 1개이므로 x축에 접하고, 점 $(-2,\ 0)$을 꼭짓점으로 하는 위로 볼록한 포물선이다.

이 그래프가 지나는 다른 점을 구하기 위해 $x=0$을 대입하면 $y=-8$이므로 점 $(0,\ -8)$을 지난다. 이 조건을 종합하여 그래프를 그리면 오른쪽과 같다.

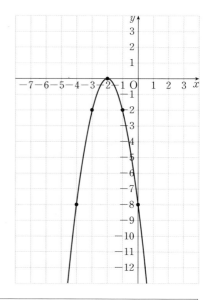

학 생
답 안

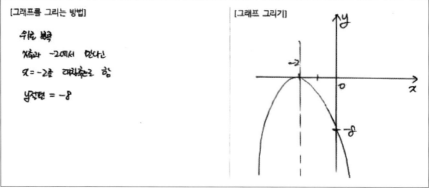

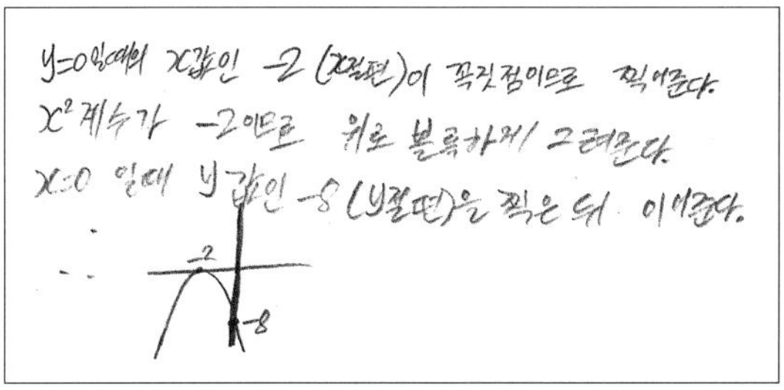
y=0일때의 x값인 -2 (x절편)이 꼭짓점이므로 찍어준다.
x² 계수가 -2이므로 위로 볼록하게 그려준다.
x=0 일때 y값인 -8 (y절편)을 찍은 뒤 이어준다.
-2
-8

2 [그리는 방법]

$y=3(x-2)^2$의 그래프는 x절편이 1개이므로 x축에 접하고, 점 (2, 0)을 꼭짓점으로 하는 아래로 볼록한 포물선이다. 그리고 y절편은 $x=0$일 때 12다.

$y=3(x-2)^2+1$의 그래프는 $y=3(x-2)^2$의 그래프에서 y의 값이 모두 1만큼 더해졌으므로 $y=3(x-2)^2$의 그래프를 y축의 방향으로 1만큼 평행이동하면 된다.

따라서 $y=3(x-2)^2+1$의 그래프의 꼭짓점은 점 (2, 0)을 y축의 방향으로 1만큼 평행이동한 점 (2, 1)이 되고, y절편은 13이 되고 좌우대칭이 되려면 점 (4, 13)을 지나가도록 그린다. 모양은 그대로 그린다.

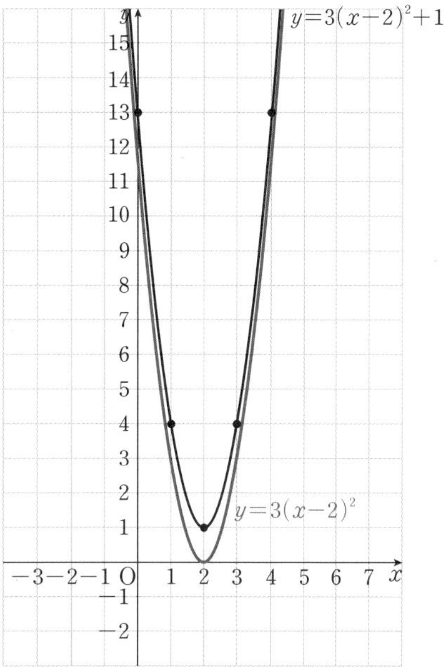
y=3(x−2)²+1
y=3(x−2)²
y
x
O
−3 −2 −1 1 2 3 4 5 6 7
15 14 13 12 11 10 9 8 7 6 5 4 3 2 1 −1 −2

학생 답안

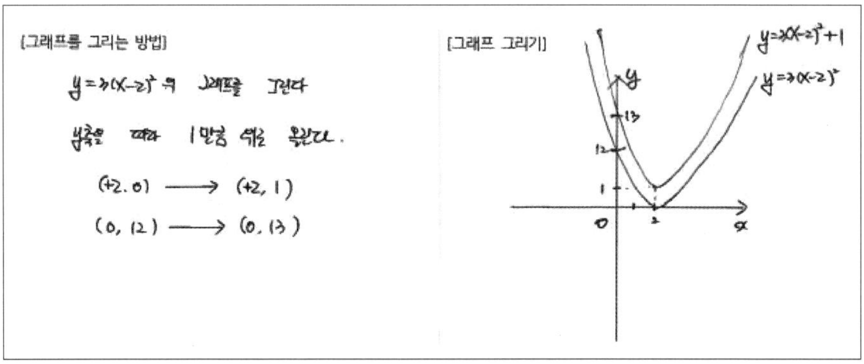
[그래프를 그리는 방법]
y=3(x-2)² 의 그래프를 그린다
y축을 따라 1만큼 위로 올린다.
(+2, 0) → (+2, 1)
(0, 12) → (0, 13)
[그래프 그리기]
y=3(x-2)²+1
y=3(x-2)²
y
13
12
1
0
2
x

• 공학적 도구를 이용해 학생들이 직접 그리면 다음과 같은 결과를 확인할 수 있다.

(1) $y = 3(x-1)^2 + 4$

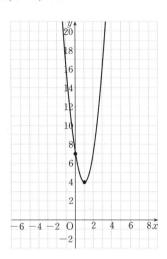

(2) $y = 2\left(x + \dfrac{3}{2}\right)^2 - 5$

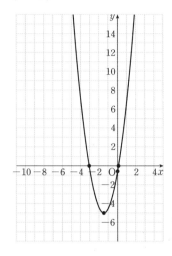

(3) $y = -(x-3)^2 + 2$

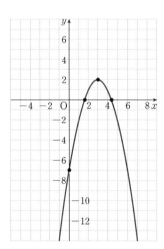

(4) $y = -\dfrac{1}{2}(x+1)^2 + 3$

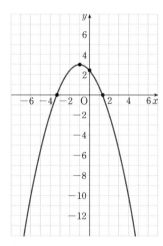

4

나의 생각	모둠의 의견
• $y = a(x-p)^2 + q$의 그래프의 꼭짓점의 좌표는 (p, q)다. • a의 값이 양수면 아래로 볼록하고, a의 값이 음수면 위로 볼록한 포물선이 된다.	• 이차함수 $y = ax^2$의 그래프를 x축의 방향으로 p만큼, y축의 방향으로 q만큼 평행이동한 그래프다. • 직선 $x = p$가 축이고, 점 (p, q)를 꼭짓점으로 하는 포물선이다.

학생
답안

a>0 : 아래로 볼록 , a<0 : 위로 볼록
(p, q) : 꼭짓점
대칭축 x=p

- **1**에서 이차함수의 식을 보면 꼭짓점의 좌표는 바로 찾을 수 있다. 그래프를 그리기 위해 필요한 것은 공식이 아니라 이차함수의 그래프의 특징을 이용한 자기만의 방법으로 찾는 것임을 격려한다. 다음은 그래프가 지나는 여러 가지 점을 찾아본 학생의 답안이다.

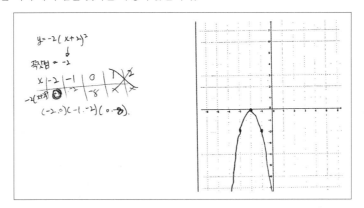

- 학생들이 $y=ax^2+bx+c$의 그래프에서 c와 $y=a(x-p)^2+q$에서의 q를 혼동하는 경우가 있다. $y=ax^2+bx+c$, $y=a(x-p)^2+q$의 형태의 그래프가 어떤 관계인지는 **탐구하기 4**에서 다룰 것이다. 여기서는 그래프를 그려가며 이해할 수 있도록 안내한다.

> $y=3(x-2)^2+1$
> $\downarrow$ $\downarrow$
> 꼭짓점 = 2. y절편 = 1

- **2**에서 함수식을 전개하여 y절편을 구했는데, 주어진 좌표평면에 공간이 없어서 y절편을 찍을 수 없는 경우에는 당황할 수 있다. 이럴 경우 이 그래프가 지나는 다른 점을 찾아보도록 한다. 이 과정은 그래프를 절차적으로 그리지 않고 다각도로 이해할 수 있는 기회가 될 수 있다.

> $x=2$ $(2,0)$
> $y=3x^2-12x+12+1$
> $y=3x^2-12x+13$
> $y=13$ $(0,13)$
>
> 꼭짓점 $(2,1)$
> 축의 방정식 $x=2$
> y절편 $(0,13)$ x절편 $\times$

> i) 꼭짓점 찾기
> $(2,1)$
> ii) y절편 찾기
> $y=3(0-2)^2+1$
> $y=+12+1$
> ∴ $y=13$

- 공학적 도구를 활용하여 $y=a(x-p)^2+q$의 그래프에서 a와 q의 값에 따른 그래프의 변화를 학생들이 직접적으로 탐구하게 할 수 있으며 이는 **탐구하기 6**에서 보다 구체적으로 다룰 것이다.

주의 | 학생들이 $y=a(x-p)^2+q$의 그래프의 특징을 공식으로 외우는 것이 아니라 그래프를 관찰함으로써 그 특징을 이해하게 하는 과정이 필요하다.

개념과 원리 탐구하기 4 _ $y=ax^2+bx+c$와 $y=a(x-p)^2+q$의 관계 $(a\neq0)$

교과서(상) 128쪽

탐구 활동 의도

- $y=ax^2+bx+c\ (a\neq0)$의 꼴로 주어진 식을 $y=a(x-p)^2+q$의 꼴로 변형하여 그래프를 그리는 방법을 탐구한다.
- $y=a(x-p)^2+q$의 꼴로 식을 변형하여 그래프를 그리는 방법과 $y=ax^2+bx+c$에서 x절편을 구하여 축을 구하는 방법, $y=ax(x+b)+c$의 꼴로 변형하여 축을 구하는 방법 등과 비교해 본다.
- 각각의 방법의 장점과 단점을 이해하고 상황에 따라 적절한 방법으로 이차함수의 그래프를 그릴 수 있게 하는 것이 이 과제의 목적이다.

예상 답안

1	진영이의 방법	찬주의 방법
	$y=2x^2-12x+15$의 우변을 완전제곱식으로 고치면 $y=2(x^2-6x+9-9)+15$이고 이것은 $y=2(x-3)^2-3$이다. 따라서 꼭짓점의 좌표는 $(3,\ -3)$이 되며 그래프는 아래로 볼록한 포물선이 된다.	$y=2x^2-12x=2x(x-6)$에서 $y=2x^2-12x$의 그래프는 x절편이 0과 6이고 축은 직선 $x=3$이다. $y=2x^2-12x$에서 $x=3$을 대입하면 $y=-18$이므로 꼭짓점의 좌표는 $(3,\ -18)$이다. $y=2x^2-12x+15$의 그래프는 $y=2x^2-12x$의 그래프를 y축의 방향으로 15만큼 평행이동한 것이다. 따라서 꼭짓점의 좌표는 $(3,\ -18+15)$, 즉 $(3,\ -3)$이다.

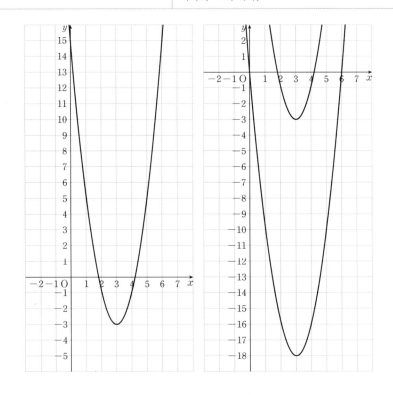

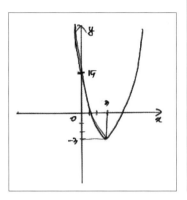

$y = 2x^2 - 12x + 15$

우변을 상수항을 제외하고 인수분해하면

$y = 2x(x-6) + 15$

$y = 2x(x-6) = 0$

∴ $x = 0$ or $x = 6$ ⟹ $a = \dfrac{0+6}{2} = 3$

$2 \Rightarrow$ 두면 $y = 2 \cdot 3 (3-6) + 15 = -18 + 15 = -3$

그래서 꼭짓점의 좌표는 $(3, -3)$이야.

2　학생들의 답은 다양할 수 있다.

(1) ・진영이의 방법은 식을 완전제곱식 꼴로 바꾸어야 하기 때문에 식을 변형하는 계산을 해야 한다. 하지만 변형을 통해 꼭짓점의 좌표를 쉽게 알 수 있다.

・찬주의 방법은 이차함수식을 완전제곱식 꼴로 바꾸지 않아도 된다는 장점이 있지만 축을 이용해 꼭짓점의 좌표를 계산해야 한다.

(2) 학생들의 답은 다양할 수 있다.

찬주의 방법이 더 편하다. 왜냐하면 상수항을 제외하면 x절편을 구하기 쉽기 때문이다.

진영이의 방법이 더 편하다. 왜냐하면 이차함수의 꼭짓점을 바로 알 수 있어서 편리하게 그래프를 그릴 수 있기 때문이다.

① 태윤이 방법.

→ 꼭짓점 좌표를 바로 찾을 수 있음, 완전제곱식으로 변형해야 함.

② 도율이 방법

→ 상수항을 빼고 인수분해가 쉬워서

x절편, y절편을 구하기 쉽다.

그러나 꼭짓점 좌표를 다시 한번 계산해야 한다.

(찾기 위해)

3　(1) ・진영이의 방법을 이용하면

$y = -(x^2 - 4x + 4 - 4) - 1 = -(x-2)^2 + 3$

이므로 꼭짓점의 좌표는 $(2, 3)$이다.

・찬주의 방법을 이용하면

$y = -x^2 + 4x = -x(x-4)$

이므로 $y = -x^2 + 4x$의 x절편은 0과 4이고 축은 $x = 2$이다. 위 식에 $x = 2$를 대입하면 $y = 4$이므로 $y = -x^2 + 4x$의 그래프의 꼭짓점의 좌표는 $(2, 4)$다.

$y = -x^2 + 4x - 1$의 그래프는 $y = -x^2 + 4x$의 그래프를 y축의 방향으로 -1만큼 평행이동한 것이다. 따라서 꼭짓점의 좌표는 $(2, 4-1)$, 즉 $(2, 3)$이다.

(2)

〈진영이의 방법〉

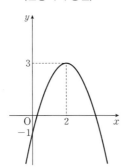

〈찬주의 방법〉

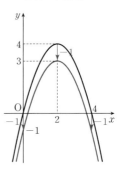

- 이차함수의 식을 완전제곱식의 꼴로 변형하는 것은 이차방정식의 근의 공식을 유도하는 과정에서 이미 학습했다. 이 부분에 선수 학습이 되어 있지 않은 학생들에게는 이차방정식에서 배운 완전제곱식의 변형에 대해 복습하게 할 수 있다.
- $y = a(x-p)^2 + q$의 꼴로 식을 바꾸는 것을 가장 마지막에 다루었을 때 학생들은 왜 이런 꼴로 식을 변형하는지 이해하고, 보다 쉽게 받아들이는 것을 볼 수 있었다. 이차함수의 각 식의 꼴과 그래프를 매 시간 연결한 결과라고 생각해 볼 수 있다.
- 찬주의 접근 방법으로 꼭짓점의 좌표를 구하는 방법에 대해 학생들이 다양한 아이디어를 표현할 수 있도록 하고 다른 친구들이 생각하지 못한 방법으로 구했을 때는 충분히 그 아이디어를 공유할 기회를 가질 수 있도록 수업을 진행한다.

 게임하며 탐구하기 5 _ 이차함수의 식과 그 그래프

교과서(상) 130쪽

탐구 활동 의도

- 학생들이 이차함수의 여러 가지 표현과 그래프를 연결하도록 하기 위한 활동이다. 각각의 식의 표현을 통해 파악할 수 있는 특징과 그래프에서 관찰할 수 있는 특징을 연결해 보도록 한다.
- 교사의 도움 없이 학생들이 게임으로 문제를 해결해 보는 활동으로 활용할 수 있다.
- 이차함수 단원의 마무리 단계에서 이러한 활동을 통해 이차함수의 식, 그래프 표현 등을 정리해 보는 기회를 가질 수 있다.

도미노 카드 1

①
$y = -x^2 - 6x + 16$

$y = -(x+8)(x-2)$

$y = -(x+3)^2 + 25$

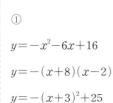

②
$y = x^2 + 8x + 15$

$y = (x+5)(x+3)$

$y = (x+4)^2 - 1$

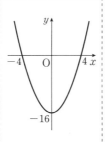

③
$y = x^2 - 8x + 16$

$y = (x-4)(x-4)$

$y = (x-4)^2$

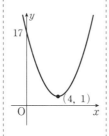

④
$y = -x^2 + 8x - 15$

$y = -(x-3)(x-5)$

$y = -(x-4)^2 + 1$

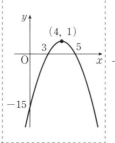

⑤
$y = x^2 + 2x - 35$

$y = (x+7)(x-5)$

$y = (x+1)^2 - 36$

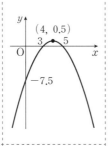

도미노 카드 2

⑥
$y = x^2 - 16$

$y = (x+4)(x-4)$

$y = $

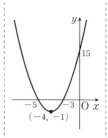

⑦
$y = x^2 - 8x + 17$

그래프가 x축과 만나지 않는다.

$y = (x-4)^2 + 1$

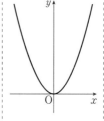

⑧
$y = x^2 - 8x + 15$

$y = (x-3)(x-5)$

$y = (x-4)^2 - 1$

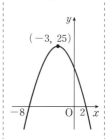

⑨
$y = -\dfrac{1}{2}x^2 + 4x - \dfrac{15}{2}$

$y = -\dfrac{(x-3)(x-5)}{2}$

$y = -\dfrac{1}{2}(x-4)^2 + \dfrac{1}{2}$

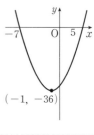

⑩
$y = x^2$

$y = $

$y = $

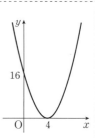

연결 순서 : ① → ⑥ → ② → ⑦ → ⑩ → ③ → ④ → ⑨ → ⑤ → ⑧의 순서로 연결시키는 형태

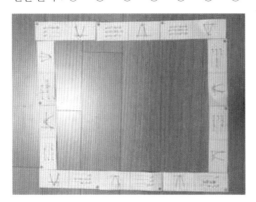 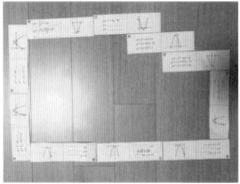

- 모둠원이 몰리지 않고 각자 한 모둠 이상의 모둠을 관찰하고 확인해 볼 수 있도록 안내한다.
- 모둠 활동을 일찍 완성한 학생들에게 도미노 카드에서 왼쪽 함수식의 누락된 곳을 채워볼 수 있도록 한다.
- 도미노에 대해 잘 모르는 학생들에게는 먼저 도미노에 대한 내용을 소개해 주고 시작해야 한다.
- 학생들이 각자 모둠에서 연결한 형태는 유일한 정답이 존재하는 것은 아니므로 연결된 도미노의 번호를 살펴보며 다른 모둠과 비교할 수 있도록 한다.

참
고

도미노(domino)는 직사각형 모양의 타일 형태로 이루어져 있다. 각 도미노는 직사각형의 타일로, 직사각형 면을 2개의 정사각형으로 나눈 선이 있다. 그 정사각형의 면에는 1~6까지 주사위와 같은 형태의 점으로 표시되거나 비어 있다. 게임은 다양한 규칙으로 진행되나 대표적인 형태는 같은 숫자의 도미노를 연결하여 만드는 게임이 잘 알려져 있다.

탐구 활동 의도

- 물체를 위로 던질 때 그 물체가 그리는 모양을 포물선이라고 하는데, 이차함수의 그래프의 모양이 이와 비슷하여 포물선이라고 부르게 되었다는 용어의 유래를 직접 경험을 통해 이해할 수 있다.

- 공학적 도구를 활용하여 실생활에서 직접 찾을 수 있는 포물선에 가장 가까운 이차함수의 식을 구하고 이 과정을 설명할 수 있다.

- 실생활에 나타나는 포물선을 함수식으로 나타내면 가장 높이 올라가는 지점, 떨어지는 시간과 지점 등을 구할 수 있다. 식을 이용해 어떤 정보를 추가적으로 구할 수 있는지도 탐구할 수 있다.

예상 답안

(5) 학생들의 답은 다양할 수 있다. 다음은 학생들이 자기 사진에서 식을 찾아낸 과정이다.

학생용 교과서에 제시된 사진에서 가장 적합한 함수식은 다음과 같다.

$$y = -\frac{1}{10}x^2 + 1$$

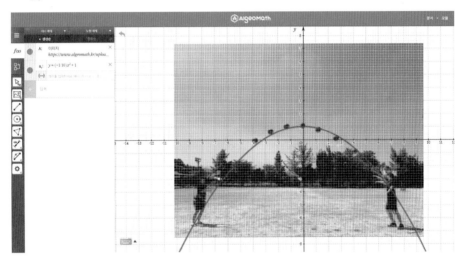

(6) 학생들의 답은 다양할 수 있다.

- a가 양수이면 아래로 볼록, 음수이면 위로 볼록하고 a의 절댓값이 커질수록 폭이 좁아진다.

  a와 b를 이용하여 축을 찾을 수 있다. 축은 $x = -\dfrac{b}{2a}$이다.

  또한 y절편은 x에 0을 넣어야 찾을 수 있으니 c는 y절편에 해당한다.

- c는 y절편이기 때문에 78.33으로 고정하였다.

  a가 음수일 경우 위로 볼록한 그래프가 되기 때문에 처음부터 a는 음수인 식을 만들었다.

  폭을 넓히기 위해서 a의 값을 작게 소수로 넣어 보았다.

  b의 값이 작아질수록 그래프가 왼쪽으로 움직여서 b의 값을 분수로 넣어 조정하여 그래프를 완성하였다.

- a가 작을수록 폭이 넓어져서 소수점 아래 자리부터 조금씩 늘려 보았다.

b의 값을 0.8로 맞추니 맞았다.

c의 값이 커질수록 그래프가 위로 이동되어 소수점 아래 자리부터 조정해 보았다.

- a가 음수여야 그래프가 위로 볼록하므로 a를 음수로 하고 그래프의 폭을 넓히기 위해 a의 절댓값을 작게 바꾸었다. c는 y절편이 4이므로 4로 입력하였다.

수업 노하우

- 이 과제를 수행하기 전에 활용해야 하는 모션 캡처 애플리케이션과 알지오매스 등의 공학적 도구를 학생들이 충분히 숙지할 수 있는 기회를 제공한다.
- 캡처한 포물선 운동 사진에 가장 가까운 이차함수의 그래프를 구하는 것임을 사전에 설명한다.
- 알지오매스(www.algeomath.kr)에 사진을 삽입할 때 구글드라이브를 이용한다. 구글 드라이브에 저장한 후, 공유가능한 링크를 만들 수 있는데 이 링크는 알지오매스에서 바로 활용되지 못한다. 따라서 《수학의 발견》 네이버 카페에 공유한 '그림링크주소 변화기.html' 파일을 다운받아 실행시켜 링크 주소를 새로 만들 수 있게 하였다.
- 공학적 도구를 이용하여 함수식을 입력하면 그래프가 자동으로 그려진다. 운동한 모양에 가장 적합한 그래프의 식을 찾기 위해 $y=a(x-p)^2+q$에서의 a, p, q의 역할 또는 $y=ax^2+bx+c$에서 a, b, c의 역할을 이해할 수 있다.
- 공 던지기, 분수 모양 등은 포물선 운동을 한다. 요요, 야구 배트로 친 공의 운동 등은 포물선 운동과 유사하지만 포물선 운동이 아닌 경우도 있다. 포물선 운동이 아님을 설명해 주고, 대신 이 모양과 가장 비슷한 포물선을 구할 수 있도록 할 수도 있다.
- (5)에서 학생들이 어떻게 함수식을 구했는지 구체적으로 설명할 수 있게 한다. 이를 통해 지금까지 배운 이차함수의 내용을 정리할 수 있다.
  - 그래프의 모양이 위로 볼록하므로 a에 음수를 대입해 본다.

학생
답안

> 처음에 x^2의 계수를 양수로 적었더니 포물선이 아래로 볼록하여 내가 찾는 포물선과는 달랐다. 그래서 x^2의 계수를 음수로 적었더니 포물선이 위로 볼록하여 내가 찾는 포물선과 비슷한 모양이었다.그리고 이제 포물선의 크기를 맞추는데 x^2의 계수의 절댓값이 크면 클수록 포물선이 좁아지고 절댓값이 작으면 작을수록 포물선이 넓어진다. 나는 넓은 포물선을 그려야 하기 때문에 x^2의 계수의 절댓값을 작게 하였다. 그리고 y절편이 -0.41이 되어야 그래프가 그나마 맞아 떨어지기 때문에 y절편을 -0.41이라고 하였다.

- y절편 또는 꼭짓점을 고정하고 폭을 조정하는 작업을 한다.

처음 식에서부터 y절편이 5이니 $y=-x^2+5$라는 식을 입력했다. 그랬더니 그래프의 폭이 너무 좁아져서 a에 $-\dfrac{1}{2}$, $-\dfrac{1}{3}$, $-\dfrac{1}{4}$ 등을 대입하며 조금씩 폭을 넓혀갔다. 그 결과 $-\dfrac{1}{3}$이 가장 적절한 식이어서 $y=-\dfrac{1}{3}x^2+5$라는 식이 나왔다.

1. $y = -x^2 + 30$ (하늘색)
포물선에 아래에서 위로 올라가다가 아래로 내려가기 때문에 맨 처음에
이차항의계수의 값을 음수로 설정하였다. 그러나 값을 얼마로 넣어야 할지 몰랐기
때문에 -1을 넣었다.
하지만 위 식의 포물선의 폭이 너무 좁다.

2. $y = -0.3x^2 + 30$ (보라색)
폭이 좀 더 넓도록 식을 적었다.
하지만 아직도 폭이 좁다.

3. $y = -0.1x^2 + 30$ (갈색)
폭이 좀 더 넓도록 다시 식을 적었다.
하지만 아직도 폭이 좁다.

4. $y = -0.01x^2 + 30$ (회색)
폭이 더 넓어지도록 식을 적었다.
하지만 폭이 확 넓어졌다.

5. $y = -0.02x^2 + 30$ (검은색)
폭이 조금만 좁아지도록 식을 적었다.
그러자 공이랑 엇비슷하게 그려졌으나, 위 식의 폭이 조금 더 넓다.

6. $y = -0.03x^2 + 30$ (노란색)
폭이 조금만 더 좁아지도록 식을 적었다.
그러자 공이랑 포물선이 같아졌다.

• 이 외에도 폭, 축 등을 어떻게 구할 수 있는지 구체적인 수를 대입하며 이차함수와 관련된 여러 성질
을 발견할 수 있다.

수업 연구

함수는 다양한 현상에서 대상과 대상 사이에 연관성이나 종속성을 예측하고 발견하는 수단이며, 다양한 관계
를 이해하고 표현하는 도구가 된다. 따라서 이차함수를 배우면서 포물선으로 운동하는 물체의 시간에 따른
위치를 예측하는 활동은 함수를 배우는 목적에 매우 적합한 활동이다. 따라서 이 활동이 다소 생소하고 이차
함수의 그래프가 명확하지 않거나 시간과 위치의 예측이 쉽지 않을 수 있지만 함수를 배우는 목적과 책에서
만 보는 활용이 아닌 실제 활동을 통해 만드는 활용으로서 의미가 있다.

탐구 되돌아보기 예상 답안

교과서(상) 134~139쪽

1 ▌ 개념과 원리 탐구하기 1

- 이차함수 $y=ax^2$의 그래프는 모두 원점을 지난다.
  꼭짓점이 모두 원점이다.
  꼭짓점의 좌표가 모두 $(0, 0)$이다.
- 각각의 그래프는 y축이 (대칭)축이다.
  y축에 대하여 대칭이다.
- a의 값이 부호만 반대일 때 두 그래프는 서로 x축에 대하여 대칭이다.
- a가 양수일 때 그래프는 x축에 접하면서 x축 윗부분에 그려지고, 음수일 때 그래프는 x축 아랫부분에 그려진다.
- a가 양수일 때 그래프는 아래로 볼록하고, 음수일 때 그래프는 위로 볼록하다.
- a가 양수일 때 그래프는 a의 값이 커질수록 폭이 좁아지고, 음수일 때 그래프는 a의 값이 작아질수록 그래프의 폭이 좁아진다.
  즉, a의 절댓값이 클수록 그래프의 폭이 좁아진다.

2 ▌ 개념과 원리 탐구하기 1

- 가영이의 주장은 옳지 않다.
  a가 양수일 때는 a의 값이 클수록 그래프의 폭이 좁아지지만 a가 음수일 때는 a의 값이 작을수록 그래프의 폭이 좁아진다.
  따라서 옳게 고치면
  'a의 절댓값이 클수록 그래프의 폭이 좁아져.'
- 진경이의 주장은 옳지 않다.
  a가 음수일 때는 그래프의 모양이 위로 볼록하기 때문에 $x<0$이면 x의 값이 증가할 때 y의 값이 증가하고, $x>0$이면 x의 값이 증가할 때 y의 값이 감소한다.
  따라서 옳게 고치면
  '$a<0$일 때에는 $x<0$이면 x의 값이 증가할 때, y의 값도 증가해.'
- 영기의 주장은 옳지 않다.
  이차함수 $y=ax^2$의 그래프는 꼭짓점이 원점이고 y축에 대하여 대칭이다. 따라서 $y=ax^2$의 그래프를

y축에 대하여 대칭이동시키면 원래 함수의 그래프의 모양과 똑같아진다.
따라서 옳게 고치면
'$y=ax^2$의 그래프를 x축에 대하여 대칭시키면 $y=-ax^2$의 그래프와 같아져.'

3 ▌ 개념과 원리 탐구하기 1

②, ①, ④, ③

이차함수의 그래프의 폭은 축에서 x축의 방향으로 같은 거리만큼 떨어진 점에서 꼭짓점까지의 수직 거리를 비교해 보면 알 수 있다. 즉, 축으로부터 같은 칸수만큼 떨어진 점에서 꼭짓점까지의 칸수가 작을수록 폭이 넓어진다.

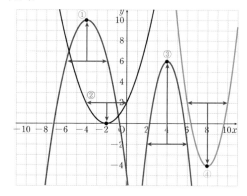

①과 ②의 그래프는 축으로부터 2칸 떨어진 곳에서 재었을 때 ①은 4칸, ②는 2칸 움직이므로 ②의 폭이 더 넓다.
①과 ④의 그래프는 축으로부터 2칸 떨어진 곳에서 재었을 때 ①은 4칸, ④는 6칸 움직이므로 ①의 폭이 더 넓다.
③과 ④의 그래프는 축으로부터 2칸 떨어진 곳에서 재었을 때 ③은 8칸, ④는 6칸 움직이므로 ④의 폭이 더 넓다.
따라서 그래프의 폭이 넓은 것부터 순서대로 쓰면 ②, ①, ④, ③이다.

> **참고** 탐구하기 1에서 폭을 비교할 때는 꼭짓점에서 y축의 방향으로 똑같이 떨어진 점에서 그래프의 너비를 재었다. 여기서는 반대로 생각한 것이다.

(1)

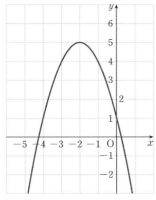

(2) $y=-x^2-4x+1$

꼭짓점의 좌표가 $(-2, 5)$인 이차함수의 식은
$y=a(x+2)^2+5$로 나타낼 수 있다. 이 그래프가
점 $(0, 1)$을 지나므로 a의 값을 구하기 위해서
$x=0$, $y=1$을 이차함수의 식에 대입하면
$1=a(0+2)^2+5$, $1=4a+5$
이고 $a=-1$이다.
a의 값을 이차함수의 식에 대입하고 정리하면
$y=-(x+2)^2+5$
$y=-(x^2+4x+4)+5$
$y=-x^2-4x+1$
이다.

(1) $y=-x^2-6x-4$

꼭짓점의 좌표가 $(-3, 5)$이므로 이차함수의 식을
$y=a(x+3)^2+5$라고 하자. 그래프가 점 $(-2, 4)$
를 지나므로 $x=-2$, $y=4$를 이차함수의 식에 대
입하면
$4=a(-2+3)^2+5=a+5$
이고 $a=-1$이다.
a의 값을 이차함수의 식에 대입하고 정리하면
$y=-x^2-6x-4$
이다.

(2) $y=2x^2-8x+8$

꼭짓점의 좌표가 $(2, 0)$이므로 이차함수의 식을 완
전제곱식인 $y=a(x-2)^2$이라고 하자. 그래프가 점
$(0, 8)$을 지나므로 $x=0$, $y=8$을 이차함수의 식에
대입하면

$8=a(0-2)^2=4a$

이고 $a=2$다.
a의 값을 이차함수의 식에 대입하고 정리하면
$y=2x^2-8x+8$
이다.

학생들의 답은 다양할 수 있다.
[방법 1]

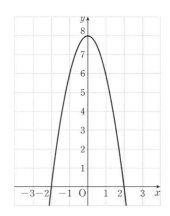

축을 직선 $x=0$(y축)으로 놓았다면 x절편이 $-2, 2$이
므로 이차함수의 식을 $y=a(x+2)(x-2)$라고 할 수
있다. 그런데 분수의 높이가 8 m이므로 그래프가 점
$(0, 8)$을 지난다. $x=0$, $y=8$을 이차함수의 식에 대
입하면 $8=-4a$이고 $a=-2$다.
따라서 분수의 물줄기의 모양은 이차함수
$y=-2(x+2)(x-2)$
$y=-2x^2+8$
이다.
[방법 2]

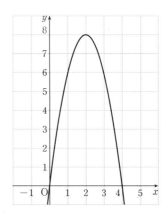

축을 직선 $x=2$로 놓았다면 x절편이 0, 4이므로 이차함수의 식을 $y=ax(x-4)$라고 할 수 있다. 그런데 분수의 높이가 8 m이므로 그래프가 점 $(2, 8)$을 지난다. $x=2$, $y=8$을 이차함수의 식에 대입하면 $8=-4a$이고 $a=-2$다.

따라서 분수의 물줄기의 모양은 이차함수

$y=-2x(x-4)$

$y=-2x^2+8x$

이다.

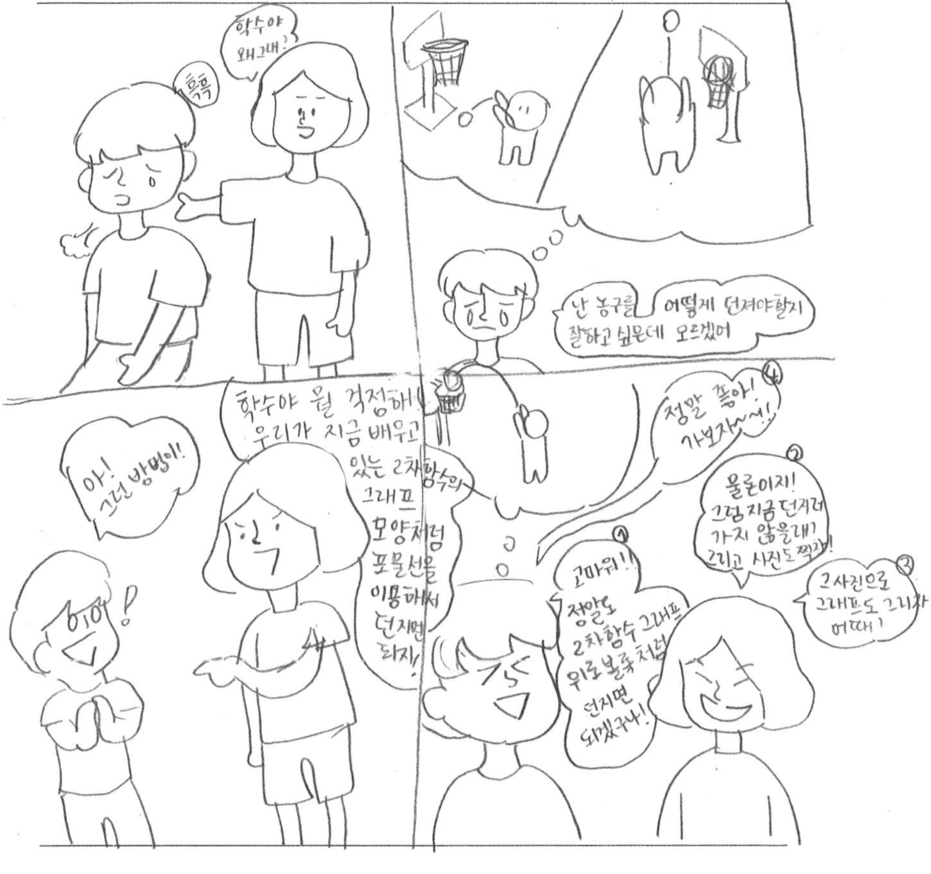

학생
답안
2

제목: 농구에서의 이차함수

오늘도 농구대회에서 정식적인 농구대회가 끝나고 이벤트가 열렸다. 그 이벤트는 농구공의 궤적을 반만 보여주고 골대에 들어갈지 맞추는 것이었다. 여러 사람이 종이에 답을 썼지만, 더 많은 사람이 틀렸다. 물론 틀린 사람 중에는 나도 있었다. 맞춘 사람 중 경품을 받을 당첨자를 뽑았다. 내 옆에 사람이 당첨이었다. 부러웠다. 하지만 그것보다 더 부러운 것이 있었다. 배운 것을 써먹는 것이었다. 이벤트를 가장 논리적으로 해결한 풀이 방법을 알려주었다. 농구공이 있는 먼 꼭지점인 곡선점에서 일직선을 그려고 그 축을 기준으로 대칭이게 나머지 곡선을 그려면 되었다. '왜 나는 그런 생각을 하지 못했을까?' '애를 하지 말 걸' 너무나도 아쉬웠다.

개념과 원리 연결하기 예상 답안

교과서(상) 140~141쪽

1

나의 첫 생각

이차함수는 y가 x에 대한 이차식으로 나타나는 것인데 ①을 전개하면 $y=-\frac{1}{2}x^2+x$이므로 ①만 이차함수다. 표나 그래프는 뭐지??

다른 친구들의 생각

이차함수는 다양하게 표현할 수 있다.

①을 전개하면 $y=-\frac{1}{2}x^2+x$이므로 이차함수다.

②의 표는 x의 값이 1씩 증가할 때 y의 값의 변화는 $\frac{5}{2}, \frac{3}{2}, \frac{1}{2}, -\frac{1}{2}$ 등으로 일정하게 변하지 않으므로 일차함수는 아니고, $x=1$을 기준으로 좌우에서 y의 값이 대칭인 것으로 보아 이차함수 같다.

③은 위로 볼록한 포물선이므로 이차함수다.

정리된 나의 생각

표에 나온 순서쌍과 그래프 위의 점의 좌표를 조사하면 모두 ①의 함수의 그래프 위에 있는 점들임을 알 수 있다.

①이 이차함수이므로 이것을 순서쌍으로 나타낸 표와 그래프도 모두 이차함수다.

2 (1)

이차함수의 뜻

함수 $y=f(x)$에서

$$y=ax^2+bx+c \ (a\neq0,\ a,\ b,\ c는\ 실수)$$

와 같이 y가 x에 대한 이차식으로 나타날 때, 이 함수를 x에 대한 이차함수라고 한다.

이차함수의 그래프를 그리는 방법

① x절편과 y축 방향의 평행이동을 이용하는 방법

  예 $y=x^2-2x-3$에서 상수항 -3을 세외하고 $y=x^2-2x=x(x-2)$에서 x절편 0과 2의 중점인 축 ($x=1$)을 구하고 꼭짓점의 좌표 $(1,\ -1)$을 구한 다음 y축의 방향으로 -3만큼 평행이동하여 $y=x^2-2x-3$의 그래프를 그린다.

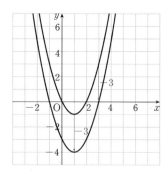

② 이차함수의 식을 변형하여 꼭짓점의 좌표를 이용하는 방법

  예 $y=x^2-2x-3$을 완전제곱식으로 변형하여 $y=x^2-2x-3=(x-1)^2-4$의 꼴로 만들어 꼭짓점의 좌표 $(1,\ -4)$를 구한다. 꼭짓점 $(1,\ -4)$를 찍고 y절편이 -3이므로 $(0,\ -3)$을 지나도록 그래프를 그린다.

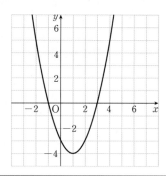

(2)

각 개념의 뜻과 이차함수의 연관성

- 기준이 되는 점·선·면을 사이에 두고 같은 거리에서 마주보고 있는 것을 대칭이라고 한다. 이차함수의 그래프는 축을 중심으로 좌우대칭을 이룬다.

- 함수 $y=f(x)$에서 $y=ax+b \ (a\neq0,\ a,\ b는\ 실수)$와 같이 y가 x에 대한 일차식으로 나타날 때, 이 함수를 x에 대한 일차함수라고 한다. 일차함수의 그래프는 직선이고, 이차함수의 그래프는 포물선 모양이다.

- 그래프가 x축과 만나는 점의 x좌표를 x절편이라고 한다. 이차함수 $y=ax^2+bx+c$의 x절편은 x축 위의 점의 y좌표가 0이므로 이차방정식 $ax^2+bx+c=0$의 해를 구하면 이차함수의 x절편을 구할 수 있다.

학생
답안
1

나의 첫 생각

①과 ②모두 이차함수인것 같다. 왜냐하면 ①을 전개하면 $y=-\frac{1}{2}x^2+x$ 이므로 ①은 이차함수이고, ②는 표에 있는 x, y의 순서쌍을 쓰면 $(-2, -4), (-1, -\frac{1}{2}), (0, 0)$… 이다. 이 좌표를 사분면에 점을 찍고 이으면 곡선이 생기므로 ②도 이차함수이다. ③은 잘 모르겠다.

다른 친구들의 생각

①, ②, ③ 모두 이차함수 인 것 같다. ①은 전개하면 $y=-\frac{1}{2}x^2+x$ 이므로 최고차항이 x^2인 이차함수가 써진다. ②의 점을 살펴보면 ③의 점과 같게 나온다. ③의 그래프가 곡선이기 때문에 ②, ③ 모두 이차함수 인것 같다.

정리된 나의 생각

친구의 생각을 들어보니까 ③도 곡선이고, 곡선이 위로 볼록한지, 아래로 볼록한지는 x^2의 계수에 따라서 다른것이기 때문에 ①②③ 모두 이차함수인것 같다.

학생
답안
1

두 개념 사이의 연관성	모둠의 정리
· 합동과 대칭 · 정비례와 반비례 · 순서쌍과 좌표 · x절편, y절편 · 평행이동 · 일차함수와 그래프	이차함수가 x축으로, y축으로 평행이동을 하면 이렇게 평행이동 하면 원래 그래프와 합동이되고 x축으로 p만큼, x축으로 p만큼 이동하면 x축으로 두 그래프가 대칭이고 y축으로 q만큼, $-q$만큼 이동해도 두 그래프가 대칭이다. 그리고 x…-3-2-1 0 이렇게 표가 있으면 x, y의 잇 -4 … 이 $(-2,-4),(-1,-\frac{1}{2})$… 이순서쌍은 순서쌍을 쓰면 좌표가 된다. 그리고 x절편은 사분면 이렇을 꺾으면 이차방정식이고 y절편은 y절편은 c가된다.

학생
답안
1

내가 선택한 문제

이차함수 $y=ax^2+bx+c$ 의 그래프를 관찰한 결과를 정리해 보세요.

나의 깨달음

a값이 변할 때는 a의 절댓값이 커지면 그래프의 폭이 좁아지고, a의 절댓값이 작아지면 그래프의 폭이 커진다. 또한 a가 양수이면 그래프가 아래로 볼록해지고, a가 음수이면 위로 볼록한 그래프 모양이 난다. c가 커지면 그래프의 꼭짓점이 위로 올라가고, c가 작아지면 그래프의 꼭짓점이 아래로 내려간다.
b의 부호가 a와 다르면 꼭짓점이 y축 오른쪽에 있고, a와 같으면 y축 왼쪽에 있다.
a,b,c의 값을 각각 바꾸어 가며 그래프의 특징을 살펴보니까 a,b,c만 보고 그래프의 형태를 대강 알 수 있었다.

수학 학습원리

2. 관찰하는 습관을 통해 규칙성 표현하기
a,b,c의 값을 달리하며 계속 관찰하여 그래프의 규칙을 찾을수 있었다.

학생
답안
2

내가 선택한 문제

가민

나의 깨달음

폭이 4m이고, 분수의 높이가 8m인 분수의 모양을 이차함수로 표현하라고 했었는데 어떻게 해야 할지 못냈었다. 분수의 원점들은 (0,0)이고 따라 폭이 4이니 오른쪽 끝은 (4,0)이라고 ~~해요~~ 할수 있을 것이라고 생각했다.
그리고 높이가 8이니 꼭짓점의 y좌표는 8이고, x좌표는 정해는 조건 안나왔게
그러면 이차함수의 식은 (0,0) (4,0) (2,8) 의 좌표로 이동하여 구할수있고
이차함수로 분수의 모양을 표현할수 있다는 것을 알았다.

수학 학습원리

③ . ②

STAGE 4

길이의 비밀을 발견해 보자
– 삼각비

삼각비는 고등학교에서 다룰 삼각함수의 기초가 되는 단원입니다. 삼각비는 기존 개념과 동떨어진 새로운 개념이 아닙니다. 초등학교에서 다룬 비율, 중학교 2학년에서 다룬 닮음비와 밀접하게 연결되는 개념입니다.

두 삼각형이 닮음일 때 대응하는 세 쌍의 변의 길이의 비가 각각 일정하다는 성질이 있습니다. 여러 닮은 직각삼각형의 세 변 중 두 변의 길이 사이에는 6가지의 비율이 나오는데 중학교에서는 사인과 코사인, 탄젠트를 다룹니다.

직각삼각형에서 직각이 아닌 한 각의 크기가 정해지면 변의 길이가 달라지더라도 모두 닮은 삼각형이기 때문에 세 변의 길이의 비가 항상 서로 같게 되는 성질에 이름을 붙여 삼각비라고 하였습니다. 즉, 삼각비는 '각의 크기에 대한 변의 길이의 비가 일정'하다는 함수적 관점에서 정의되었다는 것을 인식하면 (삼각)함수와도 연결됩니다.

삼각비에서는 특수각보다 일반각에 초점을 맞추어야 삼각비의 의미를 보다 분명하게 이해할 수 있습니다. 특수각의 삼각비만 암기하는 방식의 학습은 삼각비를 제대로 이해했다고 보기 어렵습니다.

마찬가지로 일반각에 대한 삼각비를 구하기 위해 대부분 단위원을 사용하지만 삼각비는 모든 원에서 만들어지는 것이기 때문에 단위원만을 이용하는 방식을 지양하고자 하였습니다. 삼각비도 두 수 사이의 비율이기 때문에 분모가 1이 되는 추상적인 개념보다 일단은 두 수가 항상 존재하는 상황에서 삼각비를 이해하는 것이 필요하다고 판단했습니다.

1 건물의 높이 구하기 (삼각비의 뜻과 활용)

단원 지도 계획

/ 1 / 건물의 높이를 알 수 있을까

1차시
개념과 원리 탐구하기 1
삼각비의 필요성

2차시
개념과 원리 탐구하기 2
삼각비의 뜻

3차시
개념과 원리 탐구하기 3
예각에 대한 삼각비의 값

4차시
개념과 원리 탐구하기 4
30°, 45°, 60°에 대한 삼각비의 값

5차시
개념과 원리 탐구하기 5, 6
높이 재기, 넓이 구하기

6차시
탐구 되돌아보기

7차시
개념과 원리 연결하기

8차시
수학 학습원리 완성하기

• 교과서 각 소단원마다 제시된 탐구 되돌아보기는 개념과 원리 탐구하기와 연계하여 수업 시간 내 또는 수업 시간 이후 복습으로 활용할 수 있습니다.

/1/ 건물의 높이를 알 수 있을까 (삼각비의 뜻과 활용)

핵심발문
sin 56°, cos 56°, tan 56°의 뜻은 무엇일까?

개념과 원리 탐구하기 1 _ 삼각비의 필요성

탐구 활동 의도

- 높이를 직접 재지 않고 대형 건물의 높이를 구할 수 있는 방법을 생각해 보는 것을 단원의 시작 활동으로 두었다. 이를 통해 흥미를 유발하고, 이후 삼각비를 배우면 보다 간편하게 해결할 수 있음을 깨달을 수 있게 한다.
- 삼각비를 배우기 전이므로 당연히 삼각비를 이용하지 않는 다양한 방법을 만들어 보는 것이 목적이다. 단순하게 재미있는 방법들도 나올 수 있지만 실생활 문제를 수학적인 방법으로 해결하도록 접근할 수도 있다. 축척, 닮음, 피타고라스 정리 등을 활용할 수 있을 것이다. 특히 닮음은 삼각비에서 중요한 선수 개념이므로 이 과제를 해결하는 과정에서 자연스럽게 복습할 수 있도록 한다.

예상 답안

1 학생들의 답은 다양할 수 있다.

[나의 생각]
- 학교 옥상에 올라가서 줄을 내린 후 줄의 길이를 잰다.
- 학교 옥상에서 공을 떨어뜨린 후 땅에 닿을 때까지 걸린 시간을 잰다.

학생답안

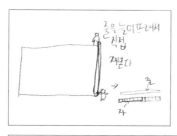 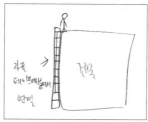

[모둠의 의견]
- 높이를 잴 만한 긴 줄이 없을 경우에는 한 층의 높이를 잰 뒤에 층의 개수만큼 곱해 준다.
- 떨어지는 공의 속력을 모르는 경우 떨어지는 시간만 알아서는 거리를 구할 수 없다.
- 막대기를 땅에 수직으로 세워 막대기의 그림자 길이와 삼각형의 닮음을 이용하여 건물의 높이를 구하는 것이 합리적이다. (학생 예시 답안 참고)

학생답안

- 층별 높이를 재는 방법의 예

• 막대기의 그림자 길이를 이용한 방법의 예

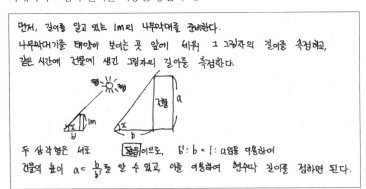

먼저, 길이를 알고 있는 1m의 나무막대를 준비한다.
나무막대기를 태양이 보이는 곳 앞에 세워 그 그림자의 길이를 측정하고,
같은 시간에 건물에 생긴 그림자의 길이를 측정한다.

두 삼각형은 서로 [닮음]이므로, b : b = 1 : a임을 이용하여
건물의 높이 $a = \frac{b}{b}$를 알 수 있고, 이를 이용하여 현수막 길이를 정하면 된다.

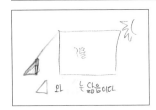

와 □ 는 다음이다

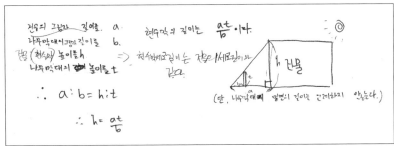

건물의 그림자 길이를 a.
나무막대의그림자 길이를 b.
건물 (현수막) 높이를 h
나무막대의 높이를 t

현수막의 길이는 $\frac{ah}{b}$이다.

현수막세로길이는 건물의 세로길이와 같다.

∴ a : b = h : t

∴ h = $\frac{at}{b}$

(단, 나무막대의 일변의 길이는 고려하지 않는다.)

• 학생들이 꼭 수학적인 방법으로 건물의 높이를 구하도록 안내하기 보다는 자유롭게 생각해 볼 수 있도록 한다. 다양한 방법을 존중하되 수학적인 접근을 한 친구들의 의견을 들으며 닮음을 이용한 방법에 대해 이해할 수 있도록 수업을 진행한다.

로프를 매달아
고층건물 에서 창문을 청소할때
쓰는 기계? 를 사용하여
길이를 잰다.

• 책상을 쌓아올린다 …
• 건축 설계도를 본다 …
• 사람이 매달려 측정한다 …
• 그림자를 구한다 …

• 닮음을 이용할 때 '측정할 수 있는 길이'를 이용해야 하는 것임을 분명하게 할 필요가 있다.
  • 다음 학생의 답안에서 "y와 z를 어떻게 측정할 수 있을까?", "어떻게 닮음비를 구하여 x를 구할 수 있을까?"와 같은 발문을 해 볼 수 있다.

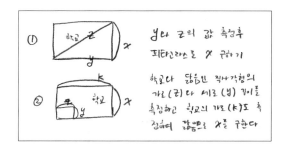

- y절편이 왜 건물의 높이라고 생각했는지 발문해 볼 수 있다.

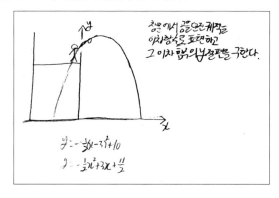

- 선행학습을 하여 삼각비를 이용하는 학생이 있다면 질책을 하거나 무시하지 말고 그 과정에 대한 정확한 설명을 듣는 기회로 삼는다. 만약 설명을 제대로 하지 못하면 앞으로 함께 익혀 나갈 것을 권장하면 된다.

참고   닮음을 이용하여 구할 때 밑변의 길이와 올려다본 각의 크기를 측정하는 방법에 대해서도 같이 논의해 볼 수 있다.

탐구 활동 의도

- 삼각비를 단순히 직각삼각형에서 세 변 사이의 길이의 비로 암기하지 않도록 하는 과제다. 삼각비 단원에서 가장 중요한 탐구하기이며 삼각비에 대한 수학적 아이디어를 탐구하도록 고안되었다.
- 1은 직각삼각형에서 직각이 아닌 한 각의 크기가 정해지면 변의 길이가 달라지더라도 모두 닮은 삼각형임을 발견하는 것이 목적이다. 직접 그리는 활동을 통해 닮음 관계를 보다 직관적으로 이해할 수 있도록 한다.
- 직각삼각형과 닮음 개념을 연결해 보자. 세 직각삼각형이 닮음이면 대응하는 변의 길이의 비는 직각삼각형의 크기에 관계없이 일정하다는 사실을 추론할 수 있다.
- 2는 직각삼각형끼리 닮음이라면 세 변 중 두 변의 길이 사이의 비율이 항상 일정함을 발견할 수 있게 한다. 즉, 직각이 아닌 한 각의 크기가 정해지면 직각삼각형끼리는 모두 닮음이므로 두 변의 길이 사이의 비율이 같음을 깨달을 수 있을 것이다.
- 3은 1에서 그린 직각삼각형의 크기는 학생마다 다르지만 각각의 비율은 서로 같다는 원리를 발견하게 한다.
- 4는 학생들이 발견한 6개의 일정한 비율 중 $\dfrac{\text{(높이)}}{\text{(빗변)}}$, $\dfrac{\text{(밑변)}}{\text{(빗변)}}$, $\dfrac{\text{(높이)}}{\text{(밑변)}}$ 를 각각 sin, cos, tan로 나타냄을 이해하게 한다.

예상 답안

1   (1) 학생들의 답은 다양할 수 있다. (예시 답안 참고)

학생 답안

- 빗변과 밑변이 이루는 각을 고정하고, 연장선을 그려 직각삼각형을 그린 경우
  ① 모눈을 이용하여 다음과 같이 세 직각삼각형을 관찰하였다.

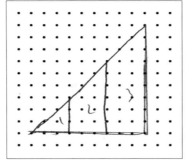 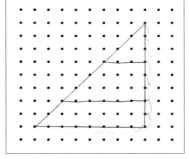

② 자와 각도기를 이용하여 세 직각삼각형의 변의 길이, 각의 크기를 측정하고 관찰하였다.

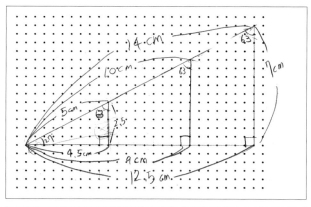

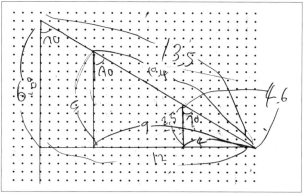

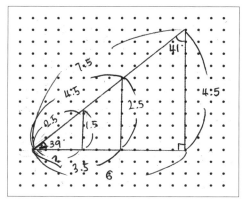

(2) 학생들의 답은 다양할 수 있다.
- 세 각의 크기는 모두 같다.
- 세 직각삼각형은 닮음이다.
- 밑변의 길이가 길어지면 그 비율만큼 높이도 길어진다.
- 직각삼각형 사이의 대응하는 세 변의 길이의 비가 모두 같다.
- 피타고라스 정리를 이용하여 빗변의 길이를 구할 수 있다.
- 세 직각삼각형에서 $\dfrac{(높이)}{(빗변)}$, $\dfrac{(밑변)}{(빗변)}$, $\dfrac{(높이)}{(밑변)}$ 의 값이 각각 같다.

- 닮음이다.(AA)
- 길이의 비가 성립한다.
- 피타고라스의 정리가 성립한다
- 각의 크기가 모두 같다.
- 넓이의 비가 성립한다.

- 세 삼각형이 닮음이다.
- 길이의 비가 같다.
- $\dfrac{밑변}{빗변}$ 의 비가 같다.
- $\dfrac{높이}{빗변}$ 의 비가 같다.

- 변의길이가 달라도 빗변과 밑변이 이루는 각의크기는 같다
- 밑변길이가 늘어나면 높이변역시 높이도 늘어난다
- 닮음비율이 같음이다.(AA닮음)
- 밑변과 높이의 비가 일정하다
- 빗변끼리 평행하다

2 (1) 수현이의 말은 옳다.

∠B=∠E=∠H이므로 주어진 세 직각삼각형은 AA 닮음이고 닮음비는 1 : 2 : 3이다.

따라서 $\overline{BC}=a$, $\overline{AC}=b$라고 하면 $\overline{EF}=2a$, $\overline{DF}=2b$이고 $\overline{HI}=3a$, $\overline{GI}=3b$로 나타낼 수 있다.

즉, $\dfrac{\overline{AC}}{\overline{BC}}=\dfrac{\overline{DF}}{\overline{EF}}=\dfrac{\overline{GI}}{\overline{HI}}=\dfrac{b}{a}$

또한 각 변의 길이를 네 배, 다섯 배로 확대한 직각삼각형에서도 다음과 같이 비율은 모두 같다.

$\dfrac{\overline{AC}}{\overline{BC}}=\dfrac{4b}{4a}=\dfrac{5b}{5a}=\dfrac{b}{a}$

• 변의 길이를 미지수로 표현하지 않았다. 한 눈금의 길이를 1로 가정하여 다음과 같이 서술한 학생들도 정답으로 간주할 수 있다.

두각의 크기가 같아 세삼각형이 AA닮음이여서 $\dfrac{\overline{AC}}{\overline{BC}}=\dfrac{\overline{DF}}{\overline{EF}}=\dfrac{\overline{GI}}{\overline{HI}}$ 이란다
$\dfrac{\overline{AC}}{\overline{BC}}=\dfrac{\overline{DF}}{\overline{EF}}=\dfrac{\overline{GI}}{\overline{HI}}=\dfrac{3}{3}$ 로 모두 같다. (즉, 4, 6으로 2배 3배 늘겨도 길이비는 $\dfrac{3}{3}$ 로 같다.)

$\dfrac{\overline{AC}}{\overline{BC}}=\dfrac{\overline{DF}}{\overline{EF}}\dfrac{\overline{GI}}{\overline{HI}}=\dfrac{2}{3}=\dfrac{4}{6}=\dfrac{6}{9}=\dfrac{높이}{밑변}=\dfrac{3}{2}$

(2) $\overline{BC}=a$, $\overline{AC}=b$, $\overline{AB}=c$라고 하면 △ABC, △DEF, △GHI의 닮음비가 1 : 2 : 3이므로

$\overline{EF}=2a$, $\overline{DF}=2b$, $\overline{DE}=2c$,

$\overline{HI}=3a$, $\overline{GI}=3b$, $\overline{GH}=3c$

로 나타낼 수 있다. 이를 이용하면

$\dfrac{\overline{AC}}{\overline{BC}}=\dfrac{\overline{DF}}{\overline{EF}}=\dfrac{\overline{GI}}{\overline{HI}}=\dfrac{b}{a}$, $\dfrac{\overline{BC}}{\overline{AC}}=\dfrac{\overline{EF}}{\overline{DF}}=\dfrac{\overline{HI}}{\overline{GI}}=\dfrac{a}{b}$

$$\overline{\frac{BC}{AB}} = \overline{\frac{EF}{DE}} = \overline{\frac{HI}{GH}} = \frac{a}{c}, \quad \overline{\frac{AB}{BC}} = \overline{\frac{DE}{EF}} = \overline{\frac{GH}{HI}} = \frac{c}{a},$$

$$\overline{\frac{AB}{AC}} = \overline{\frac{DE}{DF}} = \overline{\frac{GH}{GI}} = \frac{c}{b}, \quad \overline{\frac{AC}{AB}} = \overline{\frac{DF}{DE}} = \overline{\frac{GI}{GH}} = \frac{b}{c}$$

따라서 직각이 아닌 한 각의 크기가 같은 직각삼각형 사이에는 다음 비율이 각각 서로 같음을 알 수 있다.

$$\frac{(높이)}{(빗변)}, \quad \frac{(밑변)}{(빗변)}, \quad \frac{(높이)}{(밑변)}, \quad \frac{(빗변)}{(높이)}, \quad \frac{(빗변)}{(밑변)}, \quad \frac{(밑변)}{(높이)}$$

• 한 눈금의 길이를 1로 가정하여 각각의 삼각형의 빗변의 길이를 구하였다.

$$\overline{AB} = \sqrt{13}$$
$$\overline{ED} = \sqrt{36+16} = \sqrt{52} = 2\sqrt{3}$$
$$\overline{HG} = \sqrt{81+36} = 3\sqrt{13}$$

$$\frac{AC}{AB} = \frac{2}{\sqrt{13}} \qquad \frac{BC}{AB} = \frac{3}{\sqrt{13}}$$
$$\frac{DF}{ED} = \frac{4}{2\sqrt{3}} \left.\right\} \frac{2}{\sqrt{13}} \qquad \frac{EF}{ED} = \frac{6}{2\sqrt{3}} \left.\right\} \frac{3}{\sqrt{13}}$$
$$\frac{GI}{HG} = \frac{6}{3\sqrt{13}} \qquad \frac{HI}{HG} = \frac{9}{3\sqrt{13}}$$

$$\frac{밑}{높}, \quad \frac{높}{빗}, \quad \frac{빗}{밑}, \quad \frac{밑}{빗}, \quad \frac{빗}{높}$$

3 (1) 학생들의 답은 다양할 수 있다. (수업 노하우 참고)

기준이 되는 각의 크기		삼각형 ❶	삼각형 ❷	삼각형 ❸
27°	① $\dfrac{(높이)}{(빗변)}$	0.45	0.45	0.45
	② $\dfrac{(밑변)}{(빗변)}$	0.89	0.89	0.89
	③ $\dfrac{(높이)}{(밑변)}$	0.50	0.50	0.50

기준이 되는 각의 크기		삼각형 ❶	삼각형 ❷	삼각형 ❸
45°	① $\dfrac{(높이)}{(빗변)}$	0.7	0.7	0.7
	② $\dfrac{(밑변)}{(빗변)}$	0.7	0.7	0.7
	③ $\dfrac{(높이)}{(밑변)}$	1	1	1

(2) 학생들의 답은 다양할 수 있다.

　[나의 생각]

　• 직각이 아닌 한 각의 크기가 같은 직각삼각형들 사이에서는 변의 길이의 비가 모두 같다.

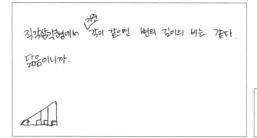

[모둠의 의견]

- 닮음인 직각삼각형들끼리는 두 변 사이의 길이의 비율은 서로 같지만, 각의 크기에 따라 이 값은 달라진다.

4 학생들의 답은 다양할 수 있다.

기준이 되는 각의 크기		삼각형 ❶	삼각형 ❷	삼각형 ❸	
34°	① $\dfrac{(높이)}{(빗변)}$	0.56	0.56	0.56	⇨ sin 34°
	② $\dfrac{(밑변)}{(빗변)}$	0.83	0.83	0.83	⇨ cos 34°
	③ $\dfrac{(높이)}{(밑변)}$	0.67	0.67	0.67	⇨ tan 34°

수업 노하우

- 1 은 학생들이 '빗변과 밑변이 이루는 한 예각의 크기가 같은 직각삼각형'을 직접 그려 보게 하여 닮음이 된다는 사실을 체험하도록 했다. 삼각비는 한 예각의 크기가 같은 직각삼각형이 모두 닮음이라는 것에서 출발한다. 여러 직각삼각형에서 왜 이렇게 구하는지를 고민하게 했다.

- 1 (1)에서 '닮은 세 직각삼각형을 그려라.'라고 하지 않은 이유가 있다. 삼각비는 각의 크기에 대한 변의 길이의 비이므로 '각의 크기'와 '변의 길이' 사이의 관계에 집중하기를 원했다. 한 예각의 크기가 같은 직각삼각형은 모두 닮음이 된다는 것을 발견하기를 바랐다.

- '한 예각의 크기가 같은'이라는 표현을 이해하기 힘들어하는데, 이 부분을 자세하게 설명하거나 예시 그림을 주게 되면 '닮음'이라는 힌트를 주게 되어 (2)에서 다양한 의견이 나오지 않게 된다. 따라서 가급적이면 학생들이 스스로 해석하도록 지도한다.

- 직각삼각형을 그릴 때 직각이등변삼각형을 그리는 학생이 많다. 다양한 모양의 삼각형이 그려져야 다른 학생과 비교할 때 토론이 활발하게 이루어질 수 있었다.

- 1 에서 직각삼각형을 그리는 몇 가지 경우가 있었다. 어떤 경우든 세 직각삼각형이 닮음임을 깨달을 수 있다.
  - 한 각이 같도록 하고 직각삼각형을 겹쳐 그린 경우
  - 직각삼각형에서 한 각이 같을 경우 AA 닮음이 됨을 먼저 생각하여 닮음비를 이용하여 그린 경우
  - 그리기 편한 45° 등의 각을 이용한 경우

- 1 (1)에서 다음과 같이 세 개의 직각삼각형을 분리해서 그린 경우도 많았다. 이 경우는 비교를 쉽게 하기 위해 〈예상 답안〉의 학생 예시와 같이 각과 길이를 삼각형에 표시하도록 하는 것이 수업 진행에 도움이 되었다.

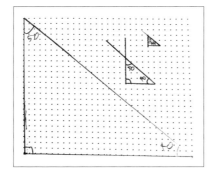 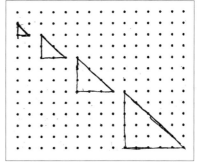

- 1 (2)는 다양한 의견이 나올 수 있도록 안내한다. 아래와 같은 의견에서 수학적 표현이 다소 부족하다고 하여 오답이라고 할 필요는 없다.

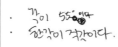

- 1 (2)는 삼각비의 뜻을 학습하는 첫 번째 단계다. 교사는 학생들의 표현에서 가장 많이 나온 단어인 '닮음'과 문제에서 주어진 조건 '빗변과 밑변이 이루는 한 예각의 크기가 주어질 경우'를 연결해 주는 것이 필요하다. 단, 세 변 중 두 변 사이의 길이의 비에 대한 규칙은 나올 수도 있고 안나올 수도 있다. 2 에서 구체적으로 다룰 것이므로 1 에서 그 의견까지 꼭 나올 필요는 없다.
- 2 는 서로 닮은 직각삼각형에서 대응하는 변의 길이의 비가 각각 같으므로 이것을 비율로 나타낸 그 수치가 같다는 것을 연결하여 삼각비를 만드는 기초로 이해할 수 있다.
- 2 (1)에서 다음과 같이 닮음이라고만 언급하는 경우는 한 눈금을 1로 간주하여 수치로 나타내어 보게 할 수 있다.

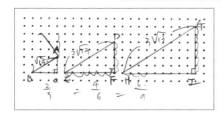

- 2 (2)는 대부분 직관적으로 다음과 같이 답했다.

$$\frac{밑변}{높이}, \frac{빗변}{높이}, \frac{빗변}{밑변}, \frac{높이}{빗변}, \frac{밑변}{빗변} 의 길이 비 \quad / \quad (AA 닮음)$$

위와 같은 방법으로 구해서 비교해보면 길이 비가 같은 것 같다.

$$\frac{BC}{BA} = \frac{EF}{ED} = \frac{HI}{HG}$$

$$\frac{AC}{AB} = \frac{DF}{ED} = \frac{GI}{HG}$$

- 3 (1)에 대해 학생들이 자신들이 직접 그린 직각삼각형의 세 각의 크기와 세 변의 길이를 각각 각도기와 자로 측정한 후 계산한 결과는 다음과 같다. 이 결과를 종합하면 서로 닮음인 세 직각삼각형에서 $\frac{(높이)}{(빗변)}$, $\frac{(밑변)}{(빗변)}$, $\frac{(높이)}{(밑변)}$의 값이 같다는 것도 알 수 있지만 각의 크기에 따라 이 비율이 다르다는 것을 비교해 볼 수 있다.

- 2 에서 내가 그린 직각삼각형과 다른 학생이 그린 직각삼각형도 닮음이라고 착각하는 경우가 생기는데, 각의 크기가 다르기 때문에 닮음이 아니라는 것을 여기서 확인할 수 있다.

학생 답안

$$\frac{높이}{빗변}(50^\circ) = 0.8, 0.8, 0.7$$

$$\frac{밑변}{빗변}(50^\circ) = 0.6, 0.6, 0.8$$

$$\frac{높이}{밑변}(50^\circ) = 1.3, 1.3, 1.3$$

$$\frac{높이}{빗변}(60^\circ) = \frac{5.3}{6} = 0.883, \quad \frac{6.8}{8} = 0.880, \quad \frac{3.5}{4} = 0.875$$

$$\frac{밑변}{빗변}(60^\circ) = \frac{1}{2}, \frac{1}{2}, \frac{1}{2}$$

$$\frac{높이}{밑변}(60^\circ) = \frac{5.3}{3} = 1.0066, \quad \frac{6.8}{4} = 1.700, \quad \frac{3.5}{2} = 1.750$$

$$\frac{높이}{빗변}(70^\circ) = \frac{12}{13.5} = 0.8 \quad \frac{9}{10.4} = 0.9 \quad \frac{4}{4.6} = 0.9$$

$$\frac{밑변}{빗변}(70^\circ) = \frac{6.8}{13.5} = 0.5039 \quad \frac{5}{10.4} = 0.5 \quad \frac{2.5}{4} = 0.6$$

$$\frac{높이}{밑변}(70^\circ) = \frac{12}{6.8} = 1.8 \quad \frac{9}{5} = 1.8 \quad \frac{4}{2.5} = 1.6$$

- 어림값이라 비율이 완전히 일치하지 않을 수 있음을 설명할 수 있다.
- 4 는 앞의 문제에서 나타냈던 수치들을 삼각비의 뜻에 따라 표현해 보도록 하는 과제다. 한 예각의 크기가 같은 직각삼각형에서 세 변의 길이의 비를 구할 때, $\frac{(빗변)}{(높이)}$, $\frac{(빗변)}{(밑변)}$, $\frac{(밑변)}{(높이)}$ 을 생각할 수도 있으나 이것은 고등학교 과정임을 설명할 수도 있다.

- 검정교과서에서는 한 예각의 크기가 정해지면 이에 대한 삼각비의 값이 일정하다는 것을 설명하지만, 학생들은 '한 예각의 크기가 정해지면'이라는 것을 주의깊게 생각하지 않는다. 따라서 다른 학생과의 결과를 비교해 보는 활동을 통해 한 예각의 크기가 정해져야 삼각비의 값이 일정하게 나타나며, 각의 크기가 달라지면 삼각비의 값도 달라짐을 알게 한다.

탐구 활동 의도

- 특수각보다 일반각에 초점을 맞춰야 삼각비의 의미를 보다 분명히 이해할 수 있고, 특수각의 삼각비를 암기하는 것이 중요하지 않다고 판단하여 일반각의 삼각비를 먼저 다루었다.

- 일반각에 대한 삼각비를 구하기 위해 보통 단위원을 사용한다. 그러나 삼각비는 모든 원에서 만들어지는 것이기 때문에 단위원을 사용하지 않았다. 삼각비가 두 변의 길이 사이의 비율이기 때문에 분모가 1이 되는 추상적인 개념보다 일단은 두 수가 항상 존재하는 상황에서 삼각비를 이해하는 것이 필요하다고 판단했다. 반지름의 길이가 1인 단위원을 사용하는 것은 계산상의 편의를 위한 것이므로 **탐구 되돌아보기**에서 학생들이 탐구해 볼 수 있도록 했다.

- □1□(1)은 탐구하기 2의 다양한 직각삼각형에서 직각이 아닌 한 각에 대한 삼각비를 구한 경험을 보다 일반화하기 위한 탐구하기다. 원과 각의 변이 만나는 점에서 수선을 내려 만들어지는 직각삼각형을 통해 예각의 삼각비의 값을 구하는 방법을 발견할 수 있도록 했다. 이 삼각형과 닮은 직각삼각형을 이용해 삼각비의 값을 구할 수도 있을 것이다.

- □1□(2)에서는 자연스럽게 삼각비의 표를 활용하는 방법을 소개한다.

- □2□에서는 삼각비의 표를 관찰하여 삼각비의 성질을 발견할 수 있도록 했다. 삼각비의 뜻을 배운 상태이므로 (1)에서는 표에서 관찰하고 이것을 기초로 (2)에서 그 원리를 탐구할 수 있도록 했다. (3)은 직각삼각형에서 직각이 아닌 내각의 크기가 0°이거나 90°인 것은 존재하지 않으므로 삼각비의 값의 변화를 통해 직관적으로 추론해 볼 수 있도록 한 것이다.

예상 답안

□1□ (1) 삼각형의 세 변의 길이를 알아야 한다. 자로 잴 수도 있고 눈금을 이용할 수도 있다. 이를 측정해 다음과 같이 계산할 수 있다.

$$\sin 50° = \frac{\overline{CD}}{\overline{OC}}, \ \cos 50° = \frac{\overline{OD}}{\overline{OC}}, \ \tan 50° = \frac{\overline{CD}}{\overline{OD}}$$

학 생
답 안

- 자로 잰 경우

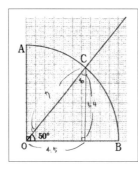

(2) 비슷한 값이 구해진다.

$$\sin 50° = 0.7660, \ \cos 50° = 0.6428, \ \tan 50° = 1.1918$$

2 (1) 학생들의 답은 다양할 수 있다.

• 사인, 탄젠트는 각의 크기가 커질수록 값이 커지며, 코사인은 각의 크기가 커질수록 값이 작아진다.

• 사인과 코사인은 값이 서로 대칭이다. (사인과 코사인에서는 같은 값이 있다.)

• 사인과 코사인의 최댓값은 1이다. 탄젠트는 1보다 큰 값도 있다.

• 탄젠트의 값은 45°를 기준으로 45°보다 작으면 1보다 작고, 45°보다 크면 1보다 크다.

학생
답안

• sin은 각의 크기가 커질수록 sin도 커진다.

• cos은 각의 크기가 커질수록 cos의 크기는 작아진다.

• tan는 각의 크기가 커질수록 tan도 커진다.

• sin의 값과 cos의 값은 0부터 1까지만 tan는 그렇지 않다

• 각도가 커질수록 tan는 급격하게 커진다

• 각도가 커져서 코사인이 0이 될때 값이 작아질때 나무 수와 사인이 0부터 시작해 각도가 커질 때 수가 같다

• sin은 점점 커진다.

• cos은 점점 작아진다.

• tan는 45°일때 1이고 90°일때도 무한이다.

• sin과 cos은 1을 넘지 못하며 tan는 45° 이후에 1을 넘는다.

∠x를 3°라고하면 sin=0.0523, cos=0.9986, tan=0.0524
∠x를 4°라고하면 sin=0.0698, cos=0.9976, tan=0.0699
따라서 각도가 커질수록 sin의값은 커지고, 코사인의 값은 작아지고 탄젠트의 값은 커진다.

∠x를 45°라고하면 탄젠트값은 1이다 ∠x를 46°라고하면 탄젠트 값이 1.0355가 된다. 따라서 46°를 기준으로 더 큰각도의 탄젠트는 1 넘다 커지게 된다.

• 1. 한 삼각형에서 sin, cos의 직각변과의 비값이 예) sin$\frac{2}{\sqrt{5}}$, cos$\frac{1}{\sqrt{5}}$ / sin$\frac{1}{\sqrt{5}}$, cos$\frac{2}{\sqrt{5}}$

• 2. 45°를 기준으로 차벽이가 같은 각도의 삼각 비율은 sin과이에 같다

• 3. sin은 각의 크기가 커지면 값이 커지고, cos 커지면 값이 작아진다.

• 4. tan는 45°의 크기가 지나면 1이상의 값이 48아.

---

(2) 삼각비의 뜻을 생각해 보면 알 수 있다. 빗변의 길이는 고정되어 있으나 각의 크기가 커질수록 높이는 증가하고, 밑변의 길이는 감소한다. 따라서 사인의 값은 증가하고, 코사인의 값은 감소한다. 또한 탄젠트의 경우는 각의 크기가 커질수록 분모(밑변)는 감소, 분자(높이)는 증가하게 되어 탄젠트의 값이 증가함을 알 수 있다.

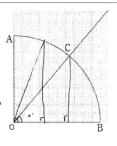

· 직각삼각형이 때문에 성립한다.

· 빗변은 똑같은데 높이가 길어지기 때문에
  각도가 커질수록 sin은 커진다

· 빗변은 똑같은데 각도가 커질수록 밑변이 작아지기 때문에
  각도가 커질수록 cos는 작아진다

· 높이는 길어지지만 밑변은 각도가 커질수록 작아지기
  때문에 tan은 커진다

직각삼각형에서 높이가 늘어나면 밑변이 줄어들고
밑변이 늘어나면 높이가 줄어든다

(3) 직각이 아닌 한 내각의 크기가 0°에 가까워지면 빗변의 길이는 고정이고 높이는 점점 작아지고 밑변의 길이는 빗변의 길이에 가까워진다. 따라서 $\sin 0° = 0$, $\cos 0° = 1$이다. 반대로 직각이 아닌 한 내각의 크기가 90°에 가까워지면 빗변의 길이는 고정이고 높이는 점점 빗변의 길이에 가까워지고 밑변의 길이는 점점 작아진다. 따라서 $\sin 90° = 1$, $\cos 90° = 0$이다. 탄젠트의 값은 직각이 아닌 한 내각의 크기가 0°에 가까워지면 높이가 점점 0에 가까워지기 때문에 $\tan 0° = 0$이고, 직각이 아닌 한 내각의 크기가 90°에 가까워지면 높이가 한없이 커져 그 길이를 구할 수 없게 된다. 따라서 90°에 대한 탄젠트의 값은 정할 수 없다.

· sin은 각의 크기가 커질수록 sin도 커진다.

· cos은 각의 크기가 커질수록 cos의 크기는 작아진다.

· tan는 각의 크기가 커질수록 tan도 커진다.

· sin의 값과 cos의 값은 0부터 까지지만 tan 는 그렇지 않다

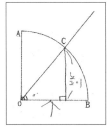

sin0 이나 tan0 이되면 삼각형 높이가 사라지기 때문에 0이 될것이고
cos 0이 되면 높이가는 딸린값이 없으므로 그냥 1이 될 것이다
sin90° 가 되면 1이 될것이고 cos90°는 밑변이 0이되므로 값이
0이 될 것이다. tan90°은 무한히 높아지므로 값이 없다.

· 일반적인 예각에 대한 삼각비의 값을 구하는 것과 각의 크기가 변함에 따라 삼각비의 값이 어떻게 변화하는지를 탐구하는 것이 목적이다.
· 단위원이 아니어도 발견할 수 있는 내용이라서 반지름의 길이를 1로 제시하지 않았는데 2에서 학생들이 단위원의 원리를 스스로 발견하는 모습을 보이기도 했다.

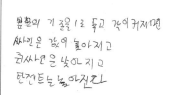

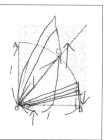

- ① 에서 단위원을 강조하지 않으니까 자연스럽게 탄젠트의 값을 다음과 같이 찾는 학생도 있었다.

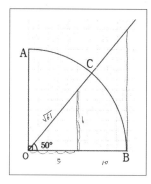

$$\sin 50° = \frac{6}{\sqrt{61}}$$

$$\cos 50° = \frac{5}{\sqrt{61}}$$

$$\tan 50° = \frac{6}{5} = 1.2$$

- ② (1)에서 삼각비의 표를 잘 관찰하면 이를 토대로 (2)에서 탄젠트의 값의 변화를 설명하는데 용이할 수 있다. 탄젠트는 밑변의 길이와 높이가 같이 변하므로 값이 어떻게 변하는지 이해하는 것이 사인과 코사인에 비해 어렵지만, 표에서 관찰한 결과를 바탕으로 탄젠트의 뜻에 따라 값이 커지고 작아지는 것을 판단하게 한다.
- 교수 학습상의 유의점에서 삼각비 사이의 관계를 다루지는 않는다고 하였는데, 이는 공식화하는 것을 의미하므로 표에서 발견할 수 있는 다양한 성질은 다룰 수 있다고 판단했다.
- ② (3)에서 0°, 90°에 대한 값을 추측해 보도록 하게 하기 위해서 삼각비의 표에서는 이 두 경우의 값을 제시하지 않았다.
- 90°에 대한 탄젠트의 값을 중학교 수준에서 엄밀하게 수학적으로 설명하는 것은 어려운 문제다. 그러나 학생들은 이 값에 대해 많은 관심을 보였다. 다음과 같은 학생들의 답안 중 어느 것이 옳은지 선택하고 그 이유를 설명해 보도록 진행할 수 있다.

$$\sin 0° = 0 \qquad \sin 90° = 1$$
$$\cos 0° = 1 \qquad \cos 90° = 0$$
$$\tan 0° = 0 \qquad \tan 90° = 1$$

$$\sin 0° = 0$$
$$\cos 0° = 1$$
$$\tan 0° = 0$$
$$\sin 90° = 1$$
$$\cos 90° = 0$$
$$\tan 90° = ?$$

- 90°에 대한 탄젠트의 값은 '무한히 커진다', '정할 수 없다' 정도의 설명이면 충분하다고 생각한다. 직각삼각형에서 직각이 아닌 내각의 크기가 0°이거나 90°인 것은 존재하지 않으므로 삼각비의 값의 변화를 통해 직관적으로 이해할 수 있도록 안내한다.

탐구 활동 의도

- 2009 개정 교육과정에서는 삼각비를 배우기 전에 피타고라스 정리에서 다루었던 내용이다. 삼각비를 배우기 전이므로 특별한 직각삼각형에서의 세 변의 길이의 비가 일정하다고 가르칠 수밖에 없었다. 2015 개정 교육과정에서는 피타고라스 정리 내용이 중학교 2학년으로 이동함으로써 이 내용이 빠져 삼각비 단원에서 다룬다.

- 피타고라스 정리를 이용하여 세 변의 길이의 비를 구할 수 있다. 이를 이용하여 특수한 각의 삼각비의 값을 삼각비의 표 없이도 구할 수 있음을 알게 한다. 피타고라스 정리를 학생들이 바로 이용할 수 있도록 교과서에 제시하였다.

- ⃞1 에서 정사각형과 정삼각형의 한 변의 길이는 일부러 제시하지 않았다. 학생들이 자신의 역량에 따라 삼각자의 눈금을 이용하여 수치로 계산하거나 문자로 한 변의 길이를 두고 비를 구할 수도 있을 것이다. 학생마다 다른 접근을 하여도 나오는 비는 같다는 것을 경험하도록 눈금이 표시된 삼각자 그림으로 주었다.

예상 답안

⃞1 (1) **[삼각자 1]**에서 세 꼭짓점을 점 A, B, C라고 하자.

∠C=90°인 직각삼각형 ABC에서 ∠B=45°이면

∠A=45°이므로 삼각형 ABC는 직각이등변삼각형이다.

$\overline{BC}=a$라고 하면 $\overline{AC}=a$이므로 피타고라스 정리를 이용하면

$$\overline{AB}^2=a^2+a^2=2a^2$$

이고 $\overline{AB}>0$이므로

$$\overline{AB}=\sqrt{2}a$$

이다. 그러므로 ∠B=45°, ∠C=90°인 직각삼각형 ABC에서

$\overline{AB}:\overline{BC}:\overline{CA}=\sqrt{2}:1:1$이 성립한다.

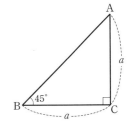

(2) **[삼각자 2]**에서 세 꼭짓점을 점 A, B, C라고 하자.

정삼각형 ABD의 꼭짓점 A에서 $\overline{BD}$에 내린 수선의 발이 C이므로 삼각형 ABC는 ∠B=60°, ∠C=90°, ∠BAC=30°인 직각삼각형이 된다.

또한, 점 C는 $\overline{BD}$의 중점이므로 삼각형 ABC에서 $\overline{AB}=2a$라고 하면 $\overline{BC}=a$이다. 피타고라스 정리를 이용하면

$$\overline{AC}^2=(2a)^2-a^2=3a^2$$

이고 $\overline{AC}>0$이므로

$$\overline{AC}=\sqrt{3}a$$

이다. 그러므로 ∠B=60°, ∠C=90°인 직각삼각형 ABC에서

$\overline{AB}:\overline{BC}:\overline{CA}=2:1:\sqrt{3}$이 성립한다.

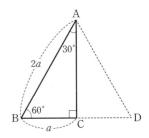

2    $\sin 45° = \dfrac{\sqrt{2}}{2}$, $\cos 45° = \dfrac{\sqrt{2}}{2}$, $\tan 45° = 1$

$\sin 30° = \dfrac{1}{2}$, $\cos 30° = \dfrac{\sqrt{3}}{2}$, $\tan 30° = \dfrac{\sqrt{3}}{3}$

$\sin 60° = \dfrac{\sqrt{3}}{2}$, $\cos 60° = \dfrac{1}{2}$, $\tan 60° = \sqrt{3}$

학생
답안

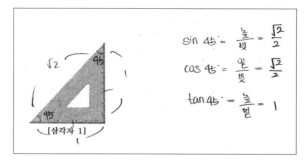

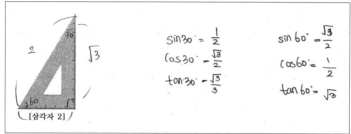

수업 노하우

- 정사각형과 정삼각형이라는 것이 힌트가 된다.
- 중학교 2학년에서 배운 피타고라스 정리를 이용하여 변의 길이를 계산하도록 지도한다. 중학교 2학년에서는 무리수를 다루지 않기 때문에 삼각형의 세 변의 길이의 비를 구할 수 없었다.
- 변의 길이를 구체적으로 제시하지 않은 이유는 삼각자의 눈금을 보고 $8 : 8 : 8\sqrt{2}$로 계산할 수 있도록 한 것이다. $1 : 1 : \sqrt{2}$ 또는 $a : a : a\sqrt{2}$ 등의 답이 나올 때, 그 결과를 간단한 비로 나타내면 모두 $1 : 1 : \sqrt{2}$임을 알게 하는 것을 목표로 수업을 진행할 수 있다.
- 2 에서 학생들이 다음과 같이 분모의 유리화를 하지 않을 수도 있다.

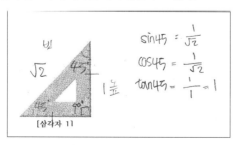

- 2 에서 단순히 피타고라스 정리로 계산한 결과를 암기하게 하기 보다는 앞에서 배운 삼각비의 뜻과 연결하여 그 결과를 이해할 수 있도록 한다.

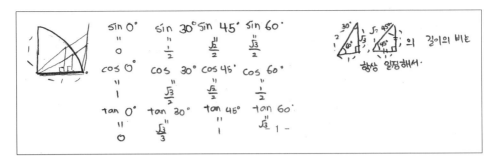

• 그 이후에 다양한 방법으로 이 값에 익숙해지도록 할 수 있을 것이다.

  • 직접 특수한 각이 포함된 직각삼각형 그려 보기

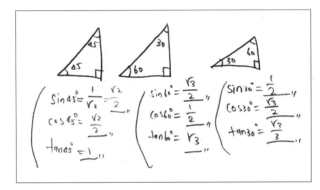

• 삼각비의 성질에 비추어 규칙성 찾아보기

	$0°$	$30°$	$45°$	$60°$	$90°$
sin	0	$\frac{1}{2}$	$\frac{\sqrt{2}}{2}$	$\frac{\sqrt{3}}{2}$	1
cos	1	$\frac{\sqrt{3}}{2}$	$\frac{\sqrt{2}}{2}$	$\frac{1}{2}$	0
tan	0	$\frac{\sqrt{3}}{3}$	1	$\sqrt{3}$	$\times$

개념과 원리 탐구하기 5 _ 높이 재기

탐구 활동 의도

- 삼각비를 활용하여 직접 측정할 수 없는 거리나 높이 등의 길이를 구할 수 있음을 탐구하는 것이 목적이다.
- 삼각비를 활용하여 길이를 구하기 위해서는 주어진 상황에서 보조선을 그어 직각삼각형을 만들고, 구해야 하는 거리와 잴 수 있는 거리를 판단하여 비례식을 만들 수 있어야 한다.
- 학생들이 주어진 문제 상황에서 주어진 조건에 따라 공식처럼 길이를 구하는 것이 아니라 어떤 조건이 필요한지 고르는 활동을 통해 각을 이용해 길이를 구하는 삼각비의 원리를 깨닫도록 하기 위한 과제다.
- 여러 가지 정보 중에서 필요한 정보를 이용해 학교 건물의 높이를 구할 수 있도록 했다. 그리고 **탐구하기 1**에서 우리가 생각했던 방법 중 어떤 것이 편리한지를 비교해 삼각비의 필요성을 깨달을 수 있도록 하기 위함이다.

예상 답안

1 (1) • 내가 선택한 측정 대상 : b, d, e
   • 학교 건물의 높이 구하는 방법 : 발끝부터 학교 건물까지의 거리와 눈에서 학교 건물 꼭대기를 올려다 본 각도를 알면 탄젠트의 값을 이용해 눈 높이에서 학교 건물 꼭대기까지의 높이를 구할 수 있다. 그 높이에 눈 높이를 더하면 학교 건물의 높이가 된다.

(2) 측정하는 학생의 눈높이에서 학교 건물 꼭대기까지의 거리를 x m라고 할 때 발끝부터 학교 건물까지의 거리는 20 m이고 눈에서 학교 건물 꼭대기를 올려다 본 각도의 크기는 35°이므로 $\tan 35°$의 값을 이용하면

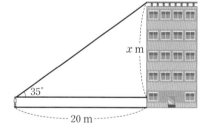

$\tan 35° = 0.7002$

$\dfrac{x}{20} = 0.7002$

$x = 14.004$

14.004 m 거리에 눈 높이 1.5 m를 더하면 학교 건물의 높이가 된다.

$14.004 + 1.5 = 15.504(\text{m})$

따라서 학교 건물의 높이는 약 15.504 m다.

수업 노하우

• 클리노미터를 만들거나 스마트폰 애플리케이션을 사용하여 올려다 본 각의 크기를 측정하여 실제 주변의 건물의 높이 등을 재 보는 활동을 할 수 있다.

참고

클리노미터 만드는 법

① 각도기의 중앙 구멍에 실을 단단히 묶어 고정시킨다.

② 빨대를 각도기의 등에 맞춰 접착테이프를 붙인다.

③ 실 끝에 무거운 추를 매단다. 한 사람은 빨대의 구멍으로 대상을 바라 보고 다른 사람은 실이 가리키는 각의 크기를 측정할 수 있다.

• 클리노미터는 올려다 본 각의 크기를 다음과 같이 따로 읽어 주어야 한다. 반면 애플리케이션을 사용할 경우에는 올려다 본 각의 크기를 바로 알려준다.

 • 클리노미터에서 올려다 본 각의 크기는 다음과 같다.

올려다 본
각의 크기

 • 애플리케이션은 다음과 같이 올려다 본 각의 크기를 알려준다.

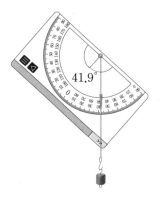

$41.9°$

탐구 활동 의도

- 삼각비를 활용하면 '각'을 이용해 '길이'를 구할 수 있다는 것을 발견하는 과제다.

  삼각형의 넓이 구하는 공식 $S=\dfrac{1}{2}ab\sin\theta$를 외우는 것이 아니라 왜 이 공식이 유용한가를 경험하도록 하기 위함이다.

- 1 에서는 넓이 공식으로 배우지 않은 정육각형의 넓이를 어떻게 구할 것인지 탐구하게 한다. 삼각형 또는 사각형으로 분리하여 넓이를 구하면 된다고 생각할 수 있지만 어떤 도형으로 나누어도 그 도형의 높이는 주어져 있지 않다. 이때 각을 이용해 높이를 어떻게 구할 수 있는지 삼각비와 변의 길이의 관계를 발견할 수 있게 한다.

- 정삼각형에서 높이를 구할 때는 각을 이용해 구하는 방법을 발견하게 할 수 있다. 삼각비는 각을 이용해 길이를 구할 수 있는 원리임을 이해하게 한다.

- 2 는 일반적인 삼각형에서 각을 이용해 높이를 구하는 방법을 찾는 문제다. 일부러 각을 제시하지 않았다. 높이를 구하기 위해 삼각형의 세 각 중 어느 한 각을 선택하는 활동은 학생들이 자연스럽게 각과 길이의 관계를 탐구하게 할 수 있다. 각과 길이를 연결해 주는 것이 삼각비임을 다시 한 번 발견할 수 있을 것이다.

예상 답안

1 방법 1 삼각형 ABH에서 $\sin 60°=\dfrac{\overline{\mathrm{BH}}}{\overline{\mathrm{AB}}}=\dfrac{\sqrt{3}}{2}$이므로

$\dfrac{\overline{\mathrm{BH}}}{3}=\dfrac{\sqrt{3}}{2}$, 즉 $\overline{\mathrm{BH}}=\dfrac{3\sqrt{3}}{2}$

따라서 사다리꼴 ADCB의 넓이는

$\dfrac{1}{2}\times(\overline{\mathrm{BC}}+\overline{\mathrm{AD}})\times\overline{\mathrm{BH}}=\dfrac{1}{2}\times(3+6)\times\dfrac{3\sqrt{3}}{2}=\dfrac{27\sqrt{3}}{4}$

이므로 정육각형의 넓이는

$2\times\dfrac{27\sqrt{3}}{4}=\dfrac{27\sqrt{3}}{2}$

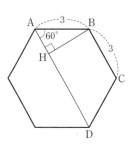

방법 2 삼각형 ACH에서

$\sin 30°=\dfrac{\overline{\mathrm{CH}}}{\overline{\mathrm{AC}}}=\dfrac{1}{2}$

$\overline{\mathrm{AC}}=2\times\dfrac{\sqrt{3}}{2}\times3=3\sqrt{3}$

이므로 $\overline{\mathrm{CH}}=\dfrac{1}{2}\times\overline{\mathrm{AC}}$, 즉 $\overline{\mathrm{CH}}=\dfrac{3\sqrt{3}}{2}$이다. 따라서

$\triangle\mathrm{ACB}=\dfrac{1}{2}\times\overline{\mathrm{AB}}\times\overline{\mathrm{CH}}$

$=\dfrac{1}{2}\times3\times\dfrac{3\sqrt{3}}{2}=\dfrac{9\sqrt{3}}{4}$

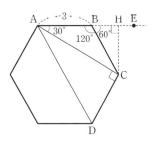

$$\triangle ADC = \frac{1}{2} \times \overline{CD} \times \overline{AC}$$

$$= \frac{1}{2} \times 3 \times 3\sqrt{3} = \frac{9\sqrt{3}}{2}$$

따라서 사다리꼴 ADCB의 넓이는

$$\frac{9\sqrt{3}}{4} + \frac{9\sqrt{3}}{2} = \frac{27\sqrt{3}}{4}$$

이므로 정육각형의 넓이는

$$2 \times \frac{27\sqrt{3}}{4} = \frac{27\sqrt{3}}{2}$$

방법3 정삼각형의 넓이를 이용하여 구할 수도 있다.

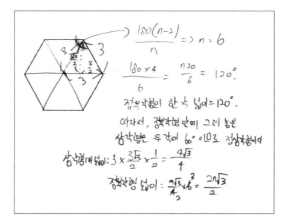

2 삼각형의 넓이를 구하기 위해 필요한 측정값은 길이가 4 cm, 5 cm로 주어진 두 변 사이의 끼인각의 크기다. 두 변 사이의 끼인각의 크기는 47°이고, sin 47°는 주어진 삼각형의 변 AB와 높이의 비율이므로 이를 이용하면 삼각형의 넓이를 구할 수 있다.

$\sin 47° = \dfrac{(높이)}{4}$ 이므로 $(높이) = 4 \times \sin 47°$

따라서 삼각형의 넓이는

$$\frac{1}{2} \times (밑변) \times (높이) = \frac{1}{2} \times 5 \times 4 \times \sin 47°$$

$$= \frac{1}{2} \times 5 \times 4 \times 0.7314$$

$$= 7.314 (\text{cm}^2)$$

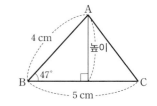

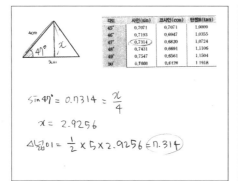

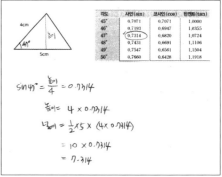

- 2009 개정 교육과정에서는 삼각형의 넓이 단원이 고등학교에 따로 있는데도 관행적으로 피타고라스 정리 활용 단원에서 정삼각형의 넓이 등을 다뤄왔다. 2015 개정 교육과정에서는 피타고라스 정리 단원이 중학교 2학년으로 이동하면서 중학교 3학년에서 이 내용을 다루는 단원이 따로 없다. 이를 감안하여 ☐1☐ 에서 (정육각형의 넓이)$=6\times$(정삼각형의 넓이)$=6\times\dfrac{\sqrt{3}}{4}\times 3^2$으로 바로 접근하지 않도록 주의한다.

- ☐1☐에서는 단순히 정육각형의 넓이를 구하는 것에 초점을 맞추기 보다는 사다리꼴이나 정삼각형에서 '높이'를 어떻게 구할 수 있는지를 논의하게 할 필요가 있다.

  > • 왜 이 각을 선택했나요?
  > • 이 각을 이용해서 높이를 어떻게 구할 수 있나요?

- 생각보다 ☐2☐를 어려워하는 학생들이 많았다. 삼각형의 넓이는 $\dfrac{1}{2}\times$(밑변)$\times$(높이)임을 알려주고 이때 높이를 구하기 위해 필요한 '각'을 선택하고 그 크기를 재는 활동을 통해 어떤 각의 크기를 재야 높이를 구할 수 있는지 고민하게 한다.

- ☐2☐에서 사인이 아니라 코사인과 탄젠트를 이용한 학생도 있었다. 이 경우에는 사인을 이용하는 것과 비교하여 어느 것이 편리한지 선택하게 하고 그 이유를 논의하게 해 볼 수 있다.

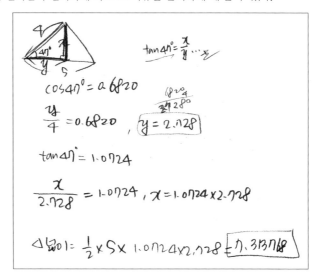

- 삼각형에서 두 변의 길이와 끼인각, 한 변과 양 끝각이 주어져도 넓이를 구할 수 있다. 다양한 방법을 모두 고민해 볼 수 있도록 하고, 사인, 코사인, 탄젠트 중 어떤 것을 이용할 것인지의 선택 과정도 논의하게 할 수 있다.

탐구 되돌아보기 예상 답안

교과서(하) 24~27쪽

1   개념과 원리 탐구하기 3

다음 그림과 같이 ∠B=90°인 직각삼각형 ABC에서
두 변의 길이의 비율 중 $\dfrac{a}{b}$의 값을 ∠A의 사인이라
하고, 기호로는 sin A로 나타낸다.

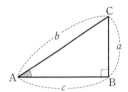

sin 48°=0.7431은 ∠A의 크기가 48°일 때, 사인값
이 약 0.7431이라는 뜻이다. 즉, 길이 b에 대한 길이 a
의 비율 $\dfrac{a}{b}$를 소수로 나타냈을 때 약 0.7431이라는 값
이 나온다.

2   개념과 원리 탐구하기 3, 4

(1)

A	0°	30°	45°	60°	90°
sin A	0	$\dfrac{1}{2}$	$\dfrac{\sqrt{2}}{2}$	$\dfrac{\sqrt{3}}{2}$	1
cos A	1	$\dfrac{\sqrt{3}}{2}$	$\dfrac{\sqrt{2}}{2}$	$\dfrac{1}{2}$	0
tan A	0	$\dfrac{\sqrt{3}}{3}$	1	$\sqrt{3}$	없다.

(2) 한 변의 길이가 2인 정삼각형과 한 변의 길이가 1인
정사각형을 각각 반으로 자르고, 피타고라스 정리를
이용하면 다음과 같은 직각삼각형을 두 개 그릴 수
있다.

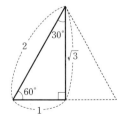

두 직각삼각형의 그림을 이용하면 30°, 45°, 60°에
대한 삼각비의 값을 위의 표처럼 구할 수 있다.
0°와 90°에 대한 삼각비는 다음 그림을 이용한다.

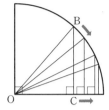 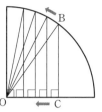

∠BOC의 크기가 0°에 가까워지면 $\overline{BC}$의 길이는 0
에 가까워지므로 sin 0°=0, tan 0°=0이고, $\overline{OC}$
의 길이는 빗변의 길이인 반지름에 가까워지므로
cos 0°=1이다. 또 ∠BOC의 크기가 90°에 가까워
지면 $\overline{BC}$의 길이는 빗변의 길이인 반지름에 가까워
지므로 sin 90°=1이고, $\overline{OC}$의 길이는 0에 가까워
지므로 cos 90°=0이다.
다음 그림과 같이 ∠DOA의 크기가 커져서 90°에
가까워지면 $\overline{DA}$의 길이는 한없이 커지므로 tan 90°
의 값은 정할 수 없다.

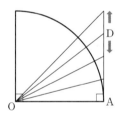

3   개념과 원리 탐구하기 3

(1) 반지름의 길이가 1인 사분원에 한 예각이 40°인 직
각삼각형을 그리면 빗변의 길이가 1이고, 높이가
0.64, 밑변이 0.77이다.
따라서 40°에 대한 삼각비의 값은

$$\sin 40° = \frac{0.64}{1}, \quad \cos 40° = \frac{0.77}{1},$$

$$\tan 40° = \frac{0.64}{0.77} = 0.83$$

으로 계산하여 구할 수 있다.

(2) 반지름의 길이가 1인 경우 직각삼각형의 빗변의
길이가 1이 되므로 삼각비의 값을 간단히 구할 수
있다.

(1) $\dfrac{(높이)}{(수평거리)}=\dfrac{10}{100}=0.1$이라는 것은 밑변과 높이

에 관한 것이므로 탄젠트와 관련이 있다.

(2) 0.1에 가까운 탄젠트의 값은 $\tan 6°=0.1051$이므로

$\angle A=6°$다.

은애의 눈에서 아파트 옥상을 올려다 본 각의 크기는 클리노미터가 가리키고 있는 각도인 41.9°다. 그림과 같이 클리노미터가 가리키는 41.9°는 각 x의 크기이고 $x+●=90°$이기 때문에 은애의 눈에서 옥상 끝을 올려다 본 각의 크기도 x다.

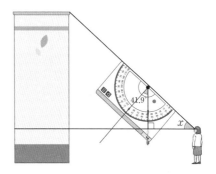

학생
답안
1

제목:

○○ 중학교 3학년 학생들이 체험학습을 갔다. 지훈이와 우진이는 롤러코스터를 타기로 하였다.

우진: 와와! 오대체 얼마나 높이 올라가는거야?

지훈: 안내문을 보면 알 수 있겠지. 확인해보자.

두 사람은 안내문을 확인했지만 높이는 나와있지 않았다.

우진: 뭐야. 높이는 알 수 없잖아. 아쉽네.

지훈: 아니야. 높이를 알 수 있어. 우리가 공부한 삼각비를 활용하면 알 수 있어.

우진: 정말? 어떻게?

지훈: 봐. 경사가 45°의 각도로 30m 만큼 올라가서 낙하한데. 그러면 롤러코스터의 높이는 밑변의 길이가 30 이고 한 각이 45° 인 직각삼각형의 높이와 같아.

우진: 아 그럼 $\sin 45°$는 $\dfrac{\sqrt{2}}{2}$ 니까, 롤러코스터 높이는 $15\sqrt{2}$m 구나.

지훈: 맞아. 옛날에도 이주 높은 곳의 높이는 삼각비를 이용해 측정하였데.

우진: 그러리면 삼각비를 활용하려면 어째든 한 변의 길이를 알아야하잖아. 그건 어떻게 아는거야

지훈: 거리와 기울기를 이용해서 평균 속도로 벌리면 알 수 있어. 예를 들어 시속 30 km/h로 30초 동안 떨어지면 $15km$를 이동하게 되는거지.

우진: 아. 그럼 그 길이와 기울기 각을 알았으니 이번엔 탄젠트를 이용하면 높이를 알 수 있구나!

지훈: 맞아. 아 이제 머리 아프다. 얼른 타러 가자.

학생
답안
2

제목: 세 형제

사인 부족, 코사인 부족, 탄젠트 부족이 광활한 대평원에서 살고 있었습니다.
세 부족은 목적이나 효건건이라 주위에 있던 세 나라를 정복하기로 마음먹었습니다.
세 나라는 삼각형 모양의 호수를 둘러 싸고 있었는데
각 나라는 빗변 나라, 밑변 나라, 높이 나라로 불렸습니다. 빗변
빗변 나라는 삼각형의 빗변에, 밑변 나라는 삼각형의 밑변에,
높이 나라는 삼각형의 높이에 있었기 때문에 이런 이름으로
불리게 되었습니다.

높이

세 부족은 땅을
먼저 정복한 부족이 얼마라고
합의하고 침략을 시작했습니다. 밑변

사인 부족과 코사인 부족은 가장 큰 빗변 나라를 정복하기
위해 임시로 연합하여 빗변 나라를 잡았습니다. 그리고 나서
사인 부족은 높이 나라, 코사인 부족은 밑변 나라로
말 머리를 향했습니다. 하지만 빗변 나라와 싸울 때
힘을 다 써 탓인지 두 부족 모두 고전을 면치
못했습니다. 밑변 나라와 높이 나라가 두 부족에게만
관심이 집중되었을 때, 조용히 숨어 있던 탄젠트 부족이

사인 부족
빗변 나라
밑변나라
탄젠트 부족

밑변 나라를 혼자 짓밟았습니다. 남은 것은 높이 나라였습니다. 높이 나라는 겁내로
우리 위에 올라올 수 없을 거라며 결사항전했습니다. 탄젠트 부족은 원래부터
높이 나라를 공격하면 사인 부족과 연합하였습니다. 코사인 부족은 힘이 다해 합여할
수 없었습니다. 두 부족이 높이 나라를 합동 공격했지만 높이 나라에 올라설 수
없었습니다.
사인 부족은 빗변 나라를 짓밟았지만 높이 나라에 올라설 수 없었고, 코사인 부족은
빗변 나라를 짓밟았지만 밑변 나라에 올라설 수 없었으며 탄젠트 부족은 밑변 나라를
짓밟았지만 높이 나라에는 올라설 수 없던 것이었습니다.

제목: 세상을 움직이는 힘, 삼각비

삼각비, 어떻게 보면 중학교 수학에서 가장 쉬운 부분인지도 모른다.

'직각삼각형 빗변 c, 밑변 b, 높이 a라 할 때 $\sin A = \frac{a}{c}$, $\cos A = \frac{b}{c}$, $\tan A = \frac{a}{b}$' 라는 한 문장으로 정리할 수 있으니 말이다.

하지만 이 간단한 원리는 우리 생활 속에 생각보다 깊게, 그리고 넓게 침투해 있다. 우리가 매일 사용하는 지도. 이 지도를 제작하기 위한 측량 과정에서는 삼각비가 이용된다. 기준각과 한 변의 길이만 알면 나머지 두 변의 길이를 알 수 있는 삼각비의 성질이 이용될 것이다.

수학과 전혀 관련이 없어 보이는 분야에서도 삼각비는 그 존재를 드러내고 있다. 수많은 뮤지션들이 사용하는 음향 편집 프로그램은 원래 소리를 수많은 '준음'(주파수가 일정한 음)으로 분해하는 '푸리에 변환' 방식으로 작동한다.

그 외에도 우주 탐사선, 정밀 장비 등 실생활에서부터 연구실까지 삼각비와 이를 응용한 삼각 함수가 사용되지 않는 곳은 없다고 보아도 무방하다.

이처럼 간단하면서도 수많은 곳에서 존재감을 드러내는 삼각비야말로 세상을 움직이는 힘이 아닐까?

개념과 원리 연결하기 예상 답안

교과서(하) 28~29쪽

1

나의 첫 생각

삼각형의 넓이를 구하려면 밑변의 길이와 높이를 알아야 하는데 빗변의 길이만 가지고는 구할 수 없다. 혹시 삼각형을 돌려서 20을 밑변으로 하고 높이를 구할 수 있을까?

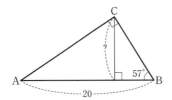

다른 친구들의 생각

밑변의 길이와 높이가 주어져 있지 않지만 삼각비를 이용하면 가능할 것 같다.

삼각비의 표에서 사인값을 알 수 있으니

$\sin 57° = \dfrac{\overline{AC}}{\overline{AB}}$ 임을 이용하여 높이 $\overline{AC}$의 길이를 구하고 ∠A의 크기가 33°이므로 $\sin 33° = \dfrac{\overline{BC}}{\overline{AB}}$ 임을 이용하여 밑변 $\overline{BC}$의 길이를 구하면 넓이를 구할 수 있어.

정리된 나의 생각

삼각비를 이용하면 밑변의 길이와 높이를 구할 수 있다.

$\sin 57° = \dfrac{\overline{AC}}{\overline{AB}}$ 에서

$\overline{AC} = \overline{AB} \times \sin 57°$
$= 20 \times 0.8387 = 16.774$

$\sin 33° = \dfrac{\overline{BC}}{\overline{AB}}$ 에서

$\overline{BC} = \overline{AB} \times \sin 33°$
$= 20 \times 0.5446 = 10.892$

따라서 직각삼각형 ABC의 넓이는

$\dfrac{1}{2} \times \overline{BC} \times \overline{AC} = \dfrac{1}{2} \times 10.892 \times 16.774$
$= 91.351204$

2 (1)

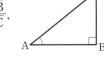

삼각비의 뜻

직각삼각형 ABC에서

$\sin A = \dfrac{\overline{BC}}{\overline{AC}}$, $\cos A = \dfrac{\overline{AB}}{\overline{AC}}$,

$\tan A = \dfrac{\overline{BC}}{\overline{AB}}$

이다. $\sin A$, $\cos A$, $\tan A$를 통틀어 ∠A의 삼각비라고 한다.

삼각비의 성질

① 직각삼각형에서 한 예각의 크기가 정해지면 직각삼각형의 크기와 관계없이 변의 길이 사이의 비가 일정하다. (이유 : 닮은 삼각형이므로)

② 예각의 크기가 커질수록 사인과 탄젠트의 값은 커지고, 코사인의 값은 작아진다.

③ 30°, 45°, 60° 등 특수한 각에 대한 삼각비의 값은 삼각비의 표를 이용하지 않고도 구할 수 있다.

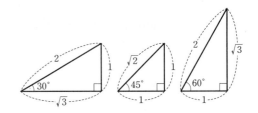

(2)

- 삼각형의 내각의 크기의 합은 180°이므로 직각삼각형에서 한 예각의 크기가 정해지면 다른 예각의 크기도 정해진다.

- 닮은 두 도형 사이에는 대응하는 변의 길이의 비가 각각 같으므로 서로 닮은 두 직각삼각형에서 세 변 사이의 길이의 비는 항상 일정하고, 여기서 삼각비가 만들어진다.

- 이등변삼각형의 꼭지각의 이등분선은 밑변을 수직이등분한다. 이때 직각삼각형이 생기고 직각삼각형에서 삼각비를 생각할 수 있다.

- 피타고라스 정리는 직각삼각형의 세 변의 길이가 a, b, c일 때 $a^2 + b^2 = c^2$ (c가 빗변의 길이)인 관계가 성립한다. 이것을 이용하면 직각삼각형의 두 변의 길이를 알 때 다른 한 변의 길이를 구할 수 있다.

학생
답안
1

나의 첫 생각

삼각비를 구할때 $\sin 57°$는 $\dfrac{\overline{AC}}{\overline{BA}}$ 이므로 $\dfrac{\overline{AC}}{20} = 0.8387$
이므로 $\overline{AC}$의 길이를 구하면 피타고라스의 정리로 $\overline{BC}$의 길이 까지 구할수 있다.

다른 친구들의 생각

$\cos B = \sin A$ 이므로 밑변과 높이를 구할수 있다.
$\sin A \times 20 = 10.892$ $\sin B \times 20 = 16.774$

정리된 나의 생각

삼각비로 넓이를 구하는 방법 = ① 삼각비로 구하기 ② 피타고라스로
구하기 ① = $\sin A \times 20 = 10.892$ $\sin B \times 20 = 16.774$로 넓이
를 구하기 ② = $\dfrac{\overline{AC}}{\overline{BA}}$ = $\dfrac{\overline{AC}}{20}$ = 0.8387로 $\overline{AC}$의 길이구하기
   $\overline{BC}$ = 피타고라스로 정리

학생
답안
2

나의 첫 생각

삼각비는 그저 정해신 규칙인줄만 알았는데 삼각 비를
이용해 삼각형의 넓이를 구할 수 있다는 사실에 의아했다.

다른 친구들의 생각

$\cos A = \sin A$ 이므로 밑변과 높이를 구할 수 있다.

$\sin A \times 20 = 10.892$ $\sin B \times 20 = 16.774$

정리된 나의 생각

삼각비표의 $\sin$값을 이용하여 $\overline{AC}$의 값을 구하고,
직각삼각형의 두 변의 길이가 주어졌으니 피타고라스
공식을 이용해 $\overline{BC}$를 구하면 넓이를 구할 수 있다.

식) $\dfrac{\overline{AC}}{20} = 0.8387$, $\overline{AC} = 16.774$ (약 16)

  $\overline{BC}^2 = 400 - 256 = 144$, $\overline{BC} =$ 약 12

∴ (넓이) $= \dfrac{1}{2} \times 16 \times 12 =$ 약 96

나의 첫 생각

각 B는 57°이므로 삼각비표에서 0.8387이므로 $\frac{x}{20} = 0.8387$

∴ $x = 16.794$이다. 약 16므3 두면 피타고라스3 BC는 12

따라 넓이는 약 96이다.

다른 친구들의 생각

$\sin 57° = 0.8387$이다. 따라 $\frac{AC}{20} = 0.8387$이다. $AC = 16.774$

$\sin 33° = 0.5446$가다. 따라서 $\frac{BC}{20} = 0.5446$이다. $BC = 16.774$ 10.892

$16.774 \times 10.892 \times \frac{1}{2} = \triangle ABC$의 넓이

정리된 나의 생각

삼각비표를 참고해 $\overline{AC}$오ㄴ $\overline{BC} = $ㅣ 길이를 구해 $\overline{AC} \times \overline{BC} \times \frac{1}{2}$을 통해 넓이를 구한다.

개념 사이의 연결성을 쓰는 과제 답안은 다음과 같이 다양할 수 있습니다. 주어진 개념을 먼저 정리해 보면 새 개념과 어떻게 연결되었는지를 생각할 수 있을 것입니다.

학생 답안 1

삼각비의 뜻

삼각비는 직각삼각형의 두 변의 길이의 비례 관계이다.
$\frac{a}{c}$ 를 $\sin A$ 라고 표기하고 사인 A 라고 읽는다.
$\frac{b}{c}$ 를 $\cos A$ 라고 표기하고 코사인 A 라고 읽는다.
$\frac{a}{b}$ 를 $\tan A$ 라고 표기하고 탄젠트 A 라고 읽는다.

직각이 아닌 다른 한 각의 크기가 주어지면 변의 길이와 상관없이 삼각비는 일정하다.
각이 증가할수록 탄젠트와 사인값은 증가하고 코사인값은 감소한다.
어떤 각을 기준으로 하는가에 따라 같은 두 변의 비율을 다르게 표현할 수 있다.
즉, $\sin A = \cos B$, $\cos A = \sin B$ 이다. 여기서 A의 각도와 B의 각도의 합이 $90°$이므로
$\sin A = \cos(90° - A)$, $\cos A = \sin(90° - A)$ 이다.

학생 답안 2

삼각비의 뜻

$\sin A = \dfrac{BC}{AB}$

$\cos A = \dfrac{AC}{AB}$

$\tan A = \dfrac{BC}{AC}$

$\angle COB$ 증가
$\angle COB$ 감소

$* \sin \mathcal{X}° = \cos(90° - \mathcal{X}°)$
$\sin 0° \to \sin 90°$
$\sin$ 증가, 1 넘지 X.
$\cos$ 감소
$\tan$ 증가, 1 넘음. (교각비 증가)

$\sin \mathcal{X}° = \dfrac{CD}{OC} = \dfrac{CD}{r} \to \mathcal{X}° \uparrow, \overline{CD} \uparrow, \sin \mathcal{X} \uparrow$

$\cos \mathcal{X}° = \dfrac{OD}{OC} = \dfrac{OD}{r} \to \mathcal{X}° \uparrow, \overline{OD} \downarrow, \cos \mathcal{X} \downarrow$

$\tan \mathcal{X}° = \dfrac{CD}{OD}$

학생
답안
1

삼각비의 성질

두 개념 사이의 연관성	모둠의 정리
· 삼각형과 사각형의 성질 · 도형의 닮음 · 피타고라스 정리	피타고라스 정리를 통하여 직각에 대한 삼각비를 연계 되었다. 서로 닮은 삼각형들은 삼각비가 변하지 않는 것을 보고 삼각비는 각에 따라 결정되고 변하지 않는 영향을 주지 않는다.

학생
답안
2

삼각비의 성질

두 개념 사이의 연관성	모둠의 정리
삼각형과 사각형의 성질 도형의 닮음 이등변삼각형의 성질 피타고라스 정리	도형의 닮음. - 모든 닮음조형의 삼각비는 동일하다. 피타고라스정리 - 이를 이용해 특정한 삼각형의 변의 비율을 알 수 있다.

학생
답안
1

내가 선택한 문제

탐구하기 6-2.

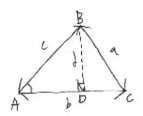

나의 깨달음

삼각형의 넓이를 구하기 위해서는 높이를 알아야 하지만 측정을 할 수 없을때 대응 방법을 찾아야 한다. 삼각형 ABC의 넓이는 삼각형 ABD의 넓이와 같다는 사실에서 $\overline{AB}$의 길이와 각 A의 크기를 안다면 삼각형 ABC의 넓이를 알 수 있다. 그러므로 $\overline{AC}$의 길이, $\overline{AB}$의 길이와 각 A의 크기를 알게 된다면 삼각형 ABC의 넓이를 구할 수 있다. 결론으로 삼각형의 넓이는 기존의 방식이 어떠하더라도 삼각비를 활용한다면 두 변의 길이와 그 사이각의 크기를 안다면 구할 수 있다.

∴ 삼각형의 넓이 : $\dfrac{1}{2} \cdot b \cdot d = \dfrac{1}{2} b \cdot c \cdot \sin A$

수학 학습원리

여러 가지 수학 개념 연결하기, 수학적 창의성, 돌아보기, 자신의 생각 정리하기.
- 삼각비를 활용하여 삼각형의 넓이를 구하는 새로운 방법을 삼각비와 연계 지었다.

내가 선택한 문제

이 정육각형의 한변 길이가 3인데 도형의 넓이는?

나의 깨달음

처음에는 구할 방법이 없는 듯해 보였지만 정육각형을 , 한 변의 길이가
3인 정삼각형 6개로 쪼갤수 있고 정삼각형을 반으로 쪼개 만
든 직각삼각형이 삼각비를 가지고 넓이를 구할수 있다는 것을
깨닫게 되면서 넓이를 구할수 있었다.

수학 학습원리

5. 여러가지 수학 개념 연결하기

학생
답안
3

내가 선택한 문제

sin, cos, tan의 값이 왜 달라질까?

나의 깨달음

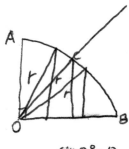

각도가 커지면 sin의 값도 커진다
(높이가 커져서)

각도가 커지면 밑변의 길이가 짧아져
cos의 값은 점점 작아진다

각도가 커지면 밑변의길이가 늘어나
tan의 값은 점점 작아진다

sin 0° = 0	cos 0° = 1	tan 0° = 0
sin 90° = 1	cos 90° = 0	tan 90° = X

수학 학습원리

학습원리 2   관찰하는 습관을 통해 규칙성을 찾아 표현하기

원 속 세상을 들여다 보자

– 원의 성질

이 단원의 핵심 지도 방향

원에 대한 학습은 중학교 1, 2학년에서도 계속 이루어져 왔습니다. 그러므로 중학교 3학년 원의 학습은 중학교 1, 2학년의 원과 연결하여 다루는 것이 효율적일 것입니다. 수학의 발견 중1에서는 부채꼴과 호의 성질을 배울 때, 주로 비례 개념을 사용했고, 수학의 발견 중2에서는 외접원과 내접원이라는 개념을 배웠습니다. 그래서 3학년에서는 부채꼴과 호의 성질, 삼각형의 외심과 내심 개념과 연결하여 원을 배울수 있도록 탐구의 내용과 순서를 설계했습니다.

기본적으로 각각의 원의 성질은 직관적인 생각과 직접적인 측정 활동을 통해서 추측하게 했습니다. 그 후에 그 추측에 대한 책임을 완성하는 의미로 기호를 사용하여 논리적으로 설명하도록 구성했습니다.

학생들이 스스로 발견하기 어려운 원주각의 성질에 대한 학습은 중학교 2학년에서 다룬 직각삼각형의 외심의 위치와 연결을 시도했으며, 원을 12 등분하는 시계판과 시계 바늘을 사용했습니다.

이렇듯이 중학교 3학년의 원의 학습을 이전 학년에서 학습한 개념들과 밀접하게 연결하여 보다 단순하면서도 명확한 탐구 활동으로 구성했습니다.

여기서도 수학의 발견 중2 STAGE 6, STAGE 7을 전개했던 방법처럼 원의 성질을 탐구해 가는 '자신의 논리를 만들어가는 과정'에 초점을 두었습니다. 단순하게 원의 성질을 적용하여 선분의 길이와 각의 크기를 구하는 문제 풀이는 지양했습니다.

따라서 다음과 같은 과정에 따라 수업을 진행하는 것을 권장합니다.

⑴ 관찰을 통해 명제 만들기 또는 아는 내용을 이용하여 명제 만들기
⑵ 발견한 사실을 여러 가지 방법으로 정당화하기

특히 조건문 $p \longrightarrow q$의 가정 p를 이용하여 결론 q를 설명해 내는 과정에서 결론을 중간에 이용하는 혼란을 겪기가 쉽습니다. 수학의 발견 중2에서 탐구 활동을 통해 주어진 가정에서 출발하여 결론을 설명하는 과정이 무엇인지를 화살표 긋기, 종이 접기, 공학적 도구 등을 이용함으로써 지속적으로 경험했습니다. 3학년에서는 이 연장선에서 논리적인 연결성에 집중할 수 있도록 했습니다.

① 원래 모양 찾기 (원과 직선)

단원 지도 계획

/ 1 / 깨진 모양 복원하기

1차시 **개념과 원리 탐구하기 1**
원과 관련된 내용 복습

2차시 **개념과 원리 탐구하기 2**
원의 중심과 현의 수직이등분선

3차시 **개념과 원리 탐구하기 3**
현의 길이

4차시 **개념과 원리 탐구하기 4**
삼각형의 외심과 내심의 연결 (원의 접선)

5차시 **개념과 원리 탐구하기 5**
접선의 길이 (피타고라스 정리)

6차시 탐구 되돌아보기

• 교과서 각 소단원마다 제시된 탐구 되돌아보기는 개념과 원리 탐구하기와 연계하여 수업 시간 내 또는 수업 시간 이후 복습으로 활용할 수 있습니다.

/ 1 / 깨진 모양 복원하기 (원과 직선)

학습목표

1 직접 도형을 그리는 활동을 통해 원의 중심에서 현에 내린 수선의 성질을 발견하고 논리적으로 설명할 수 있다.
2 스트링아트 활동을 통해 나타나는 현상을 관찰하고 한 원에서 길이가 같은 현과 원의 중심으로부터의 거리 사이의 관계를 추론하고 설명할 수 있다.
3 현의 수직이등분선의 성질을 삼각형의 외심과 연결하여 추측하고 설명할 수 있다.
4 원의 접선의 성질을 삼각형의 내심과 연결하여 추측하고 설명할 수 있다.
5 원과 직선과 관련된 성질을 실생활에서 찾아보고, 이를 수학적으로 표현하고 설명할 수 있다.

2015 개정 교육과정 성취기준

원의 현에 관한 성질과 접선에 관한 성질을 이해한다.

교수 · 학습 방법 및 유의 사항

1 원과 비례에 관한 성질은 다루지 않는다.
2 공학적 도구나 다양한 교구를 이용하여 도형을 그리거나 만들어 보는 활동을 통해 도형의 성질을 추론하고 토론할 수 있게 한다.
3 도형의 성질을 이해하고 설명하는 활동은

관찰이나 실험을 통해 확인하기, 사례나 근거를 제시하며 설명하기,

유사성에 근거하여 추론하기, 연역적으로 논증하기

등과 같은 다양한 정당화 방법을 학생 수준에 맞게 활용할 수 있다.
4 '접선의 길이' 용어는 교수 · 학습 상황에서 사용할 수 있다.

평가 방법 및 유의 사항

정확한 용어와 기호의 사용, 복잡한 형식 논리 규칙의 이용을 요구하는 연역적 정당화 문제는 다루지 않는다.

핵심발문

현의 수직이등분선이 항상(또는 반드시) 원의 중심을 지난다는 것을 어떻게 설명할 수 있을까?

개념과 원리 탐구하기 1 _ 원과 관련된 내용 복습

탐구 활동 의도

- 원에 대해 배운 내용을 복습하는 활동이다. 직접 그림에 표시하는 활동을 통해 정의에 쉽게 접근하도록 했다. 또 기존에 배웠던 원과 관련된 용어의 정의와 내용을 정확하게 알고 있는지를 확인할 수 있도록 했다.
- 현, 접선에 대한 용어를 복습하고 그 성질을 그림을 통해 추측해 볼 수 있도록 함으로써 현, 접선에 대해 앞으로 배울 내용에 대한 동기를 유발하고자 했다.

예상 답안

[1] (1) 학생들의 답은 다양할 수 있다.

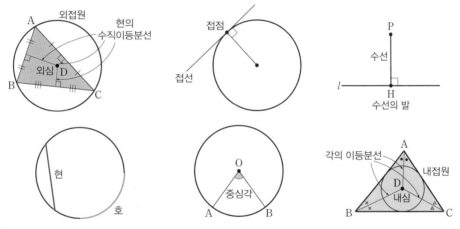

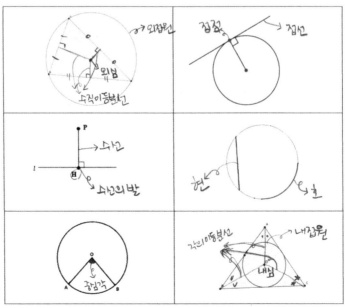

(2) • 원에 접하는 접선은 원과 한 점에서 만난다.
　　• 원의 중심에서 현에 내린 수선은 그 현을 이등분한다.
　　• 현의 길이는 중심각의 크기에 정비례하지 않는다.
　　• 원의 접선은 그 접선의 접점과 원의 중심을 이은 반지름과 수직이다.
　　• 현의 수직이등분선은 그 원의 중심을 지난다.
　　• 현의 길이가 길수록 원의 중심에 가까워진다.

• 현의 길이는 중심각과 비례하지 않음.
• 접점에서 원의 중심을 이으면 직각이 된다.
• 현의 수직이등분선은 원의 중점을 지난다.

• 원과 원의 접점은 원의 중심으로부터 내린 수선과 수직을 이룬다.
• 현의 길이는 중심각의 크기와 비례하지 않는다
• 중심축으로 같은 거리에 있는 현의 길이는 같다.

• 중심각의 크기가 같다면 호의 길이도 같다.

수업 노하우

• (1)에서 용어의 뜻은 개별적으로 그림에 표시하는 활동을 한 후 모둠에서 서로의 답을 공유하여 정리하도록 할 수 있다. 각자의 그림은 부정확할 수 있으나 모둠에서 이를 수정하면서 개념을 명확히 할 수 있다.

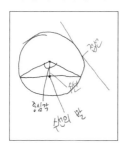  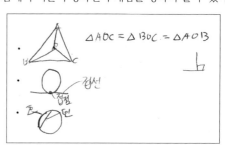

• (2)에서 원의 현이나 접선의 성질을 찾을 때는 문제의 그림을 이용하거나 직접 그려서 생각해 보게 할 수 있다.
• 1 에서는 우선 다양하게 많은 생각을 하게 한 후 정의와 성질을 구분해 보도록 할 수 있다.

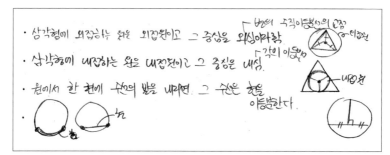

- ⑵에서는 증명을 하는 것이 아니라 추측이므로 꼭 이유를 설명하지 않아도 되며, 그림에서 가능할 만한 이야기를 꺼내 놓도록 하는 것에 주안점을 둔다.
- 현의 수직이등분선과 각의 이등분선을 표시하는 단계에서 다음과 같이 삼각형의 외심과 내심을 찾는 방법을 잘못 알고 있는 오류도 있을 수 있다. 이를 이용하여 외심과 내심을 작도하는 방법을 찾아보게 하는 것도 이후 학습에 도움이 될 수 있다.

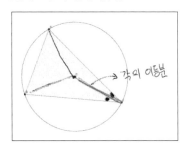 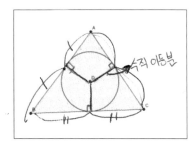

참고

수학의 발견 중2 STAGE 6 ② 삼각형에 딱 맞는 원의 탐구하기 1, 2에 자세한 내용이 있다.

주의

검정교과서는 이와 같은 도형의 성질이 교과서나 교사로부터 주어지고 학생들은 그것을 억지로 증명해야 하는 역할에만 머물렀다면 여기서는 학생들 스스로 발견하고 그것을 설명하는 과정을 거쳐 지식의 소유권이 학생들에게 형성되도록 하는 것에 초점을 두고 수업을 진행한다.

탐구 활동 의도

- ①은 그림을 그리는 활동을 통해 원의 중심에서 현에 내린 수선은 그 현을 이등분함을 발견하게 하는 활동이다. ②는 원에서 현의 수직이등분선은 그 원의 중심을 지남을 발견하게 하는 활동이다.
- 이미 발견한 수학적 성질을 그림과 함께 일방적으로 제시하고 그 설명 과정을 이해하라고 강요하는 것보다 스스로 발견하도록 안내하는 질문을 제공하는 것이 학생의 학습 동기를 유발할 수 있다.
- ①(1)에서는 그림을 직접 그리게 한다. 그리는 과정을 통해 보여지는 것을 관찰하여 직관적으로 현의 성질을 추측하게 했고 (2)에서는 현의 길이를 직접 측정해 그 추측을 확인하게 하고, 이를 수학적 기호를 사용해 설명하게 하는 것이 목적이다.
- ②는 지금까지 배운 방법으로는 증명하기 어려운 명제다. 따라서 보다 직관적으로 접근할 수 있는 탐구 과제를 주었다. (1)과 (2)에서 현의 수직이등분선의 성질을 발견하게 하고 가능한 만큼 설명할 수 있도록 했다.

예상 답안

①　(1) 학생들의 답은 다양할 수 있다.

나의 생각	모둠의 의견
· $\overline{OA}$와 $\overline{OB}$는 원의 반지름이므로 $\overline{OA}=\overline{OB}$이다. · 점 M은 원의 중심 O에서 현 AB에 내린 수선의 발이므로 $\angle OMA=\angle OMB=90°$다. · 원의 중심에서 현에 내린 수선은 이등변삼각형의 밑변의 수직이등분선이므로 두 삼각형 △OAM과 △OBM은 서로 합동이다.	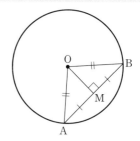 · 원의 중심에서 현에 내린 수선은 그 현을 이등분한다. · $\overline{AM}=\overline{MB}$, $\overline{AB}=2\overline{AM}$ · △OAM≡△OBM

학생
답안

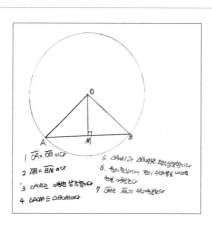

(2) 실제로 길이를 재 보면 $\overline{AM}$과 $\overline{BM}$의 길이가 같다. 따라서 현주의 주장은 옳다.

    △OAM과 △OBM에서 $\overline{OA}=\overline{OB}$ (반지름), $\overline{OM}$은 공통인 변,

    ∠OMA＝∠OMB＝90°이므로 △OAM≡△OBM (RHS 합동)이다.

    따라서 $\overline{AM}=\overline{BM}$이다.

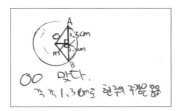

삼각형 OAB는 이등변삼각형이므로 ∠OAM＝∠OBM

점 M이 수선의 발이므로 ∠OMA＝∠OMB＝90°

두 삼각형에서 두 내각의 크기가 각각 같으므로 나머지 한 각의 크기도 같다.

∠AOM＝∠BOM

$\overline{OA}=\overline{OB}$ (반지름), $\overline{OM}$은 공통이므로

△OAM≡△OBM (SAS 합동)

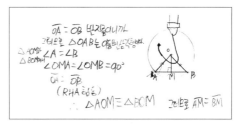

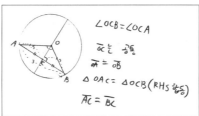

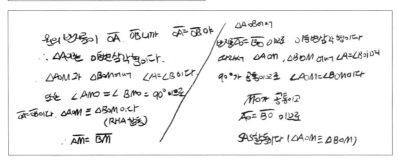

2 (1) 네 선분 중에는 연장했을 때, 원의 중심을 지나는 것은 없다.

    원의 중심을 지나는 직선은 현의 수직이등분선이어야 하는데 ①~④는 현의 수선이지만 이등분선은 아니다.

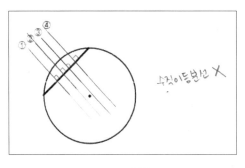

(2)

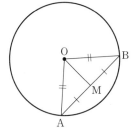 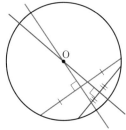

서로 다른 두 현의 수직이등분선은 원의 중심 O에서 만난다.

위의 왼쪽 그림에서 원의 중심 O와 현 AB의 중점 M을 이으면

△OAM과 △OBM에서

$\overline{AM}=\overline{BM}$, $\overline{OA}=\overline{OB}$ (반지름), $\overline{OM}$은 공통인 변이므로

△OAM≡△OBM이다. (SSS 합동)

따라서 ∠OMA=∠OMB=90°이므로 $\overline{OM}\perp\overline{AB}$다.

즉, $\overline{OM}$은 현 AB의 수직이등분선으로 원의 중심 O를 지난다.

따라서 위의 오른쪽 그림에서 서로 다른 두 현의 수직이등분선은 모두 원의 중심 O를 지나므로
두 현 각각의 수직이등분선은 원의 중심 O에서 만난다.

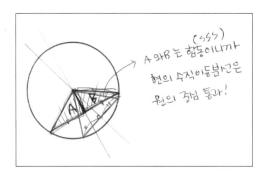

수업 노하우

- 1 (1)에서 그림을 그릴 때 한 문장씩 차례로 읽어주고 학생들이 따라서 그리게 할 수도 있다.
- 1 (2)는 여러 가지 방법으로 설명할 수 있다. 여러 가지 풀이 중 어떤 설명이 이해하기 쉬운지 학생별로
  이야기하게 해 볼 수 있다.
  - 원의 중심과 현의 수직이등분선 사이의 관계는 현의 양 끝점을 원의 중심과 연결하여 이등변삼각형을
    만들어 이등변삼각형의 성질을 이용하는 방법
  - 직각삼각형의 합동을 이용하는 방법
  - 두 삼각형의 세 각의 크기가 모두 같으므로 ASA 합동이라고 설명할 수도 있음.

- 2에서는 오른쪽 학생 답안과 같이 직접 현의 수직이등분선을 그리게 할 수 있다. 이러한 구체적인 활동을 통하여 현의 수직이등분선이 원의 중심을 지남을 직관적으로 이해할 수 있다.

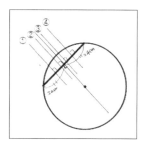

- 다음과 같이 수학용 컴퓨터 프로그램을 이용하여 다양한 현을 그리게 할 수 있다. 그리고 각 현의 수직이등분선이 원의 중심을 지남을 직접 확인할 수 있으며, 명제를 이해한 이후에 이 이유를 고민해 보게 할 수 있다.

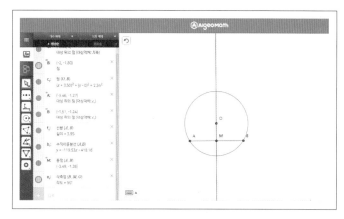

- 2에서 발견한 명제에 대해 엄밀하게 증명하기는 쉽지 않다. 엄밀한 증명보다는 이러한 성질이 있음을 직관적으로 발견하고 설명하게 하는 것에 초점을 둔다.

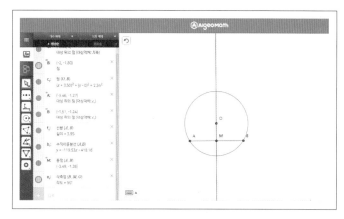

주의
- 어떤 사실을 논리적으로 설명할 때, 주어진 가정이나 이미 알려진 사실을 이용할 수 있지만 설명해야 하는 결론을 사용하는 오류를 범하지 않도록 주의한다. 설명해야 하는 사실 사이의 관계, 즉 설명의 선후 관계를 합의하는 과정은 기하 수업 전체에서 항상 강조되고 주의해야 할 사항이다.
- 가급적 다양한 사실을 추측할 수 있도록 분위기를 조성한다. 실수를 허용하고 실수 속에서 수학적 사실을 발견할 수 있다면 더 정확히 각인이 된다. 그리고 다양한 의견 발표의 효과성을 깨닫는 문화를 형성하기 위해 노력해야 한다.

참고
- 원에서 현의 수직이등분선은 그 원의 중심을 지남을 증명하기 위해서는 귀류법을 사용하는 것이 일반적이나 교육과정에서는 귀류법을 다루지 않으므로 위와 같이 간단히 증명한다.

탐구 활동 의도

- 한 원에서 길이가 같은 현들은 원의 중심으로부터 같은 거리에 있고, 또 원의 중심으로부터 같은 거리에 있는 현들은 길이가 서로 같다는 성질을 발견하기 위한 과제다.
- ①에서는 학생들의 호기심을 유발하기 위해 32개의 현을 그어 나타나는 도형을 관찰하게 했다. 그리고 이런 도형이 생기는 원인을 추측하게 했다.
- ②에서는 스트링아트 활동만으로는 현의 길이와 원의 중심 사이의 거리 관계를 직관적으로 유추하는 것이 어렵다고 판단했다. 그래서 현의 길이에 대한 성질과 스트링아트 활동을 연결짓는 과제를 제시했다. ②는 길이가 같은 현들은 원의 중심에서 같은 거리만큼 떨어져 있다는 성질을 설명하는 것이다.
- ③은 원의 중심에서 같은 거리에 있는 두 현의 길이가 같음을 논리적으로 설명하는 활동이다.

예상 답안

① (1) 학생들이 스트링아트를 제작한 결과는 다음 그림과 같다.

학생답안

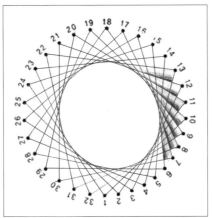 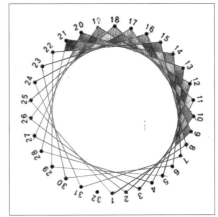

(2) 선분을 모두 연결하면 나타나는 도형은 원이다.

왜냐하면 각 현의 길이는 모두 같으므로 각 현은 주어진 원의 중심에서 같은 거리에 있고 선분의 윤곽으로 나타나는 도형은 각 현의 중점으로 만들어지는 선이다. 따라서 이 중점들은 원의 중심에서 각 현에 내린 수선의 발과 일치하고 원의 중심에서 일정한 거리에 있으므로 주어진 32개의 점들로 만들어지는 원과 중심이 같은 또 다른 원이 만들어진다.

학생답안

• 안에 있는 또다른 원을 만드는 점이 각 현 위의 점임을 설명한 경우는 옳은 설명으로 간주한다.

> 원이 나타난다. 선과 선의 교점이 서로 일정한
> 간격으로 교점을 생성한다 이 교점이 원의 접선과같이 되어서
> 선들이 원을 형성한다.

• 각 현의 교점, 현이 원의 접선이라고 설명한 경우도 옳은 설명으로 간주할 수 있다.

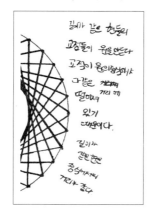

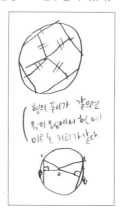

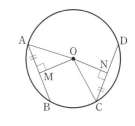

2 신영이의 말은 옳다.

원의 중심에서 현에 내린 수선은 그 현을 이등분하므로

$\overline{AM}=\overline{BM}$, $\overline{CN}=\overline{DN}$

이때 $\overline{AB}=\overline{CD}$이므로 $\overline{AM}=\overline{CN}$

△OAM과 △OCN에서

$\overline{AM}=\overline{CN}$, $\overline{OA}=\overline{OC}$ (반지름)

∠OMA=∠ONC=90°이므로

△OAM≡△OCN (RHS 합동)

따라서 $\overline{OM}=\overline{ON}$이다.

학생
답안

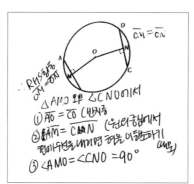

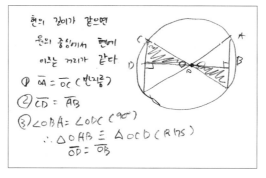

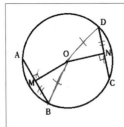

"같은 규칙으로 실을 이었으니까 <u>두 현의 길이는 같겠</u>지? 그러면 원의 중심과 현까지의 거리도 같을 것 같아."

1) $\overline{OB} = \overline{OP}$

2) $\overline{BM} = \frac{1}{2}\overline{AB}$, $\overline{ND} = \frac{1}{2}\overline{CD}$　　$\overline{AB} = \overline{CD}$ 이므로

　∴ $\overline{BM} = \overline{ND}$ ‥‥ ①

3) $\angle OMB = \angle OND = 90°$

4) $\triangle OMB \equiv \triangle OND$ (RHS합동)

　즉 $\overline{OM} = \overline{ON}$이다.

3 (1) 자를 이용하여 두 현의 길이를 재 보면 같으므로 윤혜의 주장은 옳다.

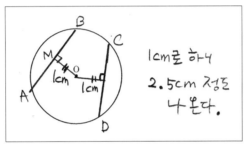

1cm로 하니 2.5cm 정도 나온다.

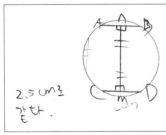

2.5cm로 같다.

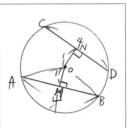

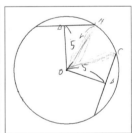

(2) 윤혜의 주장은 항상 옳다.

다음과 같이 원의 중심에서 두 현에 내린 수선의 발을 각각 M, N이라 하고 $\overline{OM} = \overline{ON}$이라고 하면

$\triangle OAM$과 $\triangle OCN$에서

$\overline{OM} = \overline{ON}$, $\overline{OA} = \overline{OC}$ (반지름)

$\angle OMA = \angle ONC = 90°$이므로

$\triangle OAM \equiv \triangle OCN$ (RHS 합동)

따라서 $\overline{AM} = \overline{CN}$이고 $2\overline{AM} = \overline{AB}$, $2\overline{CN} = \overline{CD}$이므로

$\overline{AB} = \overline{CD}$이다.

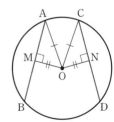

• 두 현을 어떻게 그렸는지에 따라 합동인 삼각형을 다양하게 만들 수 있다.

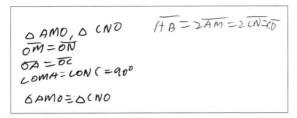

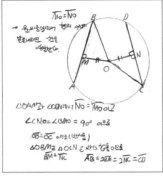

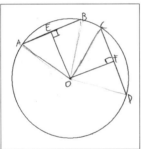

수업 노하우

• 보다 엄격한 설명은 꼭 필요한 경우에는 사용할 수 있지만 중학교 수준에서는 스트링아트에서 나온 직관적 결론을 이용하여 설명하는 것도 가능하다.

• 점 1과 점 8을 선분으로 연결하지 않을 수도 있다. 이것은 하나의 예시다.

  점 1과 점 7 → 점 2와 점 8 → 점 3과 점 9 → ⋯

  이와 같이 일정한 규칙으로만 연결하면 됨을 알게 하고, 결국 안쪽에 생기는 도형이 원임을 발견하게 할 수 있다.

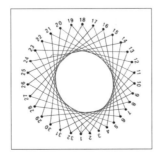
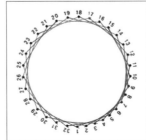
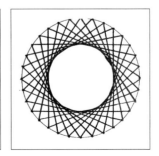

- 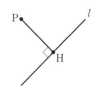 [2], [3]에서 나오는 '점과 직선 사이의 거리'는 중학교 1학년의 내용이지만 그 뜻을 정확히 알지 못하는 학생들이 많다. 점 P에서 직선 l에 내린 수선의 발을 H라고 할 때, 점 P와 직선 l 사이의 거리는 점 P와 점 H 사이의 길이와 같다.

- [2], [3]에서는 길이가 같음을 설명하기 위해 삼각형의 합동 조건을 이용해야 함을 학생들이 깨닫도록 발문할 수 있다.

> 길이가 같다는 것을 자로 재지 못한다면 어떻게 설명할 수 있을까요?

- 원과 관련된 증명에서는 직각삼각형의 합동 조건이 많이 사용된다. 직각삼각형의 합동 조건에 대한 이해가 부족한 것이 발견되면 잠시 직각삼각형의 합동 조건을 상기하고 이를 이용하여 설명할 수 있도록 돕는다.
- 어떤 두 삼각형이 합동임을 설명해야 할지 보조선을 긋고 논의할 시간을 제공할 수 있다. 다음과 같이 어떻게 보조선을 그어야 하는지 어려워하는 학생들이 있었다. [2]에서 어떤 두 삼각형을 비교해야 원하는 결론을 얻을 수 있는지 논의해야 [3]도 어렵지 않게 접근할 수 있다.

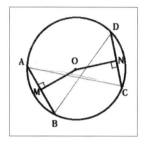
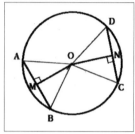

- [2]에서 합동인 두 개의 직각삼각형을 고르는 것은 두세 가지 방법이 있을 수 있다. 학생마다 다를 수 있으며 모두 가능한 방법임을 알게 할 수 있다.

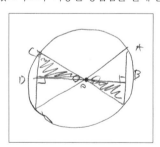
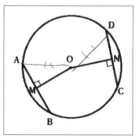
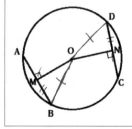

- [3]의 경우에 아래 예시와 같이 두 삼각형 ABO와 CDO가 합동이라고 설명하는 경우도 있었다. 결과는 두 현의 길이가 같다는 것으로 나왔지만, 어디를 수정해야 할지 논의해 보게 할 수 있다. 두 현의 원의 중심에 이르는 거리가 같다는 것에서 출발했는지 찾을 수 있게 한다.
- [3]의 경우에는 두 현을 어떻게 그리는가에 따라 삼각형이 다양하게 나올 수 있다. 여러 의견을 종합하여 중심에서 같은 거리에 있는 현을 어떻게 잡아도 두 현의 길이가 같음을 이와 같은 방법으로 설명할 수 있음을 알아갈 수 있도록 수업을 진행한다.

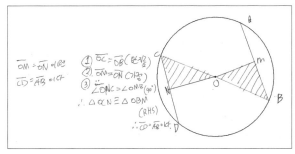

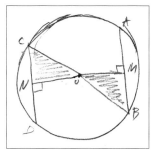

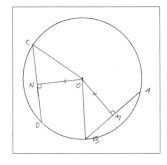

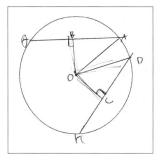

- 스트링아트는 제작하는 동안 집중력을 발휘하게 하고, 결과에 대한 심미적 감상력도 자아내게
  할 수 있는 소재다.

개념과 원리 탐구하기 4 _ 삼각형의 외심과 내심의 연결 (원의 접선)

교과서(하) 40쪽

탐구 활동 의도

- 외접원(외심), 내접원(내심)의 개념과 현의 수직이등분선의 성질을 연결하기 위한 과제다. 외심과 내심은 삼각형의 관점이라면, 여기서는 원의 관점에서 이를 분석하게 한다.

- ①은 중학교 2학년에서 배운 삼각형의 외심과 외접원을 이용하여 현의 성질을 추론하게 하는 과제 고, ②는 이를 활용하는 과제다. 보통 삼각형의 외심의 활용 문제로 언급되는 문제지만, 여기서는 현의 성질로도 접근할 수 있음을 알 수 있다. 또한 어떤 접근이 더 쉬운지도 비교해 볼 수 있다.

- ③은 삼각형의 내심과 내접원을 이용하여 원 밖의 한 점에서 그 원에 그은 두 접선의 성질을 발견 하게 하는 과제다. 외심과 마찬가지로 원 밖의 한 점에서 원에 그은 두 접선을 내심과 연결하고자 했다. 내접원과 내심의 활용 문제는 실제로도 원의 접선의 성질을 이용하면 간단하게 풀릴 수 있음 을 경험해 볼 수 있다.

예상 답안

① (1) 삼각형의 외심은 세 변의 수직이등분선의 교점이므로 세 변 중 어느 두 변의 수직이등분선을 그어 만나는 교점 O가 삼각형의 외심이 된 다.

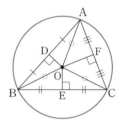

학생 답안

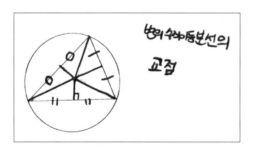

(2) 원에 내접하는 삼각형의 변은 이 삼각형의 외접원의 현이다. **탐구하기 2**에서 현의 수직이등분선 은 원의 중심을 지난다는 성질을 확인했다. (1)에서 세 변의 수직이등분선이 한 점, 외심에서 만 난다. 그러므로 현의 수직이등분선이 지나는 원의 중심과 삼각형의 세 변의 수직이등분선이 만 나는 외심은 일치한다. 이로써 외접원의 성질과 현의 이등분선의 성질이 연결됨을 확인할 수 있다.

학생 답안

- 한 원에서 여러 개의 현의 수직이등분선이 공통으로 지나는 점은 그 원의 중심임을 설명한 경우

현의 수직이등분선을 모두 원의 중심을 지나므로 한 점에서 만난다

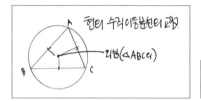

현을 수직이등분 하면 원의 중심을 나가게 되는데 그것들의 교점이면 각도 원일것이기 때문이고 원이여 점기서 접개지비 자리는 같을것이다.

- 삼각형의 한 변을 외접원의 현으로 본다. 삼각형의 외심은 한 원의 중심이 되기도 한다는 것을 설명한 경우

두 현에서 수직이등분선을 그려서 외심을 찾고 그 점에서 원을 그린다.

현의 수직이등분선은 원의 중심을 지난다

---

2 (1) 다음과 같이 원 모양을 복원할 수 있다.
　　① 각 현의 수직이등분선을 그린다.

　　② 각 현의 수직이등분선의 교점에서 수막새 테두리의 임의의 점까지를 반지름으로 하는 원을 그린다.

반지름

　　③ 완성한 원은 다음과 같다.

(2) 원에서 현의 수직이등분선은 원의 중심을 지나므로 두 현의 수직이등분선의 교점은 원의 중심이 된다.

(3) 얼굴무늬 수막새의 원 모양을 완전히 복원하기 위해서는 원의 중심과 반지름의 길이를 구해야 한다. 두 현의 수직이등분선의 교점으로 원의 중심을 찾으면 원의 중심에서 현의 한 끝점을 연결한 선분이 원의 반지름이 된다. 이렇게 구한 원의 중심과 반지름을 이용하여 원을 그리면 깨진 얼굴무늬 수막새의 원 모양을 복원할 수 있다.

• 원의 중심과 반지름을 어떻게 찾았는지 설명했다.

2. 다음 그림은 통일신라시대의 얼굴무늬 수막새
의 일부이다. 이 얼굴무늬 수막새의 본래 상태의
원 모양을 복원하려고 그림과 같이 두 개의 현을
그렸다. (수막새의 형태가 원인경우)
(1) 이 두 현을 이용하여 복원하는 방법을 써 보
자. 두현의 수직이등분선의 교점을 찾아
교점에 컴퍼스의 중심을 대고 테두리의
점을 이어데나 찍어 반지름을 원의 표시하고

현으로부터 수직이등분선을 그어서
중심을 알아내고, 중심으로부터 반지름을 구하고 중심에 맞춰그린다.

3 (1) 삼각형의 내심은 세 내각의 이등분선의 교점이므로 각 A,
각 B, 각 C 중 어느 두 각의 이등분선을 그어 만나는 교점
I가 삼각형의 내심이 된다.

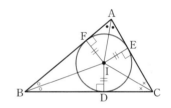

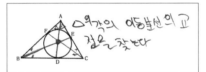

(2) • 원의 접선은 그 접점을 지나는 반지름과 서로 수직이다.
• 원 밖의 한 점에서 원에 2개의 접선을 그을 수 있다.
• 원 밖의 한 점에서 원에 그은 두 접선의 길이는 서로 같다.
그림과 같이 원 I 밖의 한 점 B에서 원 I에 그을 수 있는 접선은
2개다.
이때 두 접선의 접점을 각각 D, F라고 하면
△BFI와 △BDI에서
∠IFB=∠IDB=90° (원의 접선의 성질)
$\overline{ID}=\overline{IF}$ (반지름), $\overline{IB}$는 공통인 변이므로 △BFI≡△BDI (RHS 합동)
따라서 $\overline{BD}=\overline{BF}$이다.
[다른 풀이]
△BFI와 △BDI에서
∠IFB=∠IDB=90° (원의 접선의 성질)
∠FBI=∠DBI (내심의 정의), $\overline{IB}$는 공통인 변이므로 △BFI≡△BDI (RHA 합동)
따라서 $\overline{BD}=\overline{BF}$이다.

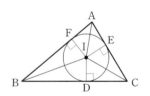

학 생
답 안

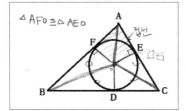

원의 접점에서 접선에 내린선도 접점과 90°로만나고 만난다

△AFO≡△AEO

- 한점에서 원에 그릴 수 있는 접선 2개
- 접점까지 이르는 거리가 같다.

수업 노하우

- 1에서 외심을 작도할 때 엄밀하게 눈금없는 자와 컴퍼스를 이용하지 않아도 된다. 아이디어가 중요한 것이므로 간편하게 수직이등분선을 그어도 된다. 작도가 아니라 개념적으로 외심을 찾는 과제다.

- 현의 수직이등분선의 성질은 외심과 밀접한 관계가 있는데 검정교과서의 방식은 둘 사이를 연결하는 설명이 부족하다. 이미 알고 있는 익숙한 사실로부터 새로운 사실을 논리적으로 연결해내는 것은 막연하게 설명하라는 것보다 학생의 이해와 참여를 보다 촉진할 수 있다고 판단하여 삼각형의 성질과 연결했다.

- 1에서 학생들이 직관적으로 이해는 할 수 있지만 논리적으로 설명하는 것이 쉽지 않을 수도 있다. 이 때 다음과 같이 발문해 볼 수 있으며 공학적 도구를 이용하여 실험해 볼 수도 있다.

  - 한 원에서 모든 현의 수직이등분선의 교점은 몇 개일까?
  - 한 원에서 모든 현의 수직이등분선의 교점은 어디에 있을까?

- 2는 다음과 같이 종이를 접어서 찾아보게 할 수도 있다.

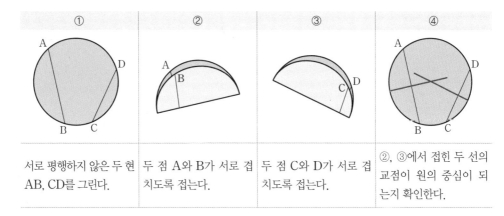

①	②	③	④
서로 평행하지 않은 두 현 AB, CD를 그린다.	두 점 A와 B가 서로 겹치도록 접는다.	두 점 C와 D가 서로 겹치도록 접는다.	②, ③에서 접힌 두 선의 교점이 원의 중심이 되는지 확인한다.

- 2에서는 수막새를 복원하기 위해 원을 그려야 하며, 이때 필요한 것은 원의 중심과 반지름임을 학생들이 설명할 수 있도록 진행한다. 학생들은 다음에서 볼 수 있듯이 원의 중심과 반지름이라는 용어를 정확히 사용하지 않을 수도 있다. 여러 가지 경우를 종합하여 원의 중심과 반지름을 찾아낸 과정임을 알아낼 수 있도록 진행한다.

• 원의 중심을 '원점', '외심'이라고 표현하기도 했다.

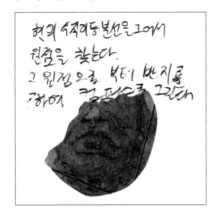

현의 수직이등분선을 그어서
원점을 찾는다.
그 원점으로 부터 반지름
정하여 컴퍼스로 그린다.

두 현에서 수직이등분선을 그려서
이심을 찾고 그 점에서 원을 그린다.

• '중심으로부터 원의 둘레까지'가 원에 대한 용어로는 무엇인지 생각해 보게 한다. 다른 학생들은 이를 어떻게 표현했는지 살펴볼 수 있도록 안내할 수 있다.

두 현을 이용하여 수직 이등분선으로
원의 중심을 정하고 중심으로 부터 원의
둘레까지를 컴퍼스로 잰후에 컴퍼스로 한바퀴 돌리면된다.

• ③에서 원의 접선의 성질을 일방적으로 제시하고 설명하는 방식으로는 접선의 성질을 이해시키기 어렵다고 판단했다. 접선의 성질을 스스로 발견하게 할 수 있는 방안을 제시하고자 내심의 개념과 연결하도록 시도한 것이다.

탐구 활동 의도

- **탐구하기 4**에서 탐구한 원의 접선의 성질과 중학교 2학년에서 학습한 피타고라스 정리를 연결하여 접선의 길이를 구하는 과제다.
- 접점을 지나는 원의 반지름과 접선이 서로 수직임은 중학교 1학년에서 직관적으로 배운 내용이지만, 여기서 다시 한 번 이해할 수 있도록 한다. 이와 더불어 실생활에서 원과 접선의 관계가 활용되는 것들을 찾아보게 할 수 있다.

예상 답안

1   (1) 인공위성에서 지구를 바라볼 때 가장 멀리 있는 지점은 입체도형으로 생각하면 굉장히 많다는 것을 알 수 있다. (오른쪽 그림의 빨간색 원 위의 모든 지점이다.) 이때 지구를 평면도형으로 생각하면 두 곳이라고 말할 수도 있다.

학생답안

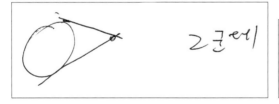

(2) 지구의 반지름의 길이를 알고, 지구로부터 떨어진 인공위성의 거리를 알고 있으면 피타고라스 정리를 이용하여 인공위성에서 바라볼 수 있는 지구 위의 가장 먼 지점까지의 거리를 구할 수 있다.

학생답안

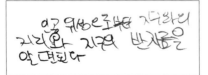

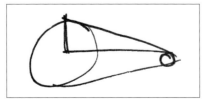

(3) 인공위성에서 볼 수 있는 지구의 가장 먼 지점과 인공위성
　　사이의 거리를 x km라고 하면
　　피타고라스 정리에 의해
　　$6000^2+x^2=10000^2$에서
　　$x^2=64000000$
　　$x=8000$
　　즉, 인공위성에서 바라볼 수 있는 지구 위의 가장 먼 지점까
　　지의 거리는 8000 km이다.

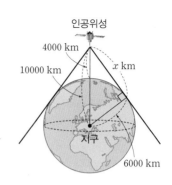

학생
답안

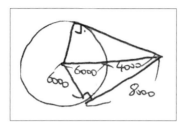

수업 노하우

- 구체적인 실제 사례를 통해 지금까지 배운 내용을 활용해 보도록 했다.
- 원 밖의 한 점에서 원에 그을 수 있는 접선은 두 개다. 이것을 구로 확대하면 '구 밖의 한 점에서 구에 그
  을 수 있는 접선은 무수히 많다.'는 성질을 추측할 수 있다.
- 입체도형에서 일어나는 현상을 이해하기 위해서는 입체도형을 자른 단면에 나타나는 평면도형을 이용한
  다. 인공위성과 구의 중심을 지나는 평면으로 구를 자르면 원과 원 밖의 한 점 사이의 관계로 연결된다.
- 이번 탐구하기는 논리적으로 설명하기보다 직관적으로 추측하는 내용이 포함되어 있음에 주의할 필요가
  있다.
  - 원 외부의 한 점에서 그 원에 그을 수 있는 접선은 두 개다.
  - 접선은 직선이지만 접선의 길이는 원의 외부의 한 점에서 접점까지의 선분의 길이를 말한다.
  - 원의 접선은 그 접점을 지나는 반지름과 서로 수직이다.

탐구 되돌아보기 예상 답안

교과서(하) 43~45쪽

(1) ◯ (2) ◯ (3) ◯ (4) ×

(1) 원의 중심 O에서 $\overline{AB}$, $\overline{CD}$에 이르는 거리가 $\overline{OM}=\overline{ON}$이므로 두 현 AB, CD의 길이는 같다.

(2) 원의 중심 O에서 현 CD에 내린 수선의 발 N은 현 CD를 이등분한다.

(3) $\overline{AM}=\overline{MB}$이고 $\overline{AB}=\overline{CD}$이므로 $\overline{CD}=2\overline{AM}$

(4) $\overline{AM}=\overline{MB}=\overline{DN}=\overline{NC}$

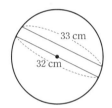

원의 반지름의 길이가 16 cm이면 원의 지름의 길이가 32 cm이므로 현의 길이는 최대 32 cm이다.

주어진 현의 길이는 33 cm이고 이것은 원의 지름의 길이보다 길 수 없으므로 그림은 잘못 되었다.

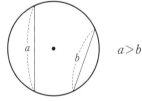

$a>b$

원의 중심에서 가까워질수록 현의 길이가 길어지므로 길이가 더 긴 현 a가 원의 중심에 더 가깝다.

① 타이어에 현을 2개 긋는다.

② 원과 현의 성질에서 현의 수직이등분선은 그 원의 중심을 지나므로 2개의 현의 수직이등분선의 교점이 타이어의 중심이 된다.

③ 타이어의 중심에서 타이어 둘레의 한 점까지의 길이를 재어서 타이어의 반지름의 길이를 구한다.

외접원을 그릴 수 없다.

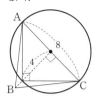

직각삼각형의 빗변은 외접원의 지름이고 세 점 A, B, C는 외접원 위의 점이기 때문에 △ABC의 높이가 외접원의 반지름의 길이보다 길 수 없다.

따라서 주어진 그림은 논리적으로 맞지 않기 때문에 외접원을 그릴 수 없다.

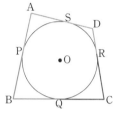

$\overline{AB}$, $\overline{BC}$, $\overline{CD}$, $\overline{AD}$는 각각 점 A, B, C, D에서 원 O에 그은 접선이다.

따라서 접선의 성질에 의해 $\overline{AS}=\overline{AP}$, $\overline{BP}=\overline{BQ}$, $\overline{CQ}=\overline{CR}$, $\overline{DS}=\overline{DR}$이므로

$$\begin{aligned}\overline{AB}+\overline{CD}&=(\overline{AP}+\overline{BP})+(\overline{CR}+\overline{DR})\\&=(\overline{AS}+\overline{BQ})+(\overline{CQ}+\overline{DS})\\&=(\overline{AS}+\overline{DS})+(\overline{BQ}+\overline{CQ})\\&=\overline{AD}+\overline{BC}\end{aligned}$$

$12\sqrt{10}$ cm²

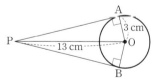

$\overline{PA}\perp\overline{OA}$이므로 피타고라스 정리에 의해

$$\overline{PA}=\sqrt{13^2-3^2}=\sqrt{160}=4\sqrt{10}\,(\text{cm})$$

또, △APO≡△BPO이므로 ▱APBO의 넓이는

$$2\times(\triangle APO\text{의 넓이})=2\times\left(\frac{1}{2}\times4\sqrt{10}\times3\right)$$
$$=12\sqrt{10}\,(\text{cm}^2)$$

제목: 원을 알면 쉬운 만두집기

내가 어떻게 터지지 않고 만두를 들고 있는지 궁금해?
비결은 간단해. 바로 무한한 훈련이지.

만두를 간단히 원이라고 생각해보자.
원 밖의 한 점에서 원에 그을 수 있는 접선의 수는 항상 두 개니까
우리는 이 두 개의 막대기로 이루어진 젓가락이 있으면 충분히 만두를 들 수 있어.

이제 두 젓가락이 각각 원의 접선이 되도록 조심히 만두를 집으면
접점에서 접선과 수직인 선은 무조건 원의 중심을 지나기 때문에
만두를 더 단단히 붙잡을 수 있어.

내게 수련을 더 받고 싶다면 원의 성질부터 공부해 오도록 해라.

제목: 마스터 씨푸의 비법

내가 대결을 하면서도 만두가 터지지 않게 젓가락으로 들고 있는 비결이
궁금하다고? 그것은 바로 젓가락 개수와 길이에 비밀이 있다네.

만두를 원, 젓가락은 직선이라고 생각해보면 원의 성질을 만족한다는 걸
쉽게 알 수 있지. 그 중에서도 내가 이야기하고 싶은건 "원 밖의 한 점에서
원에 그은 두 접선의 접점까지의 거리는 같다."는 성질일세.

그때, 젓가락의 길이가 같기 때문에 이렇게 한 손으로 만두를 터뜨리지
않고 들고 있을 수 있는거야.

제목: 왜 만두가 터지지 않을까?

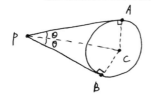

만두가 터지지 않는 이유는 원과 접선사이의 관계로 설명할 수 있다.
만두를 원이라 하고, 젓가락을 직선이라고 생각해보자.

원 밖의 점 P가 손의 위치, $\overline{AP}$, $\overline{PB}$가 젓가락이고, 점 A, B가
젓가락과 만두가 접하는 점이라고 하자.

원 밖의 점 P에서 원에 그은 접선은 2개만 존재하고, 이때
$\overline{PA} = \overline{PB}$가 성립하게 된다. 또한 ∠APC = ∠BPC = θ가 성립한다.
따라서 만두가 젓가락에 접힌 상태에서 궁극팬더와 치열한 대결이
이루어져도 터지지 않게 된다.

2 원 속의 각 (원주각)

단원 지도 계획

/ 1 / 똑같은 각을 찾아보자

1차시 — **개념과 원리 탐구하기 1**
원주각의 뜻과 성질 (1)

2차시 — **개념과 원리 탐구하기 2**
원주각의 뜻과 성질 (2)

3차시 — **개념과 원리 탐구하기 3**
원주각과 중심각 사이의 관계

4차시 — **개념과 원리 탐구하기 4**
네 점이 한 원 위에 있을 조건

5차시 — **개념과 원리 탐구하기 5**
굴렁쇠 굴리기

6차시 — 탐구 되돌아보기

7차시 — 개념과 원리 연결하기

8차시 — 수학 학습원리 완성하기

• 교과서 각 소단원마다 제시된 탐구 되돌아보기는 개념과 원리 탐구하기와 연계하여 수업 시간 내 또는 수업 시간 이후 복습으로 활용할 수 있습니다.

/ 1 / 똑같은 각을 찾아보자 (원주각)

학습목표

1 다각형과 원을 비교하여 원에서 한 호나 한 현에 대한 원주각의 크기가 일정함을 발견할 수 있다.

2 직각삼각형의 외심의 위치를 이용하여 원주각과 중심각 사이의 관계를 연결하여 추측할 수 있다.

3 한 호에 대한 원주각의 크기는 꼭짓점의 위치에 관계없이 일정하고, 중심각의 크기의 $\frac{1}{2}$임을 추론하고, 이를 설명할 수 있다.

4 점의 개수를 2, 3, 4로 늘려가면서 이들 점을 동시에 지나는 원이 존재하는지를 추론하고, 원에 내접하는 사각형의 성질을 추론하여 설명할 수 있다.

5 원의 접선의 성질을 연결하여 접선과 현이 이루는 각은 그 호에 대한 원주각의 크기와 같음을 추론하고, 이를 설명할 수 있다.

2015 개정 교육과정 성취기준

원주각의 성질을 이해한다.

교수 · 학습 방법 및 유의 사항

1 원과 비례에 관한 성질은 다루지 않는다.

2 공학적 도구나 다양한 교구를 이용하여 도형을 그리거나 만들어 보는 활동을 통해 도형의 성질을 추론하고 토론할 수 있게 한다.

3 도형의 성질을 이해하고 설명하는 활동은

관찰이나 실험을 통해 확인하기, 사례나 근거를 제시하며 설명하기,

유사성에 근거하여 추론하기, 연역적으로 논증하기

등과 같은 다양한 정당화 방법을 학생 수준에 맞게 활용할 수 있다.

4 '접선의 길이' 용어는 교수 · 학습 상황에서 사용할 수 있다.

평가 방법 및 유의 사항

정확한 용어와 기호의 사용, 복잡한 형식 논리 규칙의 이용을 요구하는 연역적 정당화 문제는 다루지 않는다.

핵심발문

원에서 크기가 같은 각을 여러 개 만드는 방법은 무엇일까?

탐구 활동 의도

- 한 원에서 한 호나 현에 대한 원주각의 크기가 일정함을 발견하는 활동이다. 여기서는 원이 아닌 직사각형과 오각형을 이용하여 원만이 가지는 특성으로서 원주각의 성질을 이해할 수 있도록 한 것이다.

- 원주각이라는 용어를 사용하지 않고 원의 고유한 성질로 접근했다. 사각형이나 오각형의 변에 여러 가지 각을 그리면 그 각의 크기는 일정하지 않지만 원의 현에서는 그 각의 크기가 일정함을 먼저 추측하게 하고 그 후에 확인하도록 했다. 이런 과정을 통해 원에 대한 성질을 탐구하고자 하는 호기심을 높이고자 했다.

예상 답안

1 (1) 학생들의 답은 다양할 수 있다.
  - 거의 다 비슷한 각도다.
  - 모두 똑같다.
  - 원주에 있는 네 각의 크기는 비슷하거나 같을 것 같지만, 사각형이나 오각형에 있는 네 각의 크기는 서로 다를 것 같다.
  - 선분 PQ에 대해 네 점 A, B, C, D가 얼만큼 높이 있는지에 따라 각의 크기가 달라질 것 같다. 점의 높이가 높아질수록 각의 크기가 작아지는 것 같다.

학생 답안

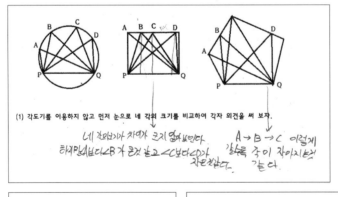

(2) 각도기를 이용하여 실제로 재어 보니 원주에 있는 각의 크기는 모두 같았지만, 사각형이나 오각형의 변에 있는 각들은 크기가 모두 달랐다.

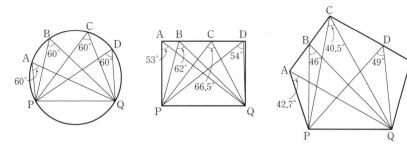

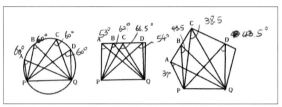

각도기 이용해보니 원 안의 네 각 ∠A, ∠B, ∠C, ∠D는 크기가 같았고 직사각형은
네각의 크기가 같지 않고 크기가 있었다. 또 오각형은 연의 네 각의 크기가 모두 같이
않았다. 그래서 내가 추측한 것에서는 원 안의 네 각의 크기가 같다는 것만 맞았다.

원 = 모두 60°이다.
사각형: ∠A = 53°, ∠B = 62°, ∠C = 66.5°, ∠D = 54°
오각형: ∠A = 37°, ∠B = 35.5°, ∠C = 38.5°, ∠D = 43.5°

원: PQ를 공통으로 했을 때 각의 크기가 같다. ⇒ 원주각
직사각형: 중심으로 같은쪽 각의 크기가 커진다.
오각형: »

2 원에서 한 호나 현을 양끝으로 하고 원주의 임의의 점에 의해 만들어진 각들은 모두 크기가 같다.

• 다음과 같이 원, 현, 호 등 정확한 용어를 사용하지 않더라도 의미가 전달되면 옳은 답으로
간주할 수 있다.

한 현의 양 끝점에서 원위의 한 점을 향해 선을짓고 만든 그 두선이
이루는 작은 어느 위치에서나 같다.

한 원 위에 두 점을 잡고, 다른 한 점과 이으면
그 점이 어디에 있든 그 각도는 같다.

→ 원주위의 어떤 한점에서 한 현의 선분을 먹은 두점을 연결한 선의 각은
항상 일정하다.

현이 같으면 원 위에
어떤 점을 잡아도
각이 같다.

- 먼저 도형의 성질을 학생들이 추측할 수 있는 기회를 제공하고, 그 추측한 바를 확인하는 과정을 거쳐 정당화에 이르는 방법을 학습의 전형(典型)으로 삼고자 했다.
- 원에 관한 성질을 다룰 때 원에서만 취급하지 않고 원이 아닌 사각형이나 오각형에서 확인하는 경험을 제공했다. 이를 통해 원이 가지는 특수성을 발견하는 것이 보다 확실해질 수 있다고 생각했다.
- 관찰하고 실제 측정한 후, 성질을 추측하여 정리해 볼 수 있도록 했고 **탐구하기 2**에서는 이를 점진적으로 구체화하여 설명할 수 있도록 한 것이다.
- 예상 답안에 제시한 것과 같이 설명할 때 학생들이 원, 현, 호 등 정확한 용어를 사용하지 않더라도 의미가 전달되면 옳은 답으로 간주할 수 있다.

 ## 개념과 원리 탐구하기 2 _ 원주각의 뜻과 성질 (2)

교과서 (하) 48쪽

탐구 활동 의도

- 직각삼각형의 외심의 위치를 이용하여 원주각과 중심각 사이의 관계를 연결해 보는 활동이다. 기존에 알고 있는 개념을 연결해 새로운 개념인 원주각의 성질을 발견하는 것이 목적이다.
- ①(1)은 직각삼각형의 외심이 빗변의 중점에 있음을 상기하고 복습하는 과제다.
- ①(2)는 빗변이 일치하는 직각삼각형을 직접 여러 개 그려 봄으로써 각 직각삼각형의 꼭짓점이 모두 빗변을 지름으로 하는 원주 위에 놓인다는 사실을 발견하게 했다.
- ②에서는 원주각과 중심각의 용어의 뜻을 이해하고 ①에서 발견한 사실을 수학적 용어로 설명하게 함으로써 이해를 높일 수 있게 했다.
- ③에서는 지름에 대한 원주각의 크기는 모두 $90°$가 됨을 이해하고 그 이유를 설명하게 한다.

예상 답안

① (1) 직각삼각형의 외심의 위치는 빗변의 중점이다. 직각삼각형의 빗변의 중점에 외심을 표시하면 된다.

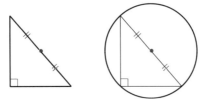

학생 답안

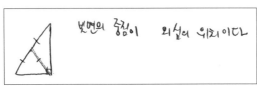

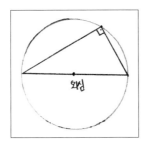
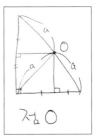

(2) 학생들의 답은 다양할 수 있다.

- 선분 AC를 빗변으로 하는 서로 다른 직각삼각형을 그리면 직각
  의 꼭짓점에 의해 원 모양이 나타난다. 이때 선분 AC는 원의 지
  름이다.
- 원에서 지름의 양 끝점과 원주의 임의의 점으로 만들어진 각들
  은 크기가 모두 90°로 같다.
- 빗변의 길이가 같은 서로 다른 직각삼각형을 포개면 외심이 모두 같다.
- 한 원에서 지름을 빗변으로 하는 삼각형은 모두 직각삼각형이다.

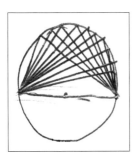
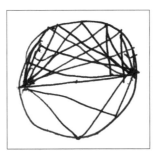

빗변이 같다 ○ 지름 _ 내접하게
원안에 삼각형을 그리면 직각삼각형이 된다.

빗변의길이가 같은 직각△은 외접원을공유한다.

2
- 선분 AC가 지름일 때, 호 AC에 대한 중심각의 크기는 180°이고, 지름에 대한 원주각의 크기는
  90°다.
- 지름에 대한 원주각의 크기는 모두 90°로 같다.
- 반원에 대한 원주각의 크기는 모두 90°로 같다.
- 지름에 대한 원주각의 크기는 중심각의 크기의 $\frac{1}{2}$이다.

1. 원주각은 중심각의 ½이다.
2. AC가 원의 지름 일때 원주각은 ½이다.
3. 같은 길이의 현에서는 원주각은 일정하다
4. 같은 길이의 그에서 원주각의크기와 중심각의 크기는 일정하다.

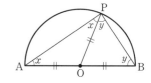

3 그림에서 반지름 OP를 이으면 $\overline{OP}=\overline{OA}=\overline{OB}$ (반지름)이므로, 두 삼각형 OAP, OBP는 모두 이등변삼각형이다.

∠APO$=x$, ∠BPO$=y$라고 하면

∠OAP$=x$, ∠OBP$=y$

삼각형 ABP의 내각의 크기의 합은 180°이므로

$x+(x+y)+y=180°$

$2(x+y)=180°$

따라서 ∠APB$=x+y=90°$이다.

즉, 지름에 대한 원주각의 크기는 항상 90°다.

학생
답안

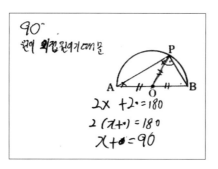

수업 노하우

- **2**에서 중심각은 중학교 1학년에서 다룬 용어고, 원주각은 여기서 처음 다루는 용어지만 원주각이라는 용어는 정의일 뿐 탐구해야 할 별도의 내용이 있는 것이 아니기 때문에 부연 설명은 하지 않고 바로 제시한 것이다. 다만 **1**에서 발견한 사실을 새로 배운 용어인 원주각을 사용하여 표현해 보도록 하여, 정의를 제대로 이해할 수 있는 기회를 주었다.

- **탐구하기 2**에서는 원주각의 크기가 중심각의 크기의 $\frac{1}{2}$임을 일반화하는 것을 목표로 하지 않았다. **탐구하기 3**에서 원주각과 중심각의 크기 관계를 발견하고 정당화하기에 앞서 직각삼각형의 외심의 성질을 통해 직관적으로 중심각의 크기와 원주각의 크기 사이의 관계를 탐구해 보고, 가설을 세워 볼 수 있도록 제시했다.

- 한 호에 대한 원주각은 무수히 많으며, 이들의 크기가 모두 같음을 보여주는 일반적인 사실을 학습하기 전에 지름에 대한 원주각의 크기가 90°임을 보이는 것은 기존 지식으로도 설명 가능하므로 이를 먼저 다루어 보기로 한 것이다.

- 학생들은 빗변이 같은 직각삼각형을 여러 개 그리면 한 꼭짓점이 한 원 위에 놓인다는 사실을 관찰하고 매우 신기해 했다.

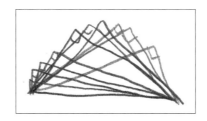

- 다음은 지름에 대한 원주각의 크기가 90°임을 닮음비로 설명한 경우다.

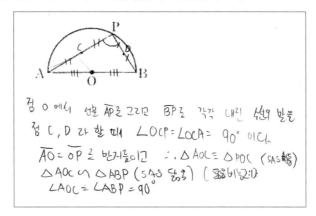

점 O에서 선분 $\overline{AP}$로 그리고 $\overline{BP}$로 각각 내린 수선의 발을 점 C, D라 할 때 $\angle OCP = \angle OCA = 90°$이다.
$\overline{AO} = \overline{OP}$로 반지름이고 $\therefore \triangle AOC \equiv \triangle POC$ (SAS합동)
$\triangle AOC \sim \triangle ABP$ (SAS 닮음) (닮음비는 1:2)
$\angle AOC = \angle ABP = 90°$

- 이 **탐구하기**에서는 이와 같이 원주각의 성질이라고 다루어온 것들 이외에도 학생들이 또다른 성질을 발견하는 것을 놓치지 않도록 주의 깊은 관찰을 하고 수업을 진행할 수 있도록 한다.

 개념과 원리 탐구하기 3 _ 원주각과 중심각 사이의 관계

교과서(하) 50쪽

탐구 활동 의도

- 원주각과 중심각의 관계를 탐구하는 과제다. 시계는 한 시간의 호에 대한 중심각의 크기가 30°임을 이용하여 구체적인 각으로 정당화할 수도 있고, 각도 조건이 표시되어 있지 않으므로 일반적인 방법으로 일반화할 수도 있다.
- ⎕1⎦(1)은 시계의 각 숫자가 원주를 12등분한다는 사실을 이용하여 중심각의 크기가 90°임을 구하는 과정을 통해 이 과제에 익숙해질 수 있도록 한 것이다.
- ⎕1⎦(2)는 원주각과 중심각의 연결 고리가 되는 지름을 제시했다.
- ⎕1⎦(3)은 꼭짓점이 달라져도 같은 호에 대한 원주각의 크기가 변하지 않음을 발견하게 하고, ⎕1⎦(4)는 꼭짓점의 위치가 보다 다양한 곳에 있어도 같은 호에 대한 원주각의 크기는 항상 일정함을 보이기 위한 것이다.
- ⎕2⎦는 ⎕1⎦에서 시계를 이용하여 원주각과 중심각의 크기를 비교한 경험을 토대로 이 관계를 일반화하는 정리를 발견하고 설명하는 과제다.
- ⎕3⎦은 실생활 문제를 원주각의 원리를 이용하여 보다 효과적으로 해결하는 경험을 해 보게 함으로써 일반화한 원리를 깊게 이해할 수 있도록 했다.

1　(1) 시계에서 각 숫자 사이의 호의 길이는 전체 호(원주)의 길이의 $\frac{1}{12}$이다.

원에서 한 호에 대한 중심각의 크기는 호의 길이에 정비례하므로 호 AD에 대한 중심각 ∠AOD 의 크기는

$$360° \times \frac{3}{12} = 90°$$

이다.

(2) 두 이등변삼각형 OAI, ODI의 두 밑각의 크기는 각각 같고, 삼각형에서 한 외각의 크기는 다른 두 내각의 크기의 합과 같으므로

∠AIO=x, ∠DIO=y라고 하면

∠AOC=$2x$, ∠DOC=$2y$

이다. 그런데 (1)에서 ∠AOD=90°이므로

$2x+2y=90°$

에서 $x+y=45°$, 즉 호 AD에 대한 원주각 ∠AID의 크기는 45°이다.

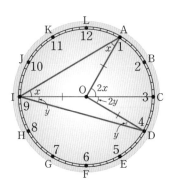

(3) 원주각의 꼭짓점 H와 원의 중심 O를 이은 반지름을 생각하면 호 AD에 대한 원주각 ∠AHD의 크기도 (2)와 마찬가지로 45°임을 알 수 있다.

(학생에 따라서는 여기서도 (2)와 똑같은 풀이를 완성할 수도 있다.)

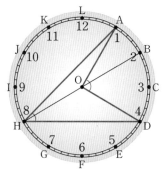

(4)

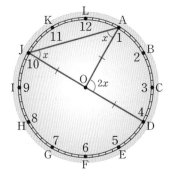

△AOJ는 이등변삼각형이므로 ∠AJO=x라고 하면 ∠JAO=x

∠AOD=$2x$=90°이므로 x=45°

즉, 호 AD에 대한 원주각 ∠AJD의 크기는 45°다.

또한, 꼭짓점 F와 원의 중심 O를 이은 지름은 점 L을 지나고 ∠AFL=x, ∠DFL=y라고 하면

∠AFD=∠LFD−∠LFA=$y-x$

그런데 ∠AOD=$2y-2x$=90°이므로 $y-x$=45°다.

즉, 호 AD에 대한 원주각 ∠AFD의 크기는 45°다.

2 1을 통해 알게 된 사실을 정리하면 다음과 같다.

① 한 호에 대한 원주각의 크기는 중심각의 크기의 $\frac{1}{2}$이다.

② 한 호에 대한 원주각의 크기는 항상 같다.

> 원주각의 크기는 중심각의 크기의 $\frac{1}{2}$로서, 중심각이 일정할 때 이에 대한 원주각의 크기는 일정하다.

> 1. 호의 길이가 같으면 원주각의 크기가 항상같다.
> 2. 중심각은 원주각의 2배

> 중심각 = 원주각
> $\frac{2}{}$
> 원주각의 크기 : 중심각의 크기 = 1 : 2

3 지민이가 제일 유리하다.

의자를 원의 중심으로 생각하고 지수, 보검, 서준이를 모두 지나는 원을 그릴 수 있다. 왜냐하면 '보검－의자－서준'이 이루는 각은 보검과 서준의 호에 대한 중심각으로 80°이고, '보검－지수－서준'이 이루는 각은 보검과 서준의 호에 대한 원주각으로 40°이기 때문이다.

따라서 지수, 보검, 서준이는 의자로부터 같은 거리에 있다.

또한 40°보다 작은 38°인 각의 꼭짓점에 위치해 있는 하영이는 원 밖에 있고, 40°보다 큰 42°인 각의 꼭짓점에 위치해 있는 지민이는 원 안에 있음을 알 수 있다.

따라서 하영이가 의자로부터 가장 멀리 있어서 제일 불리하고 지민이는 의자로부터 가장 가까이 있어서 제일 유리하다.

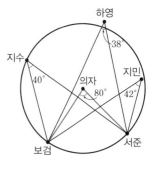

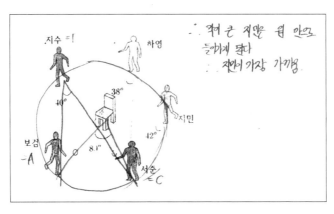

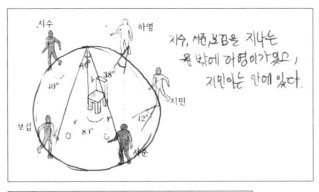

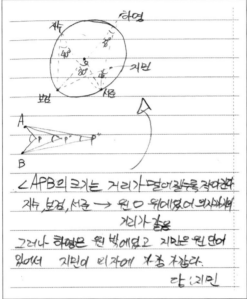

- [1](2)에서 1시와 4시를 호로 하는 원주각의 꼭짓점을 9시에 잡은 것은 이 꼭짓점과 원의 중심으로 만들어지는 두 삼각형 OAI, ODI 각각의 내각 ∠OIA, ∠OID의 크기가 서로 다르게 되도록 하기 위함이다.
- [1](3)과 (4)는 각각 꼭짓점과 원의 중심을 이은 지름이 호의 내부에 있는 경우와 그렇지 않은 경우로 나눠서 조사하도록 경우를 나누어 준 것이다.
- 원주각의 꼭짓점의 위치를 분류하여 제시한 것은 다소 단계적으로 보일 수 있지만, 원주각과 중심각 사이의 관계를 열린 질문으로 진행했을 때 학생들이 어려워 하기 때문에 이 방법을 제시했다.
- [1]은 엄격하게 말하면 임의의 호에 대한 원주각과 중심각의 관계를 탐구한 것이라고는 할 수 없지만 중심각의 크기가 90°인 경우를 자세히 탐구함으로써 이것을 일반화하는 귀납적인 정당화의 과정이라고 볼 수 있다.

탐구 활동 의도

- 원에 내접하는 사각형이 갖는 특성에 대해 알아보는 과제로 원에 내접하는 사각형을 배우기에 앞서 외심에 대한 복습과 동시에 원에 내접하는 삼각형에 대해 알아보는 활동이다.
- ①은 세 점까지는 한 원 위에 있을 수 있지만 네 점이 한 원 위에 있으려면 특수한 조건을 갖춰야 함을 이해하게 한다.
- ①(3)에서는 사각형이 원에 내접하려면 마주보는 대각의 크기의 합이 180°가 되어야 하는 이유에 대해 추론해 볼 수 있다. 원에 내접하는 사각형은 흔하지 않으며, 보통의 사각형은 원에 내접하지 않음을 이해하게 한다.
- ②(1)은 원에 내접하는 사각형과 그렇지 않은 사각형의 예를 통해 서로 다른 네 점을 지나는 원이 항상 존재하지는 않을 수 있다는 것을 발견할 수 있다. 또한 항상 원에 내접하는 사각형에는 어떤 사각형이 있는지 사고를 확장해 볼 수 있다.
- ②(2)는 원에 내접하는 사각형의 외각에 관한 성질을 탐구한 것이다.

예상 답안

1   (1) 서로 다른 두 점을 지나는 원은 무수히 많다.

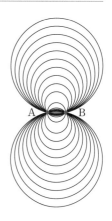

학생
답안

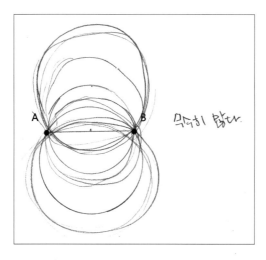

(2) 서로 다른 세 점을 지나는 원은 한 개뿐이다.

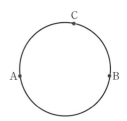

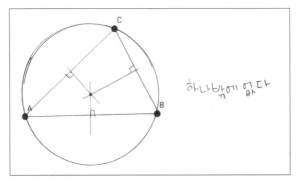

하나밖에 없다

(3) 주어진 서로 다른 네 점을 지나는 원은 그릴 수 없다.

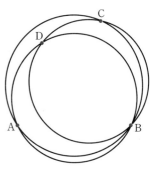

(4) [나의 생각]
  • 서로 다른 두 점을 지나는 원은 항상 무수히 많이 존재한다.
  • 서로 다른 세 점을 지나는 원은 항상 단 한 개 존재한다.
  • 서로 다른 네 점을 지나는 원은 존재할 때도 있고 존재하지 않을 때도 있을 것 같다.

[모둠의 의견]
  • 서로 다른 두 점 A, B를 지나는 원의 중심은 항상 선분 AB의 수직이등분선 위에 있다. 따라서 $\overline{AB}$의 수직이등분선 위의 임의의 점을 중심으로 하고 두 점 A, B를 지나는 원을 그릴 수 있으므로 그릴 수 있는 원의 개수는 무수히 많다.
  • 서로 다른 세 점을 동시에 지나는 원은 세 점을 꼭짓점으로 하는 삼각형의 외접원이다. 따라서 단 한 개뿐이다.
  • 서로 다른 네 점을 동시에 지나는 원은 네 점을 꼭짓점으로 하는 사각형이 원에 내접하는 경우에만 존재한다.

  • 서로 다른 두 점을 지나는 원은

항상 무수히 많이 존재한다 한 점에서 또 다른 점으로의 길이가 원의 반지름이 될 수 있기 때문에 두 점을 지나는 원은 항상 존재한다

존재O 두점을 이으면 선분이 생기고 선분을 지름이나 현으로 잡는다면 원을 그릴수있다.

그렇다 두점 사이에 중점을 찍고 원을 그린다

항상 길게란다. 그 점사이의 중점은 항상 존재하고 그럼 원을 그리면 그 점을 항상 지나

서로 다른 두점이 주어지면 이 두점을 지나는 원의 무수히 많다. 왜냐하면 원의 중심이 두점을 대는 직선에 수직이등분선 에있는 점이 (무수히 중심이 될수) 이때는

• 서로 다른 세 점을 지나는 원은

삼각형이 있으면 그것의 외심이 곧 원이므로 세 점을 지나는 점은 항상 존재한다고 생각있지만 세 점이 일직선 위에 있으면 그렇지 않지는 생각 했다.

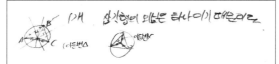

1개 삼각형이 외심은 하나이기 때문이다.

존재O 세점을 이으면 삼각형이되고 삼각형은 외접원이 항상존재하기 때문 (단, 세점이일

세점을 이어주고 선의 수직이등분의 위치에있는 점이 있기 때문에 세 점을 지나는 원은 하나이다.

• 서로 다른 네 점을 지나는 원은

항상 존재지러 않는다 서로 다른 너점과 모두 같은 거리가 있는 점이 없을수 있기 때문에 항상 존재라지는 않는다.

먼저 세 점을 지나는 원을 그려보면 외에 경우나 외관거리가 세 점을 꼭짓점으로 하는 외접원이다. 나머지 한 점이 그 원위에 있는 경우는 네 점을 지나는 원이 존재하리만 그렇지 않는 경우에는 존재하지 않는다.

2 (1) 시계에서 각 숫자 사이의 호의 길이는 전체 원주의 길이의 $\frac{1}{12}$이다.

원에서 한 호에 대한 중심각의 크기는 호의 길이에 정비례하고 원주각의 크기는 중심각의 크기의

$\frac{1}{2}$이므로 사각형 AHDC의 네 내각의 크기는 다음과 같다.

$$\angle DCA = 360° \times \frac{9}{12} \times \frac{1}{2} = 135°, \quad \angle CDH = 360° \times \frac{7}{12} \times \frac{1}{2} = 105°$$

$$\angle DHA = 360° \times \frac{3}{12} \times \frac{1}{2} = 45°, \quad \angle CAH = 360° \times \frac{5}{12} \times \frac{1}{2} = 75°$$

사각형 AHDC에서 마주보는 두 내각의 크기의 합은

$\angle DHA + \angle DCA = 45° + 135° = 180°, \quad \angle CAH + \angle CDH = 75° + 105° = 180°$

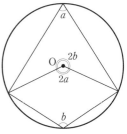

이는 원에 내접하는 모든 사각형에서 성립한다. 원의 중심에서 대각의 위치에 있는 두 개의 꼭짓점을 연결하여 생긴 두 개의 중심각은 나머지 내각을 원주각으로 갖고 원주각의 크기가 중심각의 크기의 $\frac{1}{2}$이므로 원에 내접하는 사각형의 마주보는 두 내각의 크기의 합은 항상 180°다.

(2) 성철이의 주장은 옳다.

원에 내접하는 사각형 ABCD에서

$\angle BAD + \angle BCD = 180°$이므로

$\angle BAD = 180° - \angle BCD$

또, $\angle BCD + \angle DCE = 180°$이므로

$\angle DCE = 180° - \angle BCD$

따라서 $\angle BAD = \angle DCE$다.

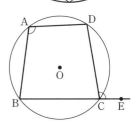

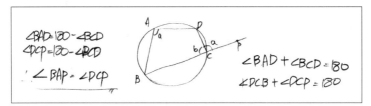

(3) 사각형이 원에 내접하기 위한 다음 조건을 만족할 때 서로 다른 네 점을 동시에 지나는 원이 존재한다. 일반적으로 다음과 같이 정리할 수 있다.

① 한 쌍의 대각의 크기의 합이 180°인 사각형은 원에 내접한다.

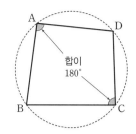

② 한 외각의 크기와 그 내각의 대각의 크기가 같은 사각형은 원에 내접한다. 즉, ∠BAD = ∠DCE이면 사각형 ABCD는 원에 내접한다.

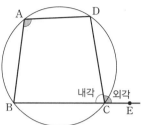

참고 직선 AB에 대해 같은 쪽에 있는 두 점 C, D에서 ∠ACB = ∠ADB이면 네 점 A, B, C, D는 한 원 위에 있으므로 □ABCD는 원에 내접한다.

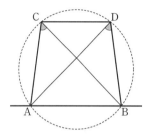

수업 노하우

- ①에서 두 점, 세 점을 지나는 원은 **수학의 발견 중2 STAGE 6**에서 외심의 뜻을 배울 때 다루었다. 학생들이 네 점의 경우는 어떻게 되는지 다음과 같이 질문을 하기도 했다.

> 네 점을 지나는 원은 존재하는가
> 한 개만 존재하는가 ?

- 여기서는 배운 내용을 복습함과 동시에 원주각의 성질은 삼각형의 외심과 연결할 수 있다. 즉 삼각형의 세 꼭짓점을 지나는 외접원은 항상 존재하지만, 네 점을 모두 지나는 원은 항상 존재하는 것은 아님을 발견할 수 있다.
- ②에서 다시 시계를 준 것은 각도기를 사용하지 않아도 각의 크기를 계산할 수 있기 때문이다.
- 학생들은 다음과 같은 여러 가지 방법으로 설명했다.
  - 직접 각도를 구한 경우

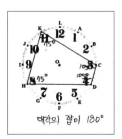

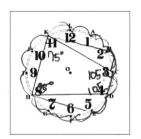

• 같은 크기의 각을 기호로 나타낸 경우

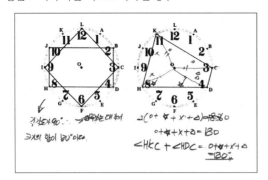

원에 내접하는 사각형에서 마주보는
대각의 합은 180°이다.

∠KHD + ∠KCD = 180°
∠HKC + ∠HDC = 180°

• 문자를 사용한 경우

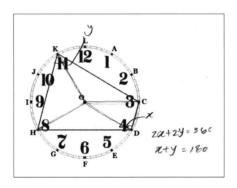

  ## 개념과 원리 탐구하기 5 _ 굴렁쇠 굴리기

교과서(하) 55쪽

탐구 활동 의도

• 접선과 현이 이루는 각은 그 호에 대한 원주각의 크기와 같음을 탐구하는 활동이다. 전통놀이의 한 종류인 굴렁쇠라는 소재로 흥미를 유발하고자 했다.
• 한 호에 대한 중심각의 크기는 그 호에 대한 원주각의 크기의 두 배라는 성질과 이등변삼각형의 두 밑각의 크기는 같음을 이용하는 과제다.
• ① **원래 모양 찾기**에서 배운 원과 접선과의 관계와도 연결하여 복습하게 할 수 있다.

예상 답안

1   (1) 각 BTC와 크기가 같은 각은 각 BAT일 것으로 추측할 수 있다.
각도기를 이용하여 실제로 네 각의 크기를 재어 보면
∠BTC=46°, ∠BAT=46°, ∠ABT=60°, ∠BTA=74°
이므로 ∠BTC=∠BAT이다.

학생
답안

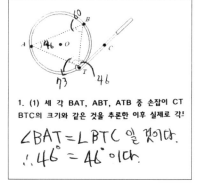

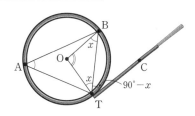

1. (1) 세 각 BAT, ABT, ATB 중 손잡이 CT BTC의 크기와 같은 것을 추론한 이후 실제로 각!

∠BAT = ∠BTC 일 것이다.
∴ 46˚ = 46˚ 이다.

(2) 접점을 지나는 원의 반지름과 접점에서의 접선이 이루는 각의 크기는 90°이므로 ∠OTB=x라고 하면 ∠OBT=x, ∠BTC=$90°-x$ 이다. 이때 호 BT에 대한 중심각 ∠BOT의 크기는 $180°-2x$이므로, 호 BT에 대한 원주각 ∠BAT의 크기는 중심각 ∠BOT의 크기의 $\frac{1}{2}$인 $90°-x$가 된다. 그리고 이것은 각 BTC의 크기와 같다.

학생
답안

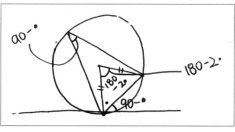

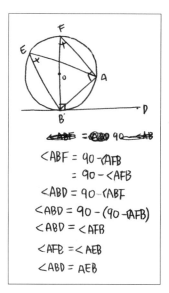

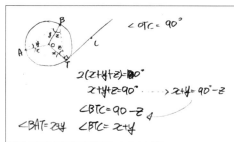

수업 노하우

• 접선과 현이 이루는 각의 성질을 추측하는 것은 어려운 일이므로 ①(1)에서 원에 내접하는 삼각형의 세 각 중 크기가 같은 것이 있다는 것을 전제로 발문했다.

• 각의 크기가 같은 것을 눈대중으로 먼저 찾게 하고 각도기를 이용해 실측함으로써 확인 작업을 하도록 했다. 이것은 ①(2)에서 설명해야 하는데 있어서 확신을 주기 위함이다.

• ①(2)에서 학생들이 설명을 어려워할 경우 보조선으로 두 반지름 OB, OT를 이어 중심각을 표시해 주면서 수업을 진행할 수 있다.

탐구 되돌아보기 예상 답안

교과서(하) 56~59쪽

1   개념과 원리 탐구하기 2

연필이 그리는 도형은 원의 일부다.

왜냐하면 핀을 꽂은 두 지점을 원의 지름으로 생각하면 삼각자의 직각 부분은 지름에 대한 원주각으로 생각할 수 있다. 따라서 직각 부분에 꽂은 연필은 원의 일부(반원)를 그린다.

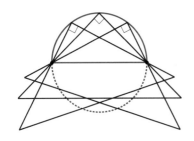

2   개념과 원리 탐구하기 3

(1) $30°$

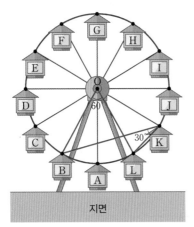

대관람차의 회전의 중심을 O라고 하면 호 BL의 중심각 ∠BOL의 크기는 $60°$이므로 호 BL에 대한 원주각 ∠BKL의 크기는 중심각의 크기의 $\frac{1}{2}$배인 $30°$다.

(2) $90°$

현 CI는 지름이므로 이 지름에 대한 원주각 ∠CKI의 크기는 $90°$다.

(3) $(26+12\sqrt{3})\,\text{m}$

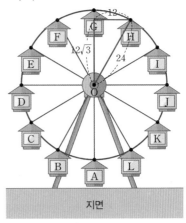

대관람차의 지름의 길이는 $48\,\text{m}$이고, 대관람차 G의 지붕까지의 높이가 $50\,\text{m}$이므로 관람차 하나의 높이는 그 차인

$$50-48=2\,(\text{m})$$

이다. 그러므로 지면에서 대관람차 H의 지붕까지의 높이는

$$(2+24+12\sqrt{3})\,\text{m}=(26+12\sqrt{3})\,\text{m}$$

이다.

3   개념과 원리 탐구하기 3

(1) $36°$

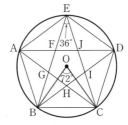

호 BC의 중심각의 크기가

$$\frac{360°}{5}=72°$$

이므로 원주각 ∠BEC의 크기는

$$\frac{1}{2}\times72°=36°$$

이다.

(2) 108°

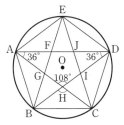

이등변삼각형 AHD에서 두 밑각의 크기가 36°이
므로 꼭지각 ∠AHD=108°다.
∠BHC는 ∠AHD의 맞꼭지각이므로
∠BHC=108°

4 개념과 원리 탐구하기 4

(1) 마주보는 한 쌍의 대각의 크기의 합이 180°이므로
이 사각형은 원에 내접한다.

(2)

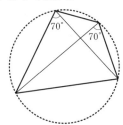

원주각의 크기가 같으므로 사각형은 원에 내접한다.

(3)

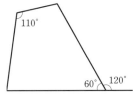

마주보는 한 쌍의 대각의 크기의 합이 180°가 아니
므로 원에 내접하지 않는다.

5 개념과 원리 탐구하기 4

(1) 120°

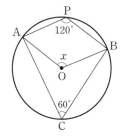

□PACB는 원에 내접하므로 한 쌍의 마주보는 대

각의 크기의 합은 180°다. 즉, ∠ACB=60°이고
이 각은 호 APB의 원주각이다.
따라서 호 APB의 중심각의 크기는
∠x=2×60°=120°

(2) 110°

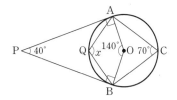

∠AOB=140°이므로 호 AQB의 원주각의 크기는
∠ACB=70°
□AQBC는 원에 내접하므로 마주보는 한 쌍의 대
각의 크기의 합은 180°다.
즉, ∠x+70°=180°이므로 ∠x=110°

(3) 35°

△FBC에서 두 내각의 크기의 합은 다른 한 외각의
크기와 같으므로
∠FBE=x+50°
△AEB에서 두 내각의 크기의 합은 다른 한 외각
의 크기와 같으므로
∠BAD=x+50°+45°=x+95°
원에 내접하는 사각형 ABCD에서
∠BAD+∠C=180°이므로
x+95°+50°=180°
∠x=35°

(4) 50°

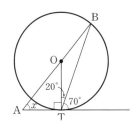

원의 중심 O와 접점 T를 연결하면
∠OTB=20°
이때 △OBT는 $\overline{OT}=\overline{OB}$ (반지름)인 이등변삼각
형이므로 ∠OBT=20°
따라서 △OTB에서 ∠BOT의 외각의 크기는 그
와 이웃하지 않는 두 내각의 크기의 합과 같으므로
∠AOT=40°
△OAT에서
∠x+40°+90°=180°이므로 ∠x=50°

학생
답안
1

제목: 원을 알면 해적선도 찾을 수 있다구!

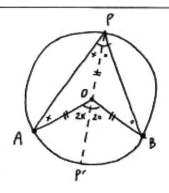

중심

양식장의 위치 : O

등대의 위치 : A, B

$\overline{OP} = \overline{OA} \Rightarrow \angle OPA = \angle OAP = x$

$\overline{OP} = \overline{OB} \Rightarrow \angle OPB = \angle OBP = •$

$\angle AOP' = 2x$,　$\angle BOP' = 2•$

$\therefore \angle APB = \frac{1}{2} \angle AOB$

위와 같이 원주각은 중심각의 절반이라는 성질을 이용하면 해적선이 양식장 안에 들어왔는지를 확인할 수 있어.

등대 - 양식장 - 등대가 이루는 각이 100° 이니까 해적선이 양식장 경계에 있다면 등대 - 해적선 - 등대가 이루는 각이 50° 이겠지?

따라서 만약 등대 - 해적선 - 등대가 이루는 각이 50° 보다 크면 우리는 해적선이 양식장 안으로 들어왔다는 것을 알 수 있어.

제목:

안녕하세요? 이곳은 강화도의 명소, 해운정 양식장입니다. 최근들어 새우를 훔쳐가는 해적선이 자주 출몰하고 있어서, 레이저를 쏘아 해적선을 감시하는 등대 두개를 세웠어요. 우리는 원주각의 성질을 이용해 해적선이 양식장 안으로 들어온 것을 알 수 있어요.

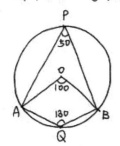

원주각의 크기는 중심각의 $\frac{1}{2}$배 이므로

$\angle APB = \frac{1}{2} \angle AOB = 50°$ 입니다.

한 원에 내접하는 사각형의 마주보는 각의 크기의 합은 $180°$ 이므로 $\angle AQB = 180° - \angle APB = 130°$ 입니다.

따라서 해적선의 위치를 X 라 할 때 해적선이 양식장 안으로 들어 왔다면 $50° < \angle AXB < 130°$ 를 만족합니다.

(단, $\angle AXB > 180°$ 인 경우의 각도는 더 큰 각을 잰 값입니다.)

제목: 해적선이 양식장 안으로 들어왔을까?

해적선이 양식장 안으로 들어오는 두 경우를 생각해보자.

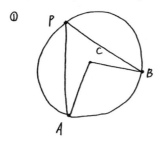 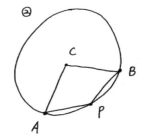

A, B : 등대의 위치

P : 해적선의 위치

c : 양식장의 중심

①의 경우에서는 ∠BPA가 ∠BCA의 $\frac{1}{2}$배보다 크면 P가 원 내부의 점이다.

(∵ 호 $\widehat{AB}$의 원주각보다 ∠BPA가 크기 때문)

따라서 두 등대와 해적선이 이루는 각이 50°보다 더 큰 값이면 해적선은 양식장 내부로 들어왔다고 할 수 있다.

②의 경우에서는 ∠BPA가 (180°−∠ACB) 보다 크면 P가 원 내부의 점이다.

(∵ 호 $\widehat{AB}$의 원주각과 그 대각인 ∠APB의 합은 180°이기 때문)

따라서 두 등대와 해적선이 이루는 각이 130° 보다 더 큰 값이면 해적선은 양식장 내부로 들어왔다고 할 수 있다.

즉, 해적선이 양식장 내부로 들어오면 두 등대와 이루는 각이 50°보다 크고 130°보다 같거나 작게 된다. 따라서 레이저를 해적선에 쏠 때, 두 레이저 빛이 이루는 각이 50°보다 크고 130°보다 같거나 작으면 해적선이 양식장 안으로 들어왔다고 판단할 수 있다.

개념과 원리 연결하기 예상 답안

교과서(하) 60~61쪽

1

나의 첫 생각

정사각형은 두 쌍의 대변이 서로 평행하기 때문에 세 각 ∠A, ∠B, ∠C를 꼭지각으로 하는 세 삼각형의 높이가 모두 같다.

그래서 세 삼각형의 넓이도 모두 같을 것이다.

그러면 세 각의 크기도 모두 같을 것이다.

다른 친구들의 생각

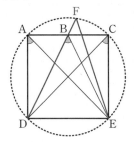

정사각형이므로 ∠A=∠C=45°다.

그런데 정사각형의 외접원을 생각하면 네 점 A, D, E, C는 이 외접원 위에 있지만 점 B는 원의 내부에 있게 된다. 그래서 ∠B의 크기는 ∠A나 ∠C의 크기보다 크다.

따라서 세 각 중 두 각 A, C의 크기는 같지만 각 B의 크기는 같지 않다.

정리된 나의 생각

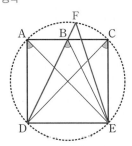

그림에서 세 각 A, F, C는 호 DE에 대한 원주각이므로 그 크기는 모두 같다.(원주각의 성질)

그런데 ∠B는 △FBE의 외각이고, 한 외각의 크기는 그와 이웃하지 않는 다른 두 내각의 크기의 합과 같으므로

∠B=∠F+∠BEF

원주각의 성질에 의해 ∠A=∠F=∠C이므로 각 B의 크기는 다른 두 각 A, C의 크기보다 크다.

2 (1)

현의 성질

① 원의 중심에서 현에 내린 수선은 그 현을 이등분한다. 또한 현의 수직이등분선은 원의 중심을 지난다.

② 원의 중심으로부터 같은 거리에 있는 두 현의 길이는 같다. 또한 원에서 두 현의 길이가 같으면 두 현으로부터 원의 중심까지의 거리는 같다.

원주각과 중심각의 뜻

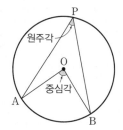

호 AB의 안쪽에 있지 않은 원 위의 점 P에 대해 ∠APB를 호 AB에 대한 원주각이라 하고, 원의 중심 O에 대해 ∠AOB를 호 AB에 대한 중심각이라고 한다.

원주각과 중심각의 성질

① 한 호에 대한 원주각의 크기는 모두 같다.

② 한 호에 대한 중심각의 크기는 원주각의 크기의 2배와 같다.

2 (2)

각 개념의 뜻과 원의 성질과 원주각의 연결성

• 원의 둘레의 길이를 원주라고 하며, 원의 중심을 지나 그 둘레 위의 두 점을 이은 선분을 지름이라고 한다. 원에서 지름의 길이에 대한 원주의 길이의 비율은 항상 일정하며 이 값을 원주율이라고 한다.

• 한 원에서 호의 길이는 중심각의 크기에 정비례한다. 현의 길이는 중심각의 크기에 정비례하지 않는다.

• 이등변삼각형의 두 밑각의 크기는 같다. 이등변삼각형의 꼭지각의 이등분선은 밑변을 수직이등분한다. 이런 성질을 이용하여 원에서 호와 현의 성질을 유도할 수 있다.

• 사각형의 내각의 크기의 합은 360°다. 이것을 이용하면 원에 내접하는 사각형의 한 외각과 그 내각의 대각의 크기가 같음을 알 수 있다.

학생
답안
1

나의 첫 생각

정사각형에 외접하는 원을 그려보면 점A와 점C는 원위에 있지만 점B는 원 위에 있지 않으므로 원주각의 성질에 의해 ∠A=∠C≠∠B 이다.

다른 친구들의 생각

△BDE에 외접하는 원을 그려보면 B는 원위의 점이지만 점A와 점C는 원 밖의 점이므로 ∠A≠∠B, ∠C≠∠B

정리된 나의 생각

한 호에 대한 모든 원주각의 크기는 같다는 성질을 이용하면 다음과 같은 사실을 알 수 있다.

(1) △BDE에 외접하는 원을 그려보면 ∠A≠∠B, ∠C≠∠B

(2) 정사각형에 외접하는 원을 그려보면 ∠A=∠C

따라서 ∠A=∠C≠∠B 이다.

---

2 (1) 개념과 원리 연결하기 예상 답안

학생
답안
1

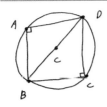

① 원은 한 정점(원의 중심)으로부터의 거리가 동일한 점의 자취

② 원의 중심을 지나는 직선이 원과 만나는 두 점과 원 위의 점으로 이루어진 삼각형은 빗변의 길이가 원의 지름인 직각삼각형

③ 원의 내접사각형에서 대각의 크기의 합은 180°

④ 동일한 호에 대한 중심각은 원주각의 2배

⑤ 원 밖의 점에서 원에 그을 수 있는 접선의 수는 2

⑥ 원 밖의 한 점과 두 접점까지의 거리는 동일

⑦ 원밖의 한 점과 두 접점이 이루는 각과 원의 중심이 두 접점과 이루는 각의 합은 180°

학생
답안
2

① 원의 중심에서 현에 내린 수선은 그 현을 수직이등분한다.

② 한 원에서 중심으로부터 같은 거리에 있는 두 현의 길이는 같다.

③ 원 밖의 한 점에서 그 원에 그은 두 접선의 접점까지의 거리는 서로 같다.

④ 한 원에 대한 원주각의 크기는 그 호에 대한 중심각의 크기의 ½과 같다.

⑤ 한 호에 대한 원주각의 크기는 모두 같다.

⑥ 원의 접선과 그 접점을 지나는 현이 이루는 각의 크기는 그 각의 내부에 있는 호에 대한 원주각의 크기와 같다.

☑ (2) 개념과 원리 연결하기 예상 답안   ⊕ 🔭 ⚖ 🚩

학생
답안
1

원의 성질과 원주각과 연결된 개념	각 개념의 뜻과 원의 성질과 원주각의 연관성
· 원주, 지름, 원주율 · 호의 길이 현의 길이 · 부채꼴에서 중심각과 호의 길이, 넓이 · 이등변삼각형의 성질 · 사각형의 성질	원의 중심을 지나도록 원 위의 두 점을 이은 선분의 길이가 지름이고 현 중에서 가장 길이가 긴 것이 바로 원의 지름이다. 현의 길이가 같으면 (한원에서) 원 중심에서 현까지 거리가 같은 것처럼 호의 길이가 같으면 현이 대응하는 중심각이 같다. 중심각 같으면 원주각도 같다. 이등변 삼각형이고 색칠한 넓이는 부채꼴에서 이등변 △ 넓이 빼면 구할 수 있다. 직사각형과 정사각형은 마주보는 각의 합이 180° 인데, 원에 내접하는 사각형은 원주각 성질에 의해서 마주보는 각이 180° 그러니까 직사각형 정사각형은 항상 원이 내접하게 그릴 수 있다.

수학 학습원리 완성하기 예상 답안

학생
답안
1

내가 선택한 문제

· 원의 할선과 접선의 길이 사이에는 어떤 관계가 성립하는가.

나의 깨달음

원의 성질을 구하기 위해 닮음을 이용해야 한다.

$\triangle PTA \backsim \triangle PBT$ (AA 닮음)

$\overline{PT} : \overline{PB} = \overline{PA} : \overline{PT}$

$\therefore \overline{PT}^2 = \overline{PA} \cdot \overline{PB}$

수학 학습원리

5. 여러가지 수학 개념 연결하기

학생
답안
2

내가 선택한 문제

탐구하기 3번 3 (1)~(2)

(1) 윤서의 주장을 오른쪽 원에 나타내고, 자를 이용하여 이 주장이 옳은지 확인해보자.

(2) 항상 옳다면 그 이유를 논리적으로 설명해보자.

나의 깨달음

원에서 두 현이 원의 중심으로부터 같은 거리에 있다면 두 현의 길이는 같다는 것을 왜인지 설명하는 과정을 통해 이전에 배운 △합동 조건을 쓰는 것이 수학은 다 연결된 논리가 있구나... 하고 깨달았다. 처음에는 윤서의 말을 그려보고 길이가 같은 것을 설명하려고 막막했는데 죽죽 선을 그어봤더니 삼각형이 생겨서 아이디어가 떠올랐다.

직각삼각형에서 빗변의 길이가 같다. (반지름) 다른 한 변의 길이가 같다. (중점조건)

RHS 합동으로 현을 가장 긴 길이로 하는 △ 두개가 합동이니 깐 두현 이같다!

수학 학습원리

3. 수학적 추론을 통해 자신의 생각 정리하기

5. 여러가지 수학 개념 연결하기

STAGE 6

통계로 세상을 알아보자
— 대푯값과 산포도, 상관관계

이 단원은 기존의 통계 단원이 알고리즘을 익히고 기계적으로 계산을 수행하는 것에 편중되었다는 것에 대한 문제의식에서 출발하였습니다. 통계는 주어진 상태에서 수동적으로 값을 구하는 것이 아니라 자료를 능동적으로 이용하여 나의 주장을 설득력 있게 표현하는 것임을 경험할 수 있도록 하였습니다.

특히 통계 프로젝트를 수행할 때 개념 따로, 보고서 따로, 분리해서 진행하는 것이 아니라 개념을 배우는 과정에서도 통계의 필요성과 유용성을 경험할 수 있도록 하는 것에 중점을 두었습니다. 각 탐구하기는 개념과 관련된 글쓰기를 포함하고 있어서 이 단원은 탐구 되돌아보기와 나만의 글쓰기를 별도로 다루지 않았습니다.

또한 이번 교육과정에서 강조한 공학적 도구의 활용에 있어서도 실제 공학적 도구가 필요한 상황을 제시하여 자연스럽게 사용하도록 하였으며, 계산 결과보다는 그 결과가 나오는 원리와 분석에 집중할 수 있도록 안내하고 있습니다. 원리를 탐구할 때는 다소 단순한 자료를 이용하고, 실제 자료는 공학적 도구를 활용하여 분석해 볼 수 있도록 하는 형식으로 구성되어 있습니다.

이와 같이 통계 개념을 실생활과 관련된 다양한 자료를 통해 탐구하는 경험을 바탕으로 ④ 실생활 자료의 정리와 해석에서는 학생들이 중학교 3학년까지 배운 모든 통계적 지식을 활용하여 주제 설정, 자료 수집, 자료 정리, 자료 해석으로 이어지는 통계적 문제 해결 과정을 경험할 수 있도록 하였습니다. 이를 통해 학생들이 통계가 우리 생활에서 유용함을 이해하고 경험할 수 있을 것입니다.

1 통계를 이용한 올바른 판단 (대푯값)

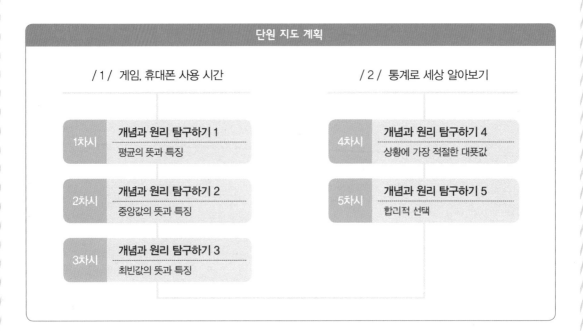

단원 지도 계획

/ 1 / 게임, 휴대폰 사용 시간

1차시 — 개념과 원리 탐구하기 1
평균의 뜻과 특징

2차시 — 개념과 원리 탐구하기 2
중앙값의 뜻과 특징

3차시 — 개념과 원리 탐구하기 3
최빈값의 뜻과 특징

/ 2 / 통계로 세상 알아보기

4차시 — 개념과 원리 탐구하기 4
상황에 가장 적절한 대푯값

5차시 — 개념과 원리 탐구하기 5
합리적 선택

/1/ 게임, 휴대폰 사용 시간 (대푯값)

학습목표

1 자료 전체의 중심 경향을 나타내는 대푯값의 의미를 이해하고 이러한 대푯값으로서의 평균의 뜻을 재해석할 수 있다. 또한 지나치게 큰 값이나 작은 값이 있을 경우에는 평균이 적절하지 못한 대푯값임을 발견할 수 있다.

2 평균을 보완하는 맥락에서 중앙값의 뜻을 이해하고 자료의 개수가 짝수일 때와 홀수일 때 중앙값을 구하는 방법을 추론할 수 있다.

3 평균과 중앙값만으로도 부족한 자료 전체의 중심 경향을 나타내는 도구로서 최빈값의 뜻을 이해하고 또 다른 대푯값이 있는지 탐구할 수 있다.

4 주어진 상황에서 어떤 대푯값을 사용하는 것이 좋은지 친구들과 토론하며 탐구할 수 있다. 특히 적절한 대푯값으로 상대방을 설득하는 논리적 사고를 기를 수 있다.

5 자료의 개수가 많거나 수치가 큰 경우에는 공학적 도구를 이용하여 그 상황을 분석할 수 있다.

2015 개정 교육과정 성취기준

• 중앙값, 최빈값, 평균의 의미를 이해하고, 이를 구할 수 있다.

• 공학적 도구를 이용하여 실생활과 관련된 자료를 수집하고 표나 그래프로 정리하고 해석할 수 있다.

교수 · 학습 방법 및 유의 사항

1 다양한 상황에서 자료를 수집하고, 수집한 자료가 적절한지 판단하게 한 후, 자신의 판단 근거를 설명해 보게 한다.

2 다양한 상황의 자료를 표나 그래프로 나타내고, 그 분포의 특성을 설명할 수 있게 한다.

3 자료의 특성에 따라 적절한 대푯값을 선택하여 구해 보고, 각 대푯값이 어떤 상황에서 유용하게 사용될 수 있는지 토론해 보게 한다.

평가 방법 및 유의 사항

자료의 수집, 정리, 해석을 평가할 때에는 과정 중심 평가를 할 수 있다.

핵심발문

대푯값은 무엇이며 각각의 대푯값은 어떤 상황에 적절할까?

탐구 활동 의도

● 평균의 개념은 이미 초등학교에서 배웠다. 이 탐구하기는 평균이 가지는 함정과 문제점을 찾아보도록 하는 활동이다.

● 평균은 자료 전체의 중심 경향을 대표하는데 가장 많이 쓰이는 편리한 값이다. 그렇지만 자료 중에 지나치게 큰 값이나 작은 값이 있을 경우에는 그 값이 평균에 크게 영향을 미쳐서 한두 개의 특별한 자료 때문에 자료 전체의 중심적인 경향이 크게 달라지는 문제점이 있다. 이와 같은 함정에 대해서 학생들의 일주일 동안의 게임 시간을 소재로 하여 탐구하도록 했다.

● 학생들은 이 탐구 활동을 통해 평균만으로는 자료 전체의 중심 경향을 잘 나타낼 수 없는 경우가 있음을 이해하고, 그런 경우에는 다른 대푯값을 사용해야 함을 깨닫게 하는 것이 목표다.

예상 답안

1　(1) 학생들의 답은 다양할 수 있다.

각 반의 상황에 따라 다음과 같이 각자 자신의 일주일 동안의 게임 시간을 적는다. (반올림하여 시간 단위로 하게 할 수도 있다.)

학생 답안

• [표 1] 반올림 안한 경우

번호	게임시간	번호	게임시간	번호	게임시간	번호	게임시간	번호	게임시간
1	0시간	7	2시간30	13	5시간	19	20시간	25	15시간
2	0시간	8	1시간	14	1시간	20	3시간	26	10시간
3	3시간	9		15	0시간	21	0시간	27	10시간
4	2시간30	10	0시간	16	15시간	22	10시간	28	5시간
5	3시간	11	10시간30분	17	9시간	23	3시간30	29	10시간
6	4시간	12	0시간	18	14시간	24	14시간	30	0시간

• [표 2] 반올림한 경우

번호	게임시간	번호	게임시간	번호	게임시간	번호	게임시간	번호	게임시간				
1	50	7	1	13	72	19	4	25	10	31	30	37	30
2	15	8	8	14	6	20	35	26	15	32	10	38	35
3		9	40	15	3	21	14	27	0	33	10		
4	0	10	0	16	12	22	20	28	25	34	15		
5	2	11	14	17	23	23	6	29	9	35	2		
6	8	12	14	18	20	24	25	30	4	36	25		

2　[장점]

• 나의 게임 시간이 5시간이라면 5시간보다 많이 게임을 하는 학생이 많음을 보일 수 있다.

• 정민이네 반 학생 전체의 개별 게임 시간을 파악하기가 좋다. 따라서 정민이보다 많이 게임을 하는 학생의 이름을 구체적으로 언급하며 설득할 수가 있다.

[단점]

• 표만 보고 전체적으로 나의 게임 시간이 많은 편인지, 적은 편인지 판단하기는 쉽지 않다.

• 자료의 개수가 많고 그 값도 다양하여 이해하기 쉽게 하나의 숫자로 제시하기가 어렵다.

• 나의 게임 시간이 적다고 주장할 수 있는 '기준'이 없다.

3   (1) 주어진 자료에 따라 평균은 다양하게 나올 것이다. (계산기나 통계 프로그램 사용 가능)

예 1 예상 답안에서 다음과 같이 평균을 구할 수 있다.

[표 1] 평균 $\frac{171}{29} ≒ 5.8965$, 약 6시간이다.

[표 2] 평균 $\frac{612}{37} ≒ 16.5405$, 약 17시간이다.

(2) 평균이 나의 게임 시간보다 많은 경우엔 부모님께 평균을 제시하면서 나의 게임 시간이 평균보다 적다고 설득할 수 있다. 평균은 우리 학급 일주일 동안의 게임 시간 전체 경향을 하나의 숫자로 나타낸 것이므로 부모님께 간단히 쉽게 주장할 수 있다.

학급 내에서 나보다 게임 시간이 많은 학생도 있고, 적은 학생도 있어서 누구를 선택하느냐에 따라 자기에게 유리한 이야기를 할 수 있다. 그러나 어느 한 쪽만을 선택해서 주장하는 것은 설득력이 약하므로 평균을 이용하면 하나의 숫자로 쉽게 주장할 수 있다.

학생답안

〈자신의 게임 시간이 평균보다 적은 경우의 설명 예〉

• 엄마, 우리 반 친구들의 일주일 동안의 평균 게임 시간은 약 6시간이에요. 그에 비해 저는 5시간 정도하니 저만 많이 한다고 말할 수는 없다고 생각해요.

나보다 게임이나 핸드폰을 적게 하는 애들이 2명 밖에 없어요. 오, 평균 게임하는 시간보다 약 18시간 정도 적게 해요.

어머니 우리 반 평균은 26.9시간이기 때문에기 때문에 9시간은 않아 하는게 아니예요

우리반 평균이 약 27시간 이니까 9시간 정도하는 나는 게임을 또래에 비해 덜 하는 것이다.

저희 학교 학생들이 게임 하는 평균시간은 16.54인데 저는 저희 학교 학생들의 게임하는 시간에 나눠 6시간을 덜하는 것이기 때문에 저는 게임하는 시간이 적다고 생각합니다.

〈자신의 게임 시간이 평균보다 많은 경우의 설명 예〉

제가 평균보다 18시가 많이 한다는 것을 알았지만 저보다 게임을 많이하는 학생이 우리 9명이나 되는데요.

(3) 1 에서 [표 1]의 경우 29명의 게임 시간을 조사한 결과 일주일 동안의 게임 시간의 평균이 약 6시간이었다. 이때 일주일 동안의 게임 시간이 60시간인 학생은 평균보다 훨씬 많은 시간이므로 평균은 커질 것이다. 평균이 커지므로 부모님을 설득하기에 유리하다.

학생답안

17.68 네 왜냐하면 60시간이 늘어났기 때문에 평균 값이 더 늘어나기 때문에 부모님을 설득하게에 더 좋은 것 같다고 생각합니다.

[다른 풀이]

일주일 동안 60시간 게임을 하는 학생이 전학을 왔을 때 평균은 다음과 같이 계산할 수도 있다.

$$(평균) = \frac{6 \times 29 + 60}{30} = \frac{234}{30} = 7.8$$

따라서 평균이 약 8시간이 되므로 부모님을 설득하기에 유리하다.

4 학생들의 답은 다양할 수 있다.

- 평균은 자료 전체의 경향을 하나의 값으로 나타내기에 편리한 값이긴 하지만 평균이 너의 게임 시간보다 많다고 하여 모든 학생들이 그렇게 많이 게임을 하는 것도 아니고, 너보다 적은 시간 게임을 하는 학생도 많으므로 평균을 가지고 게임 시간을 늘려달라고 하는 것은 불합리해.
- 전문적으로 게임을 연구하는 것으로 인해 많은 시간 게임에 투자하는 학생이 전학을 와서 게임 시간의 평균이 갑자기 높아진 거잖아. 그건 자료 전체의 경향을 대표한다고 보기 어렵다고 생각해.
- 아주 특수한 경우이므로 그런 경우를 너의 게임 시간을 늘려 달라는 것에 적용하기에는 무리가 따른다고 생각해. 그러니 게임 시간을 누구랑 비교하기 보다는 컴퓨터 게임 시간으로 인해 너의 공부나 성적 등에 어느 정도 영향을 받을 것인지 스스로 판단해서 게임 시간을 잘 조절해야 하지 않을까 싶구나.

학생
답안

〈평균의 한계에 대한 설명〉

많이 하는 사람에 웃이
평균이 높은 것이지
하는 시간이 너무 많아서

평균은 주어진 변량 중 매우 크거나 매우 작은 값이 있는 경우에
극단적인 값의 영향을 많이 받아서 자료 전체의 중심적인
경향을 나타낼 수 없어. 그래서 대신에 중앙값을 구해야더 말해도 생각해 보기.
더 잘

너희반 전학생이 게임을 6시간을 한다고?
평균을 구할 때 극단적인 값을 넣으면 제대로 된 평균이
나올 수 없단다. 그리고 평균이 8.46시간이어도
그 시간보다 적게 해야 되지 않겠니?

너무 높은애가 많으니까 평균으로 (시킬수는 없는거야)

〈평균보다 게임을 많이 하는 학생들과의 수치 비교〉

> 평균 사용시간도 너무 많은 데 평균보다
> 약 13시간이나 더 많이 사용하는것이니
> 적다고 할수있다

5 [나의 생각]
- 장점 : 나의 시간과 평균 시간을 비교할 수 있다.
- 단점 : 모든 자료를 합쳐 놓은 것이라서 구체적이지 않다.

학생
답안

> 장점 ; 비교할 수 있다.
>
> 단점 ; 모든 결과를 합쳐놓은 것이기 때문에 구체적이지 않다.

[모둠의 의견]
- 장점 : 여러 다양한 자료의 값을 하나의 값으로 대표하여 말할 수 있다. 특히 비슷한 값들이 모인 자료일 경우에는 평균이라는 하나의 숫자로 말하면 다양한 경우를 보다 간단하게 말할 수 있다.
- 단점 : 자료 중에 극단적으로 크거나 작은 값을 가진 자료가 있을 경우 평균을 구하면 자료 대부분의 경향을 나타내지 못하는 값으로 나타날 수 있다. 그럴 경우엔 평균으로 자료 전체의 중심 경향을 말할 수 없다. 또한 이런 경우 3과 같이 평균이 불공정하게 잘못 이용될 위험이 있다.

학생
답안

> 장점
>
> ① 자기 자신이 반에서 게임을 어느 정도 하는 편인지 알 수 있다.
>
> ② 그 집단이 가진 수치들을 하나의 값으로 대표하여 말 수 있다
>
> 단점.
>
> ① 이러한 평균을 통한 설득의 문제를 다룰 때는, 1인칭 시점에서 받은 때 평균 보다 적게 했을 경우 설득하기 쉬워지만, 평균보다 많은 경우 정말 위험하게 쓰이는 평균이지만 오히려 자신에게는 독이 될 수 있다.
>
> ② 어떤 한 자료가 압도적으로 클 때 자료의 중앙값이 더 위험하게 쓰일 수 있다.

> 장점
> 평균을 내면 우리 반 친구들의 게임 평균시간 과 또 우리 반 친구들은 몇 시간씩 게임을 하는지도 알 수 있기 때문에 좋은 것 같다.

> 단점
> 평균 게임시간 보다 게임하는, 시간이 더 적은 학생들이 더 많기 때문이다.

수업 노하우

- 1에서 게임 시간 자료는 수업 학급에서 그 학생들을 대상으로 직접 조사하도록 한다. 교사가 한 명 한 명의 자료를 조사하여 칠판에 적으면 학생들이 학습지에 적도록 하는 방법도 있고, 모둠에서 조사하여 다른 모둠으로 돌려서 적는 방법도 있다. 이때 학생들 사이에 위화감이 생기지 않도록 하려면 학생들에게 무기명으로 쪽지에 적어서 자료를 조사하고 번호는 임의로 붙여서 적을 수도 있다.

- 계산 과정에서 계산기 등 공학적 도구를 활용하도록 한다.
- 탐구하기 이후 역할(자녀와 학부모)을 정해서 각자의 입장을 간단한 역할극처럼 발표하게 해도 좋다.
- [2]는 이유를 구체적으로 설명할 수 있도록 하는 발문이 필요하다. 다음과 같이 주어진 맥락과 상관없이 어떤 표이든지 적용되는 설명을 하는 것에서 학생들의 사고가 멈출 수도 있다. 이보다 예상 답안과 같이 주어진 자료에서 근거를 찾아 설명할 수 있도록 안내한다.

장점
- 한번에 볼수 있다.
- 정확한 자료의 값을 알수 있다.

단점
- 공간값을 모른다
- 한눈에 알아보기 쉽지않다.
- 전체적인 추세를 알수 없다

- [3](2)에서 시간만으로 생각한다면 일주일 동안의 게임 평균 시간이 많이 늘었기 때문에 나의 게임 시간과 비교하여 크게 차이가 날 경우 부모님을 설득하기가 더 좋아진다고 할 수 있다. 그렇지만 이 경우에는 자신의 진로를 준비하기 위해 극단적으로 게임을 많이 하는 학생 한 명 때문에 발생한 일이므로 부모님을 평균만으로 설득하는 것은 불공정한 점이 있다고 할 수 있음을 학생들과 논의해 볼 수 있다.
- [4]에서 주어진 맥락과 상관없는 조언을 쓰는 경우도 있다. 가능하면 주어진 자료를 이용하여 설명할 수 있도록 한다. 한편 학생들과 어떻게 소통해야 하는지를 학부모와 이야기 해 볼 수도 있다. 이런 대화를 하면서 학생들이 스트레스를 해소하는 측면이 있었다.

다른아이들과 너는 다르니까 굳이 다른사람하고
비교하고 맞출 필요가 없다.
너보다 더 적게하는 아이들도 있다.

너랑 개네랑도 다르니까 너는 너네대로 해야지
게임시간을 조금씩 줄여나가면 어떨까?

- [5]에서 학생들이 평균이 누구에게 유리한지 설명한 경우도 있었다.

표는 우빈이에게지 평균은 부모님에게
유리했다. 값이 평균과 비슷할 때는
평균을 사용하고, 평균과 차이가 크게
날 때는 표를 사용하는 것이
유리하다

- [5]에서 다음과 같이 '전체적으로' 몇 시간 하는지 알 수 있다는 점에 대해 이후 산포도와 연결지을 수 있다. 평균은 한두 개 특이한 자료의 영향을 많이 받음을 확실하게 이해할 수 있다.

반아이들이 전체적으로 몇 시간 하는지 알 수 있지만
한두명이 비정상적으로 높으면 평균도 올라가버린다.

탐구 활동 의도

- ①은 한 자료의 값이 지나치게 크거나 작을 때 평균으로 자료 전체의 중심 경향을 대표하기에는 문제점이 있으므로 그런 경우에 다른 대푯값의 필요성을 깨닫는 활동으로 지난 시간의 복습 정도로 다루었다.
- ②는 한국을 포함한 OECD 국가의 고등학생의 공부시간을 가지고 평균보다 적절한 대푯값이 무엇인지 탐구하고, 중앙값 개념을 발견하고자 하는 것이 목표다.
- ③은 중앙값의 뜻을 이해하고 평균과 비교하여 그 특징을 깨닫게 할 수 있다.
- ④는 공학적 도구를 이용하여 실제적인 데이터 분석을 할 수 있도록 하되 변량의 개수가 짝수일 경우에는 어떤 값이 자료의 특성을 잘 반영하는지 논의 꺼리를 제공하고자 한 것이다.

예상 답안

①　학생들의 답은 다양할 수 있다.
- 그럼, 지나치게 많은 게임 시간을 제외하고 평균을 구해 볼까요?
- 게임 시간을 순서대로 나열해서 가장 가운데 있는 게임 시간을 확인해 볼까요?
- 우리 반 친구들이 가장 많이 이야기한 게임 시간을 확인해 볼까요?

②　학생들의 답은 다양할 수 있다.
- 한국을 제외한 6개 국가의 공부시간의 평균은 29.9시간이다.

$$\frac{27.6+28+29+29.7+32.1+33}{6}=\frac{179.4}{6}=29.9(시간)$$

　그런데 한국의 공부시간이 다른 나라에 비해 지나치게 많아서 한국을 포함하여 평균을 구할 경우는 30시간보다 많게 나온다. $\frac{229.4}{7}≒32.8$, 약 33시간이 된다. 이것은 대부분의 나라의 공부시간이 33시간보다 적은 상황을 과장되게 설명하게 되는 것이다. 따라서 중심 경향을 나타내는 값으로 중앙에 위치하는 값을 선택했다.

- 한국을 제외한 6개 국가의 공부시간의 평균을 구하면 대략 30여 시간이 나온다. 이것은 한국의 자료를 포함할 경우 평균이 지나치게 커지기 때문에 취한 방법이다. 그렇지만 한국의 자료를 제외하는 것도 전체의 경향을 설명하는 데에는 부족한 부분이 있다. 따라서 전체의 평균을 구하기보다는 중앙에 위치한 값을 자료 전체의 중심 경향을 나타내는 값으로 정하는 것이 적절한 판단이라고 생각한다.

학생
답안

> 한국을 제외하면 다른 나라들의 공부시간은 다 30에 가깝다 (30±3)
> 상대적으로 높은 값을 가진 한국을 포함시키면 평균이 제대로이지가 않다.

① OECD 회원국 전체의 평균인 35여 시간보다는 적 다고
더 강조하기 위해서

② 거의 대부분의 나라들이 30시간과
가까워서

34.9시간 보다 30여 시간에 대부분 가깝기 때문

나온
제일 많은값 여2여 이미 때문이다.
작은순으로 나열 했을때 중앙에 있는값이 2여 라서.

$\boxed{3}$ (1) ① 크기 순서대로 나열하면 다음과 같다.

10	12	15	17	17	17	18	19	19	76

따라서 중앙값은 17이다.

위 자료의 평균을 구하면 $\dfrac{220}{10}=22$(시간)이다. 이것은 자료 76시간에 의해서 평균이 대부분의 자료의 값보다 커진 것이다. 76시간을 제외하면 평균은 $\dfrac{144}{9}=16$(시간)이므로 중앙값과 거의 비슷해진다.

② 크기 순서대로 나열하면 다음과 같다.

40	45	57	61	118

따라서 중앙값은 57이다.

위 자료의 평균을 구하면 $\dfrac{321}{5}=64.2$, 약 64회다. 이 값은 자료 118에 의해 평균이 대부분의 자료의 값보다 커진 것이다. 118을 제외하면 평균은 $\dfrac{203}{4}≒50.75$, 약 51회이므로 전체 평균과 차이가 많이 난다.

(2) [나의 생각]

평균은 자료 전체의 중심 경향을 대표하는 값으로 선택하기에는 지나치게 크거나 작은 자료의 영향을 많이 받는다. 이럴 경우에는 중앙값이 자료 전체의 중심 경향을 대표하는 값으로 더 적당하다고 할 수 있다.

[모둠의 의견]

주어진 자료 중 한두 개의 변량이 지나치게 크거나 작은 값을 가져서 전체 평균에 크게 영향을 미칠 때(평균이 대부분의 자료 값보다 커지거나 작아지는 경우)에 중앙값을 사용한다. 평균이 어느 한쪽으로 치우칠 가능성이 있을 때 중앙값을 전체의 경향을 대표하는 값으로 사용하는 것이 바람직하다.

> 자료 중 한 가격(단 값이 아주 높거나 낮을 ~~라는 적은~~
> 평균의 신뢰성이 떨어지는데, 이때 쓴다.

4   자료의 개수가 짝수인 경우에는 중앙에 위치하는 두 값의 평균으로 중앙값을 정하는 것이 가장 합리적이다.

즉, 자료가 크기 순으로 나열된 것이므로 중앙에 위치하는 값을 결정할 때, 중앙에 위치하는 두 값의 평균으로 정하면 가장 중앙에 위치하는 값이라고 할 수 있기 때문이다.

자료를 크기 순서대로 나열하면 다음과 같다.

57,592	57,944	64,029	**78,691**	**80,420**	84,734	86,102	515,018

따라서 중앙값은 $\dfrac{78,691+80,420}{2}=79,555.5$(권)이다.

여기서도 515,018을 포함한 평균은 $\dfrac{1,024,530}{8}=128,066.25$, 약 128,066권이나 이를 제외한 평균은 $\dfrac{509,512}{7}≒72,787.4$, 약 72,787권으로 중앙값과 비슷해진다.

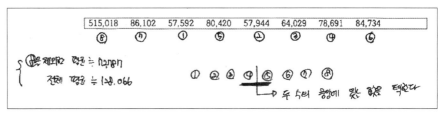

• 1은 지난 수업 시간의 복습 성격도 있다. 정해진 답이 아니라 자유롭게 자신의 생각을 적은 후에 자연스럽게 중앙값과 최빈값에 대한 개념을 생각할 수 있도록 유도한다. 이때 중앙값이나 최빈값을 정의하지 말고 그 개념만을 발견하거나 이해하도록 돕고 용어의 정의는 이후에 하도록 한다.

• 2는 중앙값을 발견하도록 하는 과제다. 학생들은 예상 답안처럼 다양한 이야기를 할 수 있다.

> 34.9는 OECD 평균이고, 7국가의 평균시간은 32이므로 반올림하면 30

이때 한국을 제외하고 평균을 구하면 약 30시간이 나온다. 이 경우 다른 방법은 없는지 질문할 수 있다.

> 한국을 제외할 경우의 문제점은 없을까요?

이유는 한국을 제외하면 주어진 자료의 전체를 대표한다고 할 수 없기 때문이다. 이것을 학생들의 답과 발표 과정에서 교사가 적당한 질문을 통해 이해할 수 있도록 한다.

- 한국의 공부시간이 다른 자료들에 비해 월등하게 많아 평균에 영향을 미친다는 사실만 제시한 경우도 있다. 그렇다면 다른 대푯값은 어떻게 정할 수 있을지 연결할 수 있도록 안내한다.

> 한국이 50시간을 하면서 평균을 많이 끌어올려서

- 2 에서 다음과 같이 소수점 아래 첫째의 자리의 수는 무시하고 계산할 수도 있다.

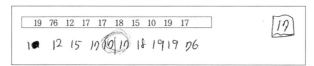

일본	한국	아일랜드	노르웨이	스위덴	핀란드	덴마크
32	50	33	28	27	29	29

(평균) 34.9 시간

- 3 (1) ①에서 변량의 개수가 짝수일 때 가운데 있는 두 변량의 값이 17로 같으므로 중앙값은 17이라고 할 수 있다.

> 19 76 12 17 17 18 15 10 19 17
> 10 12 15 17 17 17 18 19 19 76
> 17

이때 변량의 개수가 짝수일 때 가운데 있는 두 변량의 평균으로 구한다는 것을 알고 있는 학생들이 다음과 같이 구할 수도 있다. 이 경우는 중앙에 있는 두 변량의 값이 같으므로 꼭 이 공식대로 풀지 않을 수 있음을 설명해 줄 수 있다.

> 19 76 12 17 17 18 15 10 19 17
> 10 12 15 18 17 17 19 19 76
> 1 2 3 4 5 5 6 3 2 1
> $\frac{17+17}{2} = 17$ 시간

또한 주어진 자료에 나타나지 않은 값을 중앙값으로 말할 수 있는지는 논란의 여지가 있음을 토론하게 할 수 있다. 예를 들면, 전체 평균을 구하여 중앙의 두 값 중에서 평균에 더 가까운 값을 중앙값으로 정할 수도 있다는 생각은 어떤지 학생들과 함께 논의해 볼 수 있을 것이다.

- 3 (1) ①과 ②에서는 지나치게 큰 값이 있을 경우 그 값을 제외한 평균을 구해 중앙값과 비교하는 활동을 해 봄으로써 평균과 중앙값 중 어떤 값이 자료를 더 적절하게 대표하는지를 이해하게 한다.

- 4 에서 비교적 자료의 개수는 적지만 수치가 크므로 공학적 도구를 활용하는 것이 좋다. 여러 가지 통계 그래프로 나타내어 전체적인 분포 상황과 평균과 중앙값을 비교해 볼 수 있도록 할 수 있다.

- 이외에도 신문이나 다른 자료들 중에서 평균값보다 중앙값으로 대푯값을 정하는 것이 좋은 예들을 찾아 보게 할 수 있다.

참고 | 중앙값은 n개의 변량 중 한가운데에 나타난 값으로 변량에 지나치게 큰 값이나 작은 값이 있더라도 영향을 받지 않는다. 변량을 크기순으로 나열할 때 큰 값부터 나열하여도 중앙값은 같다.

탐구 활동 의도

- 1은 평균이나 중앙값으로도 자료 전체의 중심 경향을 나타내기가 불편한 경우에 다른 대푯값을 정하는 탐구를 하도록 하는 것이다.
- 1에서 학생들의 주요 관심사인 휴대폰 사용 시간을 조사한 자료를 가지고 최빈값의 개념을 발견하고, 2에서 최빈값의 뜻을 배우면 배운 용어로 앞의 주장을 수학적으로 표현할 수 있도록 했다.
- 3은 통계에서 사용하는 대푯값의 종류를 알고, 어떤 자료에 어떤 대푯값을 사용하는 것이 좋은지 공학적 도구를 이용하여 탐구하게 했다.

예상 답안

1 학생들의 답은 다양할 수 있다.

[나의 생각]

- 평균이 $\frac{127}{15}$ ≒8.47(시간)이므로 저는 평균보다 적게 사용하고 있어요.

- 중앙값은 6시간이므로 저는 대부분의 학생보다 그렇게 많이 사용하는 것은 아니라고 생각해요.

[모둠의 의견]

- 평균과 비교하면 평균은 오히려 8시간보다 많으므로 평균보다 적은 시간을 사용하는 정민이의 사용 시간은 많지 않다고 설득할 수 있다.

- 중앙값은 6시간으로 정민이의 게임 시간보다는 적다. 그러나 중앙값으로 주장할 때는 6시간보다 많이 사용하는 학생들도 무려 6명이나 된다. 즉, 거의 절반에 가까운 학생들이 6시간보다 훨씬 많은 9시간 이상을 사용하므로 정민이의 휴대폰 사용 시간은 결코 많은 것이 아니라고 주장할 수 있다.

학 생
답 안

> 반의 평균은 8시간이고 본인은 폭같기 때문에 괜찮다
> 최대로 많이 하는 시간은 21시간인데 본인은 그것보다 훨씬 적게 쓰기때문에 괜찮다

> 반 아이들을 조사해본 결과 약8.5시간을 하는 것으로 나타났어요. 저는 대략 8시간을 하기 때문에 휴대폰 사용시간이 많은 편은 아니라고 생각해요. 엄마 앞으로 더 늘리진 않을테니 이 정도는 하면 안될까요?

2 (1) 학생들의 답은 다양할 수 있다.

- 정민아, 너네 반 15명 친구들의 휴대폰 사용 시간을 살펴보면 6시간을 사용하는 사람이 7명으로 가장 많구나. 따라서 최빈값은 6시간이고 많은 학생들이 6시간 정도 사용하고 있다고 생각할 수 있지. 그러니까 8시간 사용하는 너는 친구들보다 휴대폰을 많이 쓰고 있으니 좀 줄이는 것이 좋지 않겠니?

- 중앙값이나 평균을 대푯값으로 해서 사용 시간을 정하는 것보다 정민이 너네반의 많은 친구들이 사용하는 시간을 중심으로 너의 사용 시간을 정하는 것도 좋을 것 같구나. 최빈값이 6시간이니 정민이 너도 이제 6시간 정도 사용하는 것이 좋지 않겠니?

너희반 아이들의 대부분이 6시간 이하로 사용한다.
(최빈값)

최빈값이 6이고 중앙값도 6이므로 사용시간을 줄일필요가 있다

평균이 되지 않는 사람이 훨씬 많기 때문에
대푯값으로 적절하지 않다. (최빈값은 6 이다.)
평균이 정민이와 많이 차이나지 않는다.

(2) • 평균이나 중앙값에 비해서는 차이가 나지만 자료 중 어떤 값이 상당히 많은 도수를 차지할 때
  • 가장 좋아하는 가수나 음식 등 선호도를 조사한 자료의 경우
  예를 들어, 우리 반 학생들이 가장 좋아하는 가수는? 우리 반 학생들이 가장 좋아하는 간식
  은? 우리 반 학생들이 여가 시간에 가장 많이 하는 활동은? 등등의 자료를 대표하는 값으로
  는 최빈값이 적절하다.

신발사이즈. 생활용품디자인 , 침대사이즈 , 메뉴판 Best 메뉴

각 대푯값은 다음과 같은 경우에 유용하다.
• 평균 : 지나치게 크거나 작은 값이 포함되지 않는 비슷한 자료들일 경우 평균이 유용하다.
  예 우리 반 학생의 키의 평균
• 중앙값 : 지나치게 크거나 작은 값이 소수 포함되어 평균에 크게 영향을 미치거나 대부분의 자
  료들이 비교적 큰 범위에서 분포를 이룰 때는 중앙값이 유용하다.
  예 우리 반 수학성적의 중앙값, A야구단 선수들의 시즌 타율 중앙값
• 최빈값 : 평균이나 중앙값으로는 표현이 어려운 경우, 변량 중 많은 도수를 차지하는 자료가 있
  을 때는 최빈값이 적절하다.
  예 우리 반 학생들이 가장 좋아하는 연예인은? 우리 반 학생들이 가장 좋아하는 애완동물은?

3 (1) 평균 : 1214백만 (12억 1천 4백만)톤
     중앙값 : 434백만 (4억 3천 4백만)톤
     최빈값 : 없음.

  (2) 학생들의 답은 다양할 수 있다.
     • 이 자료를 분석할 때 다른 자료에 비해서 지나치게 크거나 작은 값이 있으므로 평균은 적절
       하지 않다. 최빈값은 없으므로 중앙값을 이용하여 자료를 분석하는 것이 적절하다.
       우리나라는 에너지 부분에서 배출한 이산화탄소의 양이 주요 20개국의 중앙값보다 많은 것
       으로 집계되었다. 이에 따라 이산화탄소의 배출량을 줄이기 위해 신재생에너지에 대한 연구
       를 지속해야 할 것으로 보인다.
     • 주어진 자료를 큰 순서대로 나열하면 우리나라는 20개국 중에서 7번째로 많은 5억 6천 8백만
       톤의 이산화탄소를 배출하고 있다. 20개국 중에서 중간보다는 높은 순위이지만 20개국의 평
       균 배출량인 12억 1천 4백만 톤보다는 적은 양의 이산화탄소를 배출하고 있다고 할 수 있다.
       하지만 국토면적에 비하면 상당히 많은 양의 이산화탄소를 배출하고 있다고 할 수 있다.

> 우리나라는 세계주요 20개국 평균 이산화탄소 배출량보다 600백만톤이상 적게 배출하고 있으나
> 이는 중국, 미국이 약 9000만톤, 5000만톤으로 극단적인 이산화탄소 배출량을 보인다.
> 이로인해 평균에 큰 영향을 끼친것이며 중앙값 434로 보아 우리나라가 중앙값보다 100만톤 가량 높게 배출하고 있다.
> 그러므로 이산화탄소 배출량을 줄일 필요가 있다.

수업 노하우

- **탐구하기 3**까지의 활동을 통해 옳고 그른 가치 판단보다는 보다 바람직한 판단을 위한 합리적인 근거를 위한 통계 자료의 이용에 대해서 강조할 수 있다. 결과를 분석하기 보다는 자료를 어떻게 이용할 것인가에 대해 초점을 맞추어 탐구를 진행했다.

- 2 (1)에서 어머니의 설명으로 다음과 같은 의견이 제시되었다. 최빈값이라는 용어는 사용하지 않았지만 타당한 설명이라고 볼 수 있다. "대부분의 학생들", "제일 많다" 등의 표현을 수학적으로 수정해 보도록 발문할 수 있다.

> 사용시간의 중간은 6시간인데 정민이의 사용시간이 더 많으니까 줄여야한다
> 반의 9명이 너의 시간보다 더 적다
> 가장 많은 아이들이 6시간이니까 줄여야한다

> 너네 친구들 대부분이 6시간 밖에 안하잖아.
> 한두명도아니고 넌 오래 애들보다 많이하는 편이니가 2시간정도 줄이자.

> 중앙값도 6이고 6시간 인 친구들이 제일 많으니
> 2시간만 천천히 줄여나가도록 하자.

> 정민아 그래 네 마음도 이해한다만 자료를 보면
> 6시간정도 하는 아이들이 제일 많잖니? 이걸 보면
> 정민이 너도 적게 하는 편은 아니라고 생각해.
> ~~그러~~ 엄마는 네가 휴대폰 시간을 줄였으면 해.

- 중앙값 외에 어떤 값이 또 있을 수 있는지 생각해 보도록 하고 중앙값과 최빈값의 차이점이 무엇인지 생각해 보도록 할 수 있다.

> 저 자료의 평균은 8.4시간이지만 긴시간이나 하는 애 때문에 확 올라져서
> 신뢰할 수 없으므로 중앙값인 6에 맞춰 줄여야 한다.
> ~~~~ 3시간 밖에 안 하는 애도 있는데 그 수준으로 줄여야 한다.

- 2 (2)에서는 최빈값의 특징 및 유용성에 대해 구체적으로 설명해 볼 수 있도록 할 수 있다.

- 3 은 실제 자료로 여러 가지 공학적 도구를 사용하여 다룰 수 있다. 다음은 한 실험학교에서 구글스프레드시트를 이용하여 한 수업이다. (관련 파일은 수학의 발견 네이버 카페 자료실에 탑재함.)

- 과제를 다음과 같이 제공하고, 학생들은 이 내용을 사본으로 저장하여 컴퓨터에서 자료를 분석하여 교사에게 제출할 수 있다.

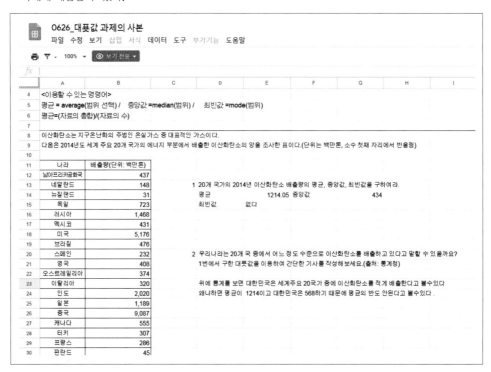

- 학생 답안 제출 상황의 예

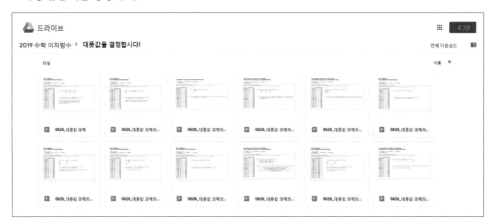

- ③에서는 자료를 중앙값을 이용하여 분석하였는지, 그리고 어떤 대안을 마련하였는지의 두 가지를 모두 써보는 것이 목표였으나 다음과 같이 학생들이 자료만 분석한 경우가 많았다. 모둠에서 실질적 대안을 찾아 써보게 하는 것도 사회, 과학, 기술과 관련된 탐구가 될 수 있을 것이다.
  - 중앙값을 이용한 경우 : 우리나라의 배출량이 높다고 분석함.

> 세계 주요 20개 국가의 대푯값은 대략 434톤인데 우리나라는 568톤이므로 우리나라는 20개국중에서 이산화탄소 배출량이 많은편이다.

- 평균을 이용한 경우 : 우리나라의 배출량이 낮다고 분석함.

> 우리나라는 20개국의 평균보다 적게 이산화탄소를 배출하고 있습니다. 그래서 우리가 생각했던만큼 많이 배출하고 있지 않습니다.

> 위에 통계를 보면 대한민국은 세계주요 20국가 중에 이산화탄소를 적게 배출한다고 볼수있다

> 우리 나라는 평균값을 대푯값으로 할 경우에는 20개국 중에서 이산화탄소 배출량이 적은 편이고, 중앙값을 대표값으로 할 경우에는 이산화탄소 배출량이 조금 더 많은 편이다.

> 대한민국은 이산화탄소를 평균적으로 적게배출하는 나라이다 이유는 표에있는 20개국의 평균값이 1214.05가 나왔는데 우리나라인 대한민국은 평균보다 646.05나 적게배출하기때문이다

- 이 두 가지 의견을 제시하고 어떤 것이 적절한 분석인지 탐구해 볼 수 있도록 수업을 진행할 수 있다.
- ③ 부터는 통계에서 대푯값으로 사용되는 평균, 중앙값, 최빈값의 장단점과 문제점 등을 탐구하도록 하고, 단순 계산에만 머무르지 않도록 지도한다. 또한 어떤 경우에 어떤 대푯값을 사용하는 것이 좋은지 합리적인 근거에 따른 판단을 할 수 있도록 안내한다. 필요에 따라 원리를 이해했다면 공학적 도구를 사용하여 실생활 자료를 이용해 판단을 하고 서로의 의견을 나눌 수 있도록 한다.
- 세 개의 대푯값 이외에 더 좋은 대푯값으로 사용할 수 있는 값들이 있는지 탐구하도록 도전 과제를 제시해 볼 수도 있다.

참고
- 최빈값은 도수가 가장 큰 값으로 변량으로 주어지지 않은 자료에서도 구할 수 있다. 자료에 따라서는 최빈값이 없을 수도 있고 여러 개 있을 수도 있다.
- 어떤 자료 전체의 특징을 나타내는 값으로 일반적으로 평균을 사용하지만 자료의 수집 목적에 따라 최빈값을 생각해야 하는 경우도 있다. 예를 들어 어떤 집단의 여성 발 사이즈의 평균이 238 mm라고 할 때, 신발 회사가 평균에 맞추어 238 mm의 신발을 만들 수 있는 것은 아니다. 이 신발 회사가 현재 220, 225, 230, 235, 240, 245, 250 mm 사이즈의 신발을 생산할 때, 각 사이즈별로 가장 많은 여성의 발 크기를 조사하는 것이 평균보다 더 유용한 자료가 될 것이다.

/ 2 / 통계로 세상 알아보기 (대푯값)

탐구 활동 의도

- 공학적 도구(여러 가지 통계 프로그램, 스프레드시트, 계산기 등)를 이용하여 주어진 통계 자료의 대푯값을 구한 후에 어떤 값을 대푯값으로 정하는 것이 좋을지 탐구하는 활동이다.
- 실생활 자료를 이용하여 대푯값을 구하는 연습 문제지만 공학적 도구를 이용해 볼 수 있도록 한다. 다만 공학적 도구로 결과만을 구하기보다는 각 대푯값들의 의미와 구하는 과정의 이해가 중요하다. 이러한 이해를 바탕으로 공학적 도구를 이용하여 구한 결과를 깊이 있게 분석할 수 있다.
- **탐구하기 4**는 공학적 도구의 적극적 활용을 권장한다. 과제의 성격상 수업 진도에 따라 개념을 배우는 과정에서 함께 다룰 수 있다.

예상 답안

1 (1)

평균	중앙값	최빈값
36세	$\dfrac{36+37}{2}=36.5,\ 37$세	38세

필즈상은 40세 이하의 수학자들에게만 수여되기 때문에 몇 살에 수상했는지에 대한 대푯값을 정하는 것은 크게 의미가 없다고 할 수 있지만 세 대푯값이 거의 비슷하다. 필즈상을 수상한 수학자들은 대부분 천재로 일컬어지기 때문에 아주 어린 나이에 수상한 경우도 많지만 그래도 어느 정도 연구 기간이 필요하기 때문에 중앙값이나 최빈값이 대푯값으로 의미가 있다.

학생 답안

> 만 40세 이하이고,
> 아무리 수학을 잘해도
> 20대에 엄청난 업적을
> 이루기는 힘드므로
> 평균을 써도 좋을 것
> 같다.

(2)

평균	중앙값	최빈값
약 10.9회	$\dfrac{8+9}{2}=8.5$(회)	7회, 8회

평균은 다른 두 대푯값과 차이가 많이 난다. 평균으로 말하면 우리나라에서 규모 3 이상의 지진은 평균적으로 연 10.9회 발생한다고 할 수 있고, 중앙값과 최빈값으로 말하면 우리나라에서 규모 3 이상의 지진은 연 8.5회, 연 7회 또는 8회 발생한다고 할 수 있다. 그런데 주어진 자료의 분포를 보면 지진 발생의 횟수는 매우 다양하고 일정한 경향을 보이지 않으므로 세 대푯값으로도 일정한 중심 경향을 설명하기는 어렵다. 따라서 이런 종류의 통계자료를 분석할 때는 최근 몇 년 간의 경향을 설명하는 것이 더 좋다. 특히 2016년~2017년에는 예년보다 더 많은 지진이 발생했으므로 우리나라도 지진의 위험에 대비해야 하는 상황이라는 인식이 필요하다고 할 수 있다.

평균이 10.9로
나왔지만 실제 그보다
많은 해는 8해이고, 특히
16년 34회로 압도적이다.
평균의 신뢰성이 떨어지므로
최빈값이 적당해보인다.

(3)

평균	중앙값	최빈값
$48.92\,\mu\text{g}/\text{m}^3$	$46\,\mu\text{g}/\text{m}^3$	$46\,\mu\text{g}/\text{m}^3$

중앙값과 최빈값은 값이 같다. 그렇지만 주어진 자료의 값들이 크게 차이가 나지 않고 지나치게 큰 값이나 작은 값도 없는 편이므로 평균으로 대푯값을 정해도 좋을 듯하다. 이와 같이 전 국민의 관심과 홍보가 필요한 경우에는 평균값으로 대푯값을 사용하면 미세먼지의 위험성에 대해 보다 경각심을 가질 수 있고, 환경보호에 대한 위기감도 더 심각하게 가질 수 있다.

평균은 48.92지만 중앙값·최빈값이 46으로
더 낮았다. 미세먼지 농도는 유동적인데,
이○○은 서울의 25개 구청에서 동시에
조사한 자료이므로 최빈값이 나온 것 같다.

(4)

평균	중앙값	최빈값
18.5회	$\dfrac{18+21}{2}=19.5$(회)	23회, 33회

주어진 자료들이 다소 큰 범위에서 다양하게 분포하고 있으므로 세 대푯값 중에 어떤 것을 사용해도 된다. 평균을 사용하는 것이 가장 보편적인 대푯값이 될 수 있다. 최근들어 부쩍 발령횟수가 늘어난 것을 중심으로 분석한다면 최빈값을 사용해도 좋고, 가장 많은 발령횟수를 언급해도 될 것이다.

2 (1)

	평균	중앙값	최빈값
남학생	261.6 mm	260 mm	265 mm
여학생	233.5 mm	240 mm	235 mm, 240 mm

(2) 여러 가지 답이 가능하다. 다만 최빈값을 대푯값으로 하는 전략에 따라 최빈값에 해당하는 크기를 가장 많이 구입하고 나머지는 비율에 맞추어 구입하는 것이 좋겠다.

사이즈의 표를 합쳐 하나의 표를 만든 후, 각각의 사이즈가
전체의 개수에서 각각 몇 %를 차지하는지 알아본 후
%에 맞춰 수량을 결정한다 $\dfrac{\text{개수}}{54}\times 100 = \%$

- ☐1 에서는 자신이 선택한 대푯값에 대한 이유를 다양하게 들어보며 수업을 진행할 수 있다. 중앙값과 최빈값 중 어떤 것을 선택했는지 정답보다는 논리적으로 설명할 수 있도록 한다.
- ☐2 에서 최빈값을 이용하지 않는 답이 나올 경우 최빈값을 사용하는 것과 어떤 차이가 있는지 적극적으로 토론하고 그 장단점을 찾아보도록 발문한다.
  - 최빈값을 이용하더라도 한두 가지의 종류만 생산한다고 답한 경우도 있었다. 이 경우 어떤 문제점이 있을 지도 논의할 수 있다.

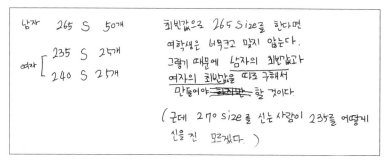

  - 학생들이 비율을 계산하여 정확한 개수를 구한 경우는 많지 않았다. 최빈값을 이용하여 어떻게 생산했는지를 서로 비교하며 의견을 나눌 수 있도록 한다.

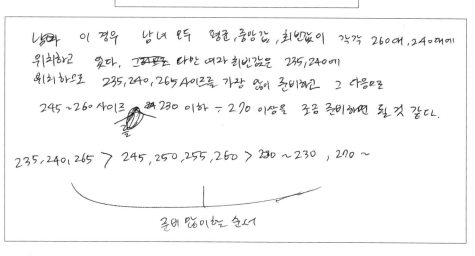

여학생의 실내화의 최빈값은 235이고
중앙값은 240이다 그렇기 때문에 여학생의 실내화 수는
245〈260〈230=250〈240=235 으로 하고
　3　　4　　6　　6　15　15
　　　　남학생의 실내화는 ⟶ 280〈250=270〈265=260
　　　　　　　　　　　　　　　4　　6　6　17　17
　　　으로 해서 총 실내화 사이즈는
230→6
235→15
240→15
250→12
260→21
265→20
270→6
280→4
이렇게!

- 의 경우 최빈값과 중학교 1학년에서 배운 상대도수와의 관계를 연결지어 답안을 구체화할 수 있도록 할 수 있으며 실제 물품 생산 관련 내용을 조사해 보게 할 수도 있다.

개념과 원리 탐구하기 5 _ 합리적 선택

교과서(하) 80쪽

탐구 활동 의도

- 평균, 중앙값, 최빈값의 세 대푯값에 대해서 탐구한 후 실생활에서 이 세 대푯값이 어떤 경우에 사용되고 어떤 문제점이 있는지를 찾아 분석하는 활동이다.
- 평균, 중앙값, 최빈값을 단순하게 계산하는 것에 머무르지 않고 구체적인 통계자료에서 어떻게 사용되고 그 값들이 통계자료의 분석에 어떻게 이용되고 있는지를 탐구하여 합리적인 비판과 문제점을 생각해 보는 활동이다.
- 평균, 중앙값, 최빈값 등의 대푯값이 의도적으로 잘못 사용되는 경우 대중을 잘못된 방향으로 이끌거나 여론을 잘못 형성시킬 수 있음을 이해하고 통계자료를 바탕으로 한 다양한 정보기사에 대한 합리적인 비판을 할 수 있도록 하는 것이 목표다.

예상 답안

1 　(1) 가장 높은 점수와 가장 낮은 점수는 평균에 크게 영향을 줄 수 있기 때문이다. 어떤 심판이 자국의 선수에게 지나치게 높은 점수를 주거나 다른 나라 선수에게 지나치게 낮은 점수를 줄 경우 평균에 크게 영향을 주기 때문에 보다 공정한 판단을 위한 장치라고 할 수 있다. 편파 판정을 방지하는 규칙이다.

심사가 가장 높은것과 낮은 경기 있으면 편파를 구할때 너무 좁게 나온거나 너무
넓게 나올수 있으므로 극단적인 값을 뺀다.

편파 판정을 줄이기 위해서

심판이 같은 나라 한테더 우선하면 더 그걸 께 같아서

(2) 중앙값이나 최빈값은 평균과 비슷한 점수일 가능성이 높지만 같은 점수가 나올 경우가 많다.
비슷한 실력의 선수들은 아주 작은 단위의 차이로 승부가 결정될 수 있기 때문에 평균을 구하
는 것이라고 할 수 있다.

심판들의 의견을
최대한 반영하기 위해.

극단적인 값을 없애면 자료가 균일하기 때문에
평균이 제일 적합하다.

극단적인 값을 빼면 고려, 분포도에 있어서
자료개수도 적고

최빈값이 자료중 없을 수도 있다

(3) 학생들의 답은 다양할 수 있다.
- 심판들의 점수에 관객들의 선호도를 반영하여 합산한 점수로 실력을 판단한다. 관객들의 선
  호도는 심판들이 매긴 점수와 같이 문자로 받고, 상위 20 %와 하위 20 % 점수를 제외한 관
  객들의 점수의 평균을 낸 후 반영한다. 심판들의 점수와 관객들의 점수 반영 비는 9 : 1 정도
  가 적당할 것 같다.
- 가장 높은 점수와 낮은 점수를 제외하지 않고 심판의 수를 10명으로 늘려서 점수의 평균을
  내는 것이 좋겠다. 높은 점수와 낮은 점수를 준 심판도 전문가로서 타당한 이유가 있을 것인
  데 이것을 빼는 것보다는 6명보다 더 많은 심판의 의견을 반영하는 방법으로 점수를 매기는
  것이 더 공정할 것 같다.
- 심판들도 사람이기 때문에 아주 정확한 움직임까지 보지 못할 수 있다. 인공지능의 기술점수
  분석을 도입하여 심판들 점수와 인공지능의 기술점수를 5 : 5로 반영한다.

2 (1) 평균을 대푯값으로 사용하고 있기 때문에 우리나라의 대부분 가구에서 3억 이상의 순자산을 보
유하고 있는 것으로 오해할 수 있다. 그런데 실제로는 절반도 훨씬 넘는 66.2 %가 3억 미만의
순자산을 보유하고 있으므로 대부분의 가구당 순자산 보유액은 평균보다 훨씬 못 미친다. 따라
서 이 경우에는 평균을 대푯값으로 할 것이 아니라 중앙값 1억 8,525만 원을 대푯값으로 하
거나 최빈값을 중심으로 이야기를 해야 더 객관적인 정보가 될 수 있다.

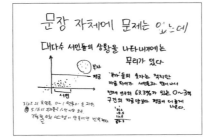

문장 자체에 문제는 있느데

대다수 서민들의 상황을 나타내기에는
무리가 있다

'부자'들의 숫자는 적지만
자본 타이가 서민과 달리써
전체 인구의 63.3%가 있는 0~3억
구간의 값보다 커값에 더올려
너난다.

3/2.2억 포화론 0~1억 값이 젤 과반
5.1% 10억이상 /5%값 숭동
계혹출 양다 내스명이 문틀이만 반박 계좌

60% 이상의 사람들이 0~3억 내에 분포하고
있어 중앙값 근처에 사람들이 평균 근처의 사람들보다
많다. 따라서 중앙값이 적절하다.

아니라고 생각한다. 평균값은 가구 간의 자산 보유액 격차가
너무 크기에 적절하지 못한 대표값이다.(극단적인 값 존재)
표를 보면 31.2%의 가구(가장 많이 분포)가 0~1억의 자산을
보유하고 있기에 이를 강조하려면 최빈값을 대표값으로 써야 한다

(2) 학생들의 답은 다양할 수 있다.

우리나라 가구당 순자산 보유액은 평균 3억이란 건, 거짓말!
3억 미만의 가구가 66 %가 넘어 빈부격차가 심해졌음.

우리나라 순자산 보유액 1억 미만인 가구가 30 %를 훨씬 넘는다.

전체 가구의 66.2 %는 평균 순자산 3억보다 적은 순자산 보유,
10억 이상 가구는 5.1 %!

전국 2만가구중 63.3.0/0 순자산 전이만!
0 이상

순자산 1~2억 미만 이 50 % 이 넘는다.

<가구당 순자산 보유액 0~1억,1~2억
가장 많다>

<평균속에 숨겨진 최빈값,총자산 0~1억
의 가들>

3 (1) 학생들의 답은 다양할 수 있다.
- 9천 70만 kW : 하루 동안 시간 단위로 측정한 전력 사용량 중에서 가장 큰 값
- 80만 kW : 여름철 온도가 1도 오를 때 늘어나는 전력량의 평균값 (시간에 따라, 날짜에 따라 늘어나는 전력량이 달라지므로 평균으로 대푯값을 정하여 사용)
- 8830만 kW : 여름철 늘어날 전력량을 80만 kW와 같은 평균값과 그 밖의 요인들을 기준으로 하여 예측한 양

(2)

파이낸셜뉴스   정치

정치   증권/금융   경제   사회   전국   국제   오피니언   라이프   반려동물   기획·이슈   포토

올해 한국인 1인당 GDP 3만弗 넘는다..2023년엔 4만弗 돌파

한국인 1인당 GDP가 3만 불을 넘어서는 것이 점점 삶의 질이 좋아지고 있는 긍정적인 느낌을 준다. 한국은행의 발표에 따르면 2018년 한국의 1인당 국민소득은 3만 1349달러, 우리 돈으로 약 3500만 원 정도로 집계됐다. 1인당 국민소득 3500만 원이면 4인 가구 기준으로 연평균 소득이 1억 4000만 원 정도이고 이 수치는 현실성이 없다. GDP는 일반 대중들의 삶을 나타내는 지표가 아니라 평균값을 적어 놓은 수치이다. GDP 성장률이 곧 전체의 성장을 뜻하지는 않는다. 대한민국의 경우 소득불균등 정도가 매우 나쁜 나라이기 때문에 이 평균값이 의미를 지닐 수 없다.

수업 노하우

- 평균이 잘못 사용된 통계적 분석이나 정보에 대해서 수학적 근거를 통한 합리적인 비판을 할 수 있음을 경험하게 한다.
- ①에서 동계 올림픽 영상을 동기유발로 사용해도 좋다. 스노우보드 하프파이프 경기와 같은 방법으로 진행되는 다른 경기에 대한 자료를 사용해도 좋다.
- 학생들이 경기 규칙 이면에 어떤 수학적 원리가 있는지 탐구하는 활동으로 정답을 구하는 것보다는 다양한 생각을 나누는 것에 방점을 둔다. 다음과 같이 문장으로 답을 쓰지 못한 경우에도 친구들의 이야기를 들으며 생각을 완성하게 할 수 있다.

> 점수가 크게 분포되어 있기 때문에…?
> (극단적인 값이 존재하지 않기 때문..?)

- ②의 자료가 수치가 커서 어렵다고 할 수도 있지만 실제 우리 주변에서 쉽게 접할 수 있는 내용으로 학생들과 대화를 통해 문제를 이해할 수 있도록 안내하고 표를 이해하고 분석하는 과정이 개인의 삶의 질과 관련 있음을 깨닫도록 할 수 있다. 수치의 오류로부터 벗어나기 위해 수치를 해석할 수 있어야 함을 설득하며 진행할 수 있다.
- ②에서 다음과 같은 온라인 자료를 사용할 수 있다.
  - 지식채널e 48분의 함정
    https://youtube.com/watch?V=7jABF0YYd8Q
  - 내 소득을 키로 나타낸다면?
    http://news.khan.co.kr/kh_storytelling/2016/income/
- ③(2)의 기사 원본 자료 주소는 다음과 같다.
  http://www.fnnews.com/news/201810251823297294
- 이외에도 키워드를 #통계불편러 등으로 검색하며 다양한 사례를 찾을 수 있다.

주의   계산하여 답을 구하는 과정을 넘어서서 자료를 분석하고 해석하는 데까지 나아가며 새로운 대안에 대해서 적극적으로 생각해 보도록 지도한다.

② 다양한 자료로 해석하기 (산포도)

단원 지도 계획

/ 1 / 어떤 선수를 선발할까

1차시 | **개념과 원리 탐구하기 1**
산포도의 뜻과 필요성

2차시 | **개념과 원리 탐구하기 2**
분산과 표준편차의 뜻

3차시 | **개념과 원리 탐구하기 3**
분산과 표준편차의 특징

4차시 | **개념과 원리 탐구하기 4**
자료의 해석

/1/ 어떤 선수를 선발할까 (산포도)

개념과 원리 탐구하기 1 _ 산포도의 뜻과 필요성

교과서(하) 84쪽

탐구 활동 의도

- 1은 대푯값만으로 통계적 판단을 할 수 없는 상황을 제시하여 자료 해석에 있어 산포도가 필요함을 자연스럽게 느끼게 했다. 대표선수를 두 명 선택을 해야 하는 목표를 주어 수치를 비교 · 분석할 동기를 제공하고자 한 것이다.
- 2(1)은 학생들이 2(2)에서 수학적인 선정 기준을 만들 수 있도록 하기 위한 징검다리의 역할을 한다.
- 2(3)은 산포도를 측정하는 데 좋은 도구는 무엇인지 비판적으로 판단해 보는 활동이다. 정의를 하지 않았지만 범위(최댓값−최솟값), 평균편차 개념의 일부분을 이용해 판단한 두 친구의 의견에 대한 문제 의식을 갖도록 하기 위한 활동이다.
- 여기서는 누구를 선택했는지가 중요하다기 보다는 수학적 근거가 있는 도구를 이용해 논리적인 판단과 의사소통을 하는 실제적 경험을 하게 하는 것이 목표다.

1 학생들의 답은 다양할 수 있다.
각 선수의 평균은 다음과 같다.

경기(회)	1	2	3	4	5	6	7	8	9	10	합계	평균
A선수 점수	7	9	7	9	7	9	9	7	9	7	80	8
B선수 점수	9	8	8	7	8	7	8	8	9	8	80	8
C선수 점수	8	8	8	10	6	8	8	8	8	8	80	8
D선수 점수	7	7	7	6	7	7	7	8	7	7	70	7

D선수보다는 A, B, C선수의 평균(대푯값)이 높기 때문에 A, B, C선수 중 2명을 선발하는 것이
옳다. A, B, C선수 중 2명을 선발하는 방법에 대한 기준은 다양할 수 있다.

• (최고점수 − 최소점수)로 계산 : A와 B를 뽑은 경우

점수는 A,B,C가 제일 높지만, 데이터가 유지가 잘되는
A와 B를 뽑았다. (최대 점수와 최소점수가 적은 사람)

• 최빈값과 평균과의 차이가 적은 선수 : B와 C를 뽑은 경우

B . C
평균과 최댓값, 최빈값으로 구한 결과   D선수를 제외하면
또 없었다. D선수는 더 낮은 성적으로 탈락시키고,
또 최빈값이 8인 B, C를 뽑아야 한다. 최빈값을
안정성의 기준으로 볼 수 있기 때문이다.

• 기타 의견

B선수 점수가 전체적으로 높기 때문에
A선수 멘탈관리만 잘 한다면 전체적인 점수가 높아질 수 있을 것 같아서

B,C   A.B   A,C
고르다,   꾸준하다 잠재력
안정성

2 (1) 민기의 주장을 근거로 선수 선발을 하면 A선수는 뽑을 수 있으나, B, C선수 중 한 명을 선발할
수 있는 기준은 없다.

• 9와 7로 흩어진 것과 9와 1로 흩어진 것의 차이가 없게 된다고 설명한 학생 예

− 만약 9랑 1이 나온다면

(2) 학생들의 답은 다양할 수 있다.

이름	적합한 대표 선수를 판단할 계산 방법	계산값		적합한 대표선수
나의 생각	아무리 평균이 똑같아도 최저점수가 낮으면 실력이 없다. (A의 최저점수는 7, B의 최저점수는 7, C의 최저점수는 6)	A선수	7	A, B
		B선수	7	
		C선수	6	
모둠의 의견	실력이 안정적이지 못한 선수는 실력이 부족하다고 생각해. 그렇기 때문에 평균을 중심으로 해서 얼마나 퍼져있는가를 계산해야 해. 각 점수와 평균 8과의 차이를 모두 구한 다음 더해서 비교하면 A는 10이고, B, C는 4야.	A선수	10	B, C
		B선수	4	
		C선수	4	

• 다른 자료에 비해서 지나치게 크거나 작은 값을 제외하고 나머지 값들로만 산술평균을 구하는 방법

• (최댓값－최솟값) 또는 중앙값과 최빈값을 이용한 방법

이름	적합한 대표 선수를 판단 할 계산 방법	계산값		적합한 대표선수
(나) 박해별	각각의 선수의 점수를 큰 값에서 작은 값을 빼보면 차이가 가장 적게 나는 선수가 안정적인 선수라고 생각한다.	A선수	2	
		B선수	2	
		C선수	4	

(3) 학생들의 답은 다양할 수 있다.

■ 은혜의 경우 A : 2, B : 2, C : 4

이 방법은 다음과 같은 단점이 있다.

• 자료들 중 오직 두 값만 이용하므로 관측값 하나하나의 크기가 반영되지 못했다.
• 다른 자료에 비해서 지나치게 크거나 작은 값(너무 크거나 너무 작은 값)에 의해 크게 영향 받는다.

- 온유의 경우 A : 10, B : 4, C : 4

　|변량－평균|의 총합을 계산한 방법은 은혜에 비해 모든 변량을 반영한 자료라고 할 수 있다.
- 관측값 하나하나의 크기를 모두 반영한 값이다.
- 다만 그 결과가 너무 커서 서로 비교하는 데에는 사용할 수 있지만 그 숫자 자체가 주는 의미는 크지 않다.

학 생
답 안

- 온유의 방법에 대한 수정 : 변량의 개수로 나눠 주는 방법

수업 노하우

- ⎣1⎦에서 평균, 중앙값, 최빈값을 다 구해본 후 대푯값으로 판단하기 어렵다는 결론을 내리기도 하였다.

경기(회)	1	2	3	4	5	6	7	8	9	10	합계	평균	중앙	최빈
민성 점수	7	9	7	9	7	9	9	7	9	7	80	8	8	7,9
민준 점수	9	8	8	7	8	7	8	8	9	8	80	8	8	8
민경 점수	8	8	8	10	8	8	8	8	8	8	80	8	8	8
민범 점수	7	7	7	6	7	7	7	8	7	7	70	7	7	7

- ⎣2⎦를 탐구하는 이유는 학생들이 수학적인 근거로 의사소통하는 훈련이 덜 되어 있을 수도 있고, 어떤 도구를 사용해야 할지 몰라서 추상적인 이야기만 할 수 있으므로 수업을 보다 구체적으로 분석하는 방향으로 안내하기 위한 안전장치를 둔 것이다.
- 학생들은 단순히 어떤 선수를 선발해야 한다는 결과만을 먼저 생각하는 경향이 있었다. 예를 들어, "나는 A선수와 B선수가 선발되어야 한다고 생각해." 또는 "나는 A선수와 B선수가 선발되어야 한다고 생각해. 왜냐하면 그들은 실력이 안정적이기 때문이야."라고 말할 수 있다. 이때에 교사는 이렇게 발문할 수 있다.

> 어떤 근거를 가지고 그렇게 판단했나요? A선수, B선수가 더 안정적인 근거를 제시할 수 있을까요?

- ⎣2⎦(1)에서는 일부러 다소 부족한 민기의 방법을 예시로 든 것이다. 이를 통해 학생들이 수학적 근거를 가지고 논리적인 판단과 의사소통을 할 수 있었다. 학생들이 적절한 수학적 근거를 제시할 수 있도록 수업을 진행한다.
- ⎣2⎦(2)에서 학생들이 접근하기 어려워할 경우 의미 있는 방법을 제시한 경우를 기억해 두었다가 전체 학생에게 소개해 주면서 방법을 만들어가게 할 수 있다.

> 각 회마다 등수로 점수를 부여한 후 총합으로 판단한다.

314　수학의 발견 해설서

이름	적합한 대표 선수를 판단 할 계산 방법	계산값	적합한 대표선수
(나)	회차마다 가장 작은 순서대로 4, 3, 2, 1 점을 주고 총점이 가장 높은 사람으로 2명을 뽑는다.	A선수 29 B선수 34 C선수 31	B, C

- ②(3)에서 학생들의 답은 다양할 수 있다. 하지만 다른 사람을 이해시킬 수 있는 객관적인 계산 방법을 제시할 수 있어야 하며, 그 계산 방법을 판단근거로 하여 설명하는 훈련이 필요하다. 이때 두 자료를 비교하는데 있어서 계산 결과를 하나의 수로 나타내면 의사소통에 편리함을 제언해 줄 수 있다.

- ②(2)에서 근거를 제시하기 전에 적합한 대표선수를 먼저 고르려고 하는 것은 옳지 않다. 먼저 적합한 선수에 대한 적절한 근거가 있고 그에 따른 수치를 통해서 대표선수를 선출할 수 있도록 수업을 진행한다.

- ②(3)의 경우 은혜는 범위, 온유는 평균편차 개념의 일부를 소개한 것으로 ②(2)에서 학생들이 이를 먼저 만들어 낼 수 있다(상세 내용은 수업 연구 참조). 이 경우 ②(3)은 생략할 수도 있다.

수업 연구

- 통계는 다양한 상황에 대한 자료를 수집하고 정리 해석하면서 합리적인 의사 결정을 하게 하는 수단이다. 그러므로 산포도 계산 방법을 익히기 전에 산포도가 필요한 상황을 경험하여 그 개념이 필요함을 자연스럽게 느끼게 해야 한다.

- 검정교과서에서도 산포도에는 여러 가지가 있음을 언급하고 있다. 하지만 분산과 표준편차를 바로 소개 하고 있기 때문에 그것들이 산포도를 구하는 절대적인 방법이라고 이해할 가능성이 크다. 분산과 표준편차가 산포도를 측정하는 합리적인 계산 방법임을 이해하는 것이 중요하다.

- 앞에서 제시된 학생들의 예상 답안은 다음과 같이 수학적으로 의미있는 내용들이었다.
  - 절사평균(Trimmed Mean) : 이상치를 제외하고 나머지 관측값들로만 산술평균을 구하는 것
  - 범위 : 자료의 관측 값 중 가장 큰 값인 최댓값(max)과 가장 작은 값인 최솟값(min)과의 차이
  - 평균편차 : 각 변량의 편차의 절댓값을 평균한 값
  - 표준편차 : 편차의 제곱을 평균한 값의 양의 제곱근

탐구 활동 의도

● 산포도는 변량들이 흩어져 있는 정도를 하나의 수로 나타낸 값으로 ①에서는 우선적으로 흩어져 있는 정도를 직관적으로 경험할 수 있도록 그래프를 이용하여 자료를 나타내게 했다.

● 흩어진 정도를 '하나의 수'로 나타낼 수 있는 다양한 방법을 생각해 보는 것이 목적이다. 이때 ②는 편차의 합이 항상 0이 되는 것에 대한 문제의식을 갖고 대안을 모색하게 하며, ③은 제곱을 함으로써 수치가 커지는 것에 대한 문제를 보완하도록 안내하고 있다. 편차를 하나의 값으로 나타내는 방법을 통해 개념을 이해할 수 있다.

● ④에서는 지금까지의 활동을 종합하여 분산 또는 표준편차가 클수록 변량이 평균으로부터 멀리 떨어져있고, 분산 또는 표준편차가 작을수록 변량이 평균으로부터 가까이 있음을 통해 문제 상황에 맞게 산포도 개념을 재해석하는 활동이다.

● 분산과 표준편차의 계산 방법을 발명하기는 어려울 수도 있으므로 이 과정을 비판적으로 사고할 수 있는 기회를 제공하는 것에 의미를 두었다. 산포도를 측정하는데 발생하는 어려움을 제시함으로써 자연스럽게 분산과 표준편차를 구하는 의미와 필요성을 깨달을 수 있을 것으로 예상한다.

예상 답안

1　(1) A선수는 7점 아니면 9점이다. 평균 8점을 기준으로 아래, 위로 1씩 차이가 난다.

(2)
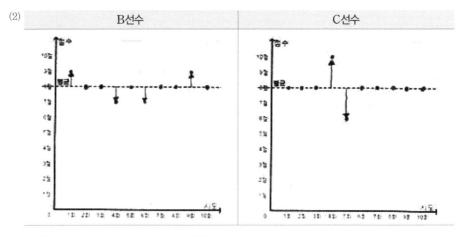

B선수는 7, 8, 9점이 고루 나오는 편이다.

C선수는 어쩌다 한 번 높은 점수 10점이 나와도 치명적 실수 6점이 있다.

2　(1) 편차의 총합은 항상 0이다.

$$\frac{(점수의\ 총합)}{10}=(평균)이므로$$

(점수의 총합)$=10\times$(평균)

따라서 (각 점수)$-$(평균)을 모두 더한 값은

(점수의 총합)$-10\times$(평균)$=0$

- 직관적인 설명

평균과 빼기가 때문에
다 더하면 00이다

- 식에 의한 설명

$$z - \frac{x+y+z}{3} + y - \frac{z+y+z}{3} + z - \frac{x+y+z}{3}$$

$$x+y+z - 3\left(\frac{x+y+z}{3}\right)$$

$$= (x+y+z) - (x+y+z)$$

$$= 0$$

(2) 산포도의 계산 방법은 절대적인 것이 아니므로 여러 가지 방법을 만들 수 있다. 중요한 것은 하나의 수치로 계산할 수 있는 방법이면 된다는 것이다.
- 편차의 중앙값을 계산할 수도 있다.
- 편차의 절댓값을 더하여 계산할 수 있다.
- 편차의 절댓값을 더한 후 자료의 개수 10으로 나누어 계산할 수 있다.
- 편차의 제곱을 더하여 계산할 수 있다.

- 편차의 절댓값을 이용하는 방법들

Ⅱ단계에 절댓값을 씌워 더해준다.

편차끼리 더한 후 평균을 낸다.
의 절댓값

3　(1) A선수 : $\dfrac{(-1)^2 + (1)^2 + \cdots + (-1)^2}{10} = \dfrac{10}{10} = 1$

　　 B선수 : $\dfrac{(1)^2 + (-1)^2 + (-1)^2 + (1)^2}{10} = \dfrac{4}{10} = \dfrac{2}{5}$

　　 C선수 : $\dfrac{(2)^2 + (-2)^2}{10} = \dfrac{8}{10} = \dfrac{4}{5}$

(2) '편차의 제곱'을 보완할 수 있는 방법은 양의 제곱근을 이용하는 방법이다.

(루트) $\sqrt{}$ 를 쓴다

분산은 편차를 제곱했기 때문에 수가 커지고 단위가 변량의 단위와 달라져서 그 의미를 해석하기가 애매해진다. 따라서 분산의 양의 제곱근을 취하면 평균과 표준편차의 단위가 변량의 단위와 같아서 자료 해석을 명확하게 할 수 있다.

4

	A선수	B선수	C선수
분산	1	$\dfrac{2}{5}=0.4$	$\dfrac{4}{5}=0.8$
표준편차	$\sqrt{1}=1$	$\sqrt{\dfrac{2}{5}}=\dfrac{\sqrt{10}}{5}$	$\sqrt{\dfrac{4}{5}}=\dfrac{\sqrt{20}}{5}$

따라서 표준편차가 A선수 1, B선수 $\dfrac{\sqrt{10}}{5}$, C선수 $\dfrac{\sqrt{20}}{5}$으로 $\dfrac{\sqrt{10}}{5}<\dfrac{\sqrt{20}}{5}<1$이므로 B선수의 산포도가 가장 작다고 할 수 있다.

수업 노하우

- 검정교과서에서는 분산을 구하는 과정과 이유들을 모두 설명해 주고 바로 계산 연습으로 넘어가고 있다. 학생들은 분산과 표준편차가 산포도를 구하는데 적절한 도구인지 분산과 표준편차를 왜 이렇게 구하는지 생각하지 못하는 경향이 있다. 이 탐구하기에서는 학생이 스스로 분산과 표준편차의 구체적인 계산 과정을 비판적으로 살펴보며 산포도의 의미를 다시 생각해 볼 수 있게 했다.
- 자료를 비교하는데 있어서 산포도를 하나의 수로 나타내면 의사소통에 편리함을 준다는 것을 학생들이 발견했다.
- 1 의 답안에서는 선으로 연결한 경우도 있었다.

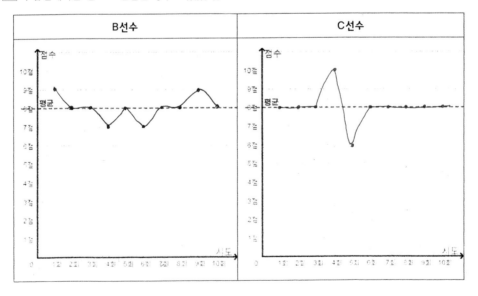

- ☐1 만 제안하고 산포도를 구하는 방법을 만들어 보라고 했을 때 대부분은 편차의 총합이 0임에도 불구하고 편차의 평균을 구한다는 답변이 다수였다. 이에 현재와 같은 ☐2, ☐3으로 수정하게 되었다.

편차끼리 더한 후 평균을 낸다.
의 절댓값

- ☐2(2)에서 절댓값만 씌운다라는 것만 제시한 경우도 많았는데, 산포도를 하나의 수로 표현하도록 안내할 수 있다.

절댓값을 씌운다   루트를 씌운다.

- ☐2, ☐3에서 선행학습을 한 학생이 많은 교실에서는 분산과 표준편차를 이미 알고 있어서 다양한 아이디어가 나오지 않을 수 있다. 이 경우 다음과 같이 발문할 수 있다.

> - 왜 편차의 제곱을 할까요?
> - 마지막에 왜 양의 제곱근을 구할까요?

참고   산포도의 종류
  (1) 범위 : 자료의 최댓값과 최솟값의 차
  (2) 평균편차 : 편차의 절댓값의 평균
  (3) 분산 : 편차의 제곱의 평균
  (4) 표준편차 : 분산의 음이 아닌 제곱근, 이때 표준편차는 분산을 구하는 과정의 제곱을 되돌리기 위함이다.

탐구 활동 의도

- 대푯값(평균, 중앙값, 최빈값)과 산포도(분산, 표준편차)를 기계적으로 구하기보다는 그 의미를 이해하고 자료를 해석할 수 있도록 하기 위한 활동이다.

- $\boxed{1}$ (2)는 지난 주와 이번 주에 마신 초코티의 잔 수에 대한 분산과 표준편차를 구하는 것이 아니라 산포도를 비교하고 문제 상황에 맞게 해석하여 의사결정을 할 수 있도록 하기 위한 문제다.

예상 답안

$\boxed{1}$ (1) 평균 : 2.3잔, 중앙값 : 2잔, 최빈값 : 2잔

- 평균 : $\dfrac{1\times6+2\times7+3\times4+4\times1+5\times2}{20}=\dfrac{46}{20}=2.3$(잔)

- 중앙값 : 자료를 크기 순으로 나열하면 다음과 같다.

1 1 1 1 1 1 2 2 2 2 ②② 2 2 2 3 3 3 3 4 5 5	

(2) 이번 주에 잔 수가 변한 두 사람의 변화는 $+1$과 -1로 총합이 변하지 않으므로 평균은 변함없이 2.3이다. 잔 수가 변한 미란이와 여진이의 지난 주 편차는 둘 다 -0.3이었는데 이번 주 편차는 각각 $3-2.3=+0.7$, $1-2.3=-1.3$이므로 표준편차는 증가한다.

$\boxed{2}$ 전체 학생의 키가 2 cm씩 줄었으므로 평균은 $168-2=166$(cm)이다.
흩어진 정도가 변하지 않으므로 표준편차는 변하지 않는다.

학생
답안

> ∴ 각각 학생들의 키가
> 2cm씩 똑같이 줄어들었기
> 때문에 평균도 마찬가지로
> 2cm가 줄어든 것이다. 표준편차는
> 흩어진 정도를 나타내는 것이므로 (수 사이에
> 관계는 일정하기 때문에) 변함이 없다.

수업 노하우

- $\boxed{1}$ (2)에서 다음과 같이 직접 계산을 하여 비교한 학생들이 있었는데 계산하지 않고 평균과 표준편차의 변화를 설명할 수 있도록 하는 것이 목적이다. 이 계산은 매우 복잡하여 계산기가 없다면 중간에 계산이 틀릴 수도 있다.
  - 이번 주 달라진 자료에 대한 평균

$$\frac{1\times7+2\times5+3\times5+4\times1+5\times2}{20}=\frac{46}{20}=2.3(잔)$$

- 지난 주와 이번 주 달라진 자료에 대한 표준편차 비교

지난 주의 분산 : $\dfrac{(-1.3)^2 \times 6 + (-0.3)^2 \times 7 + 0.7^2 \times 4 + 1.7^2 \times 1 + 2.7^2 \times 2}{20} = \dfrac{30.2}{20} = 1.51$

지난 주의 표준편차 : $\sqrt{1.51}$

이번 주의 분산 : $\dfrac{(-1.3)^2 \times 7 + (-0.3)^2 \times 5 + 0.7^2 \times 5 + 1.7^2 \times 1 + 2.7^2 \times 2}{20} = \dfrac{32.2}{20} = 1.61$

이번 주의 표준편차 : $\sqrt{1.61}$

 # 개념과 원리 탐구하기 4 _ 자료의 해석

교과서(하) 92쪽

탐구 활동 의도

- 실생활 자료를 수집하고 정리하며 해석하는 과정을 통해 이 단원에서 학습한 대푯값과 산포도를 총 정리해 볼 수 있다.
- 복잡한 계산은 다양한 공학적 도구를 활용하여 구할 수 있다.

예상 답안

1 　(1) 주어진 자료를 공학적 도구를 이용하여 계산하면 다음과 같다.

	한라산중학교	백두산중학교
① 평균	5.02	5.02
② 중앙값	5.5	3
③ 최빈값	6	3
④ 분산	25.4196	296.8196
⑤ 표준편차	5.041785398	17.22845321

(2) 학생들의 답은 다양할 수 있다.
- 한라산중학교 학생들이 수학을 더 좋아한다고 할 수 있다. 한라산중학교의 표준편차가 더 작다는 것은 싫고 좋음의 차이가 적다는 뜻이다. 그러므로 표준편차가 적은 쪽이 수학을 더 좋아한다고 할 수 있다.
- 두 학교 학생들의 수학 선호도의 평균은 같다. 그러나 중앙값과 최빈값은 한라산중학교가 더 크다. 그런데 분산과 표준편차는 한라산중학교가 작기 때문에 이 학교의 대부분의 학생들은 백두산중학교 학생들보다 평균과 비슷한 값으로 수학을 선호한다는 것을 알 수 있다.
- 중앙값을 사용하면 한라산중학교 학생들의 중앙값이 더 크므로 한라산중학교 학생들이 수학을 더 좋아한다고 말할 수 있다.

도별	2013년	2014년	2015년	2016년	2017년	2018년	표준편차
경기도	176,857	176,028	175,417	169,435	165,707	162,587	5,482
강원도	41,701	39,972	38,979	37,763	35,682	34,170	2,537
충청북도	114,530	112,097	111,568	109,161	107,097	102,870	3,789
충청남도	224,629	219,215	218,787	215,100	213,238	211,577	4,348
전라북도	204,592	204,612	203,559	200,720	199,196	197,541	2,733
전라남도	308,220	305,889	304,799	298,095	293,863	290,827	6,458
경상북도	279,484	277,650	274,487	268,461	265,665	262,049	6,362
경상남도	156,978	154,050	151,769	149,247	146,766	144,404	4,259
제주도	62,856	62,686	62,642	62,140	61,088	59,338	1,244

2 (1)

(2) 2018년 경지면적이 가장 넓은 도는 첫번째 전라남도, 다음은 경상북도, 충청남도 순이다.

(3) 경지면적의 표준편차가 가장 큰 도는 전라남도, 가장 작은 도는 제주도다.

(4) 다음 기사는 우리나라 경지면적의 감소를 신재생에너지 정책으로 논과 밭에 태양광 설비의 설치가 늘어나는 것을 원인으로 설명하고 있다. 특히 고령화의 영향으로 농사를 포기하여 유휴지가 늘어나고 있으며 이 유휴지에 여러 가지 다른 사업이 시행되고 있다는 것이다.

http://www.cctoday.co.kr/news/articleView.html?idxno=1193035

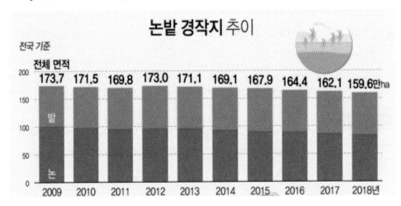

이에 대한 대안으로는 프랑스, 이탈리아 등 농촌에서 농사를 포기하지 않도록 농산물 쿼터제, 농업 보조금, 농촌의 낙후된 기간 시설들을 개선하는 등 여러 가지 정책을 시행하고 있는데 우리나라의 경우는 가장 시급한 것이 고령화이므로 이와 다른 접근이 필요할 수도 있을 것이다.

수업 노하우

• 1은 구글 스프레드시트를 사용하여 쉽게 계산할 수 있다.
(관련 자료 파일은 수학의 발견 네이버 카페 자료실에 탑재함.)
오른쪽은 구글 스프레드시트에서의 명령어다.

합 =sum(범위)
평균 =average(범위)
중앙값 =median(범위)
최빈값 =mode(범위)
편차 =변량-$평균
편차의 제곱 =편차^2
양의제곱근 =sqrt(값)

- 각 자료에 대해 편차를 계산한 결과는 다음과 같다.

〈한라산중학교〉　　　　　　　　　　　　　　　〈백두산중학교〉

-1.02	0.98	0.98	3.98	5.98	-3.02	-20.02	11.98	14.98	19.98
0.98	5.98	-9.02	-1.02	-5.02	-41.02	-5.02	-8.02	-6.02	-19.02
1.98	2.98	3.98	3.98	-8.02	15.98	18.98	11.98	11.98	4.98
-9.02	3.98	-3.02	4.98	0.98	-20.02	-24.02	3.98	-4.02	-21.02
-7.02	4.98	-3.02	2.98	2.98	4.98	-6.02	27.98	33.98	-0.02
-5.02	-3.02	-1.02	1.98	3.98	-9.02	-2.02	-6.02	30.98	-24.02
-4.02	6.98	3.98	-0.02	4.98	14.98	-8.02	14.98	-14.02	-18.02
-4.02	0.98	4.98	2.98	-11.02	12.98	15.98	12.98	7.98	-5.02
-3.02	-3.02	-9.02	3.98	18.98	28.98	19.98	-23.02	-22.02	-8.02
-13.02	-8.02	-0.02	0.98	0.98	44.98	18.98	5.98	-18.02	-8.02
-0.02	6.98	-10.02	0.98	3.98	-7.02	16.98	-29.02	-24.02	14.98
-1.02	-6.02	-3.02	8.98	2.98	-3.02	-2.02	-5.02	-5.02	7.98
-5.02	-1.02	-8.02	0.98	-0.02	15.98	3.98	-19.02	-2.02	-16.02
-5.02	2.98	-7.02	-3.02	-3.02	29.98	-2.02	12.98	-16.02	-15.02
0.98	6.98	-0.02	1.98	9.98	3.98	-20.02	-10.02	0.98	20.98
5.98	2.98	1.98	-3.02	2.98	-21.02	-36.02	-9.02	5.98	8.98
1.98	-5.02	2.98	2.98	-1.02	-11.02	-19.02	20.98	6.98	-25.02
3.98	7.98	-2.02	-3.02	-0.02	-32.02	-10.02	-6.02	-2.02	22.98
-4.02	-0.02	0.98	-1.02	-0.02	-4.02	16.98	22.98	18.98	-12.02
-0.02	-0.02	-1.02	0.98	-9.02	-16.02	15.98	23.98	16.98	-1.02

- 편차의 제곱을 계산하면 다음과 같다.

〈한라산중학교〉

1.0404	0.9604	0.9604	15.8404	35.7604
0.9604	35.7604	81.3604	1.0404	25.2004
3.9204	8.8804	15.8404	15.8404	64.3204
81.3604	15.8404	9.1204	24.8004	0.9604
49.2804	24.8004	9.1204	8.8804	8.8804
25.2004	9.1204	1.0404	3.9204	15.8404
16.1604	48.7204	15.8404	0.0004	24.8004
16.1604	0.9604	24.8004	8.8804	121.4404
9.1204	9.1204	81.3604	15.8404	360.2404
169.5204	64.3204	0.0004	0.9604	0.9604
0.0004	48.7204	100.4004	0.9604	15.8404
1.0404	36.2404	9.1204	80.6404	8.8804
25.2004	1.0404	64.3204	0.9604	0.0004
25.2004	8.8804	49.2804	9.1204	9.1204
0.9604	48.7204	0.0004	3.9204	99.6004
35.7604	8.8804	3.9204	9.1204	8.8804
3.9204	25.2004	8.8804	8.8804	1.0404
15.8404	63.6804	4.0804	9.1204	0.0004
16.1604	0.0004	0.9604	1.0404	0.0004
0.0004	0.0004	1.0404	0.9604	81.3604

〈백두산중학교〉

9.1204	400.8004	143.5204	224.4004	399.2004
1682.6404	25.2004	64.3204	36.2404	361.7604
255.3604	360.2404	143.5204	143.5204	24.8004
400.8004	576.9604	15.8404	16.1604	441.8404
24.8004	36.2404	782.8804	1154.6404	0.0004
81.3604	4.0804	36.2404	959.7604	576.9604
224.4004	64.3204	224.4004	196.5604	324.7204
168.4804	255.3604	168.4804	63.6804	25.2004
839.8404	399.2004	529.9204	484.8804	64.3204
2023.2004	360.2404	35.7604	324.7204	64.3204
49.2804	288.3204	842.1604	576.9604	224.4004
9.1204	4.0804	25.2004	25.2004	63.6804
255.3604	15.8404	361.7604	4.0804	256.6404
898.8004	4.0804	168.4804	256.6404	225.6004
15.8404	400.8004	100.4004	0.9604	440.1604
441.8404	1297.4404	81.3604	35.7604	80.6404
121.4404	361.7604	440.1604	48.7204	626.0004
1025.2804	100.4004	36.2404	4.0804	528.0804
16.1604	288.3204	528.0804	360.2404	144.4804
256.6404	255.3604	575.0404	288.3204	1.0404

- 2 는 공학적 도구 사용 연습을 위한 문제다. 경지면적의 변화가 가장 큰 도가 어디인지를 알기 위해서 표준편차 자료가 도움이 되는 경우의 데이터를 제공하여 사회적으로 이슈화 되는 주제를 학생들이 통합적으로 사고하도록 했다.

- 다음은 다른 공학적 도구를 활용하여 계산한 자료다. 학생들에게 다음과 같이 안내할 수 있다.

> 표준편차는 STDEVP, 반올림은 ROUND 함수 기호를 사용하여 계산한다.
> STDEVP 함수의 사용은 =STDEVP(처음 자료 : 마지막 자료) 로 입력하고,
> ROUND 함수의 사용은 =ROUND(표준편차, 0) 0은 반올림하여 나타낼 자릿수를 뜻한다.

- 2 (4)에서 학생들은 다양한 의견을 제시할 수 있다.
  #경지면적 감소 #외국 농업사례 #외국의 농지제도 #농업정책과 같은 해시태그 또는 검색어로 검색하면 여러 가지 보고서 및 기사를 검색할 수 있는데 표의 자료와 이 자료를 연결 지어 분석할 수 있도록 할 수 있다.

③ 키는 점점 커지고 있을까 (상관관계)

단원 지도 계획

/ 1 / 우리 마을의 특성을 알아보자

1차시
개념과 원리 탐구하기 1
두 자료 사이의 관계 분석하기

2차시
개념과 원리 탐구하기 2
산점도의 뜻과 특징

3차시
개념과 원리 탐구하기 3
상관관계

4차시
개념과 원리 탐구하기 4
통계결과 분석의 오류

/1/ 우리 마을의 특성을 알아보자 (상관관계)

개념과 원리 탐구하기 1 _ 두 자료 사이의 관계 분석하기

탐구 활동 의도

- 실생활에서 발견되는 여러 가지 현상들 사이의 관계를 수학적으로 분석할 수 있음을 경험하는 과제다.
- 두 종류의 자료를 관찰함으로써 두 변량 사이의 관계를 파악하여 어떤 관계가 있는지 표와 그래프를 통해 직관적으로 이해하게 하려는 것이다. ①(1)은 표를 관찰함으로써, ①(3)은 그래프를 이용해 주어진 의견이 옳은지 판단해 볼 수 있다.
- ①절과 ②절에서는 한 종류의 자료를 분석하는 방법을 학습했다면 여기서는 두 종류의 자료가 주어졌을 때, 두 종류의 자료 사이에 어떤 관계가 있는지 또 관계가 있다면 어느 정도 관계가 있는지를 탐구해 나갈 것이다.
- **탐구하기 2**에서 상관관계를 본격적으로 다루기 전 가볍게 표와 그래프에 익숙해지도록 하는 과정이므로 용어의 정의를 다루지 않는다.

예상 답안

1 (1) 아들의 성장이 완료되는 성인이 되었을 때, 즉 만 18세가 되었을 때 아버지의 키와 비교해야 한다.

학생답안

> (아세에서 20세 정도이면 어느정도 키가 컸을 나이기) 때문일 것이다.

> 남자의 키는 사춘기때 급격히 자라는데 완벽하게 성장한 키를 구해야 아버지와 아들의 관계를 구할수있다. 그러므로 사춘기가 끝날즈음 (18세이상)에 조사해야한다.

(2) 호준이의 의견이 가장 설득력이 있다. 아버지보다 아들의 키가 크다는 주장은 아들이 아버지보다 큰 경우가 얼마나 많이, 즉 몇 %가 존재하는가에 의해 뒷받침될 수 있다.

학생답안

> 호준 : 정확한 값을 조사해서 과반수 이상 아들이 크기에 납득 하기 쉬움.

(3)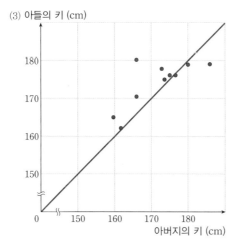

아버지의 키를 x cm, 아들의 키를 y cm라 할 때 순서쌍 (x, y)를 좌표로 하는 점을 좌표평면에 표시하면 주어진 자료는 위와 같이 나타난다. 아버지의 키와 아들의 키가 같은 값을 갖는 점을 지나도록 직선을 그으면 10개의 자료가 나타내는 점들이 직선의 윗부분에 더 많이 분포한다. 따라서 아버지보다 아들의 키가 크다고 할 수 있다.

수업 노하우

- 수업을 시작하며 두 자료의 관계가 궁금한 상황이 어떤 것이 있는지 발문해 볼 수 있다. 복부비만과 스트레스, 스트레스가 많을수록 복부비만이 심하다는 말이 맞을까? 틀릴까? 어떻게 알 수 있을까? 이런 궁금한 관계가 주변에 어떤 것이 있는지 찾아보게 함으로써 이번 절에서 배울 내용에 대한 동기를 유발할 수 있다. 이 중 실제 수학적으로 분석할 수 있는 것은 명확하게 수로 표현 가능한 것들이다.

- ⬚1⬚(1)에서 학생들은 예상 답안 외에도 다양한 생각을 이야기 했다.

  > 초등학생 등은 너무 작으니깐 18세 부터는 비슷 비슷해니깐 조나하지 않았을까..?

- ⬚1⬚(2)에서 학생들은 호준이와 민경이의 의견이 설득력이 있다고 선택하는 경우가 많았다. 그러나 호준이와 민경이의 의견을 선택한 이유에 대해 논리적으로 설명하지 못하는 경우가 많았다.
  다음 학생은 민경이의 의견을 선택했으나 그 이유를 타당하게 작성하였다. 자신이 설명한 내용에 해당하는 것이 호준이의 의견과 유사함을 발견할 수 있도록 안내한다.

  > 평균으로 전체자료의 값을 하나하나씩 비교하는 것이 좋으나.
  > 격차가 크고 작은 것들을 빼버 평균을 구하면 더욱 좋을것 같다.
  > (% 사용).

- ⬚1⬚(3)에서 그래프로 나타낼 때 두 자료를 하나의 좌표평면에 나타내야 관계를 파악할 수 있음을 이해할 수 있도록 안내한다. 좌표평면은 원점 $(0, 0)$에서 시작하지만 상관도에서는 $(0, 0)$에서 시작하지 않아도 됨을 설명해 줄 수 있다. 다음 탐구하기에서 다시 다루므로 질문이 나올 경우 가볍게 다루어도 된다.

- ⬚1⬚(3)에서 점들이 흩어져 있어서 잘 모르겠다고 하는 학생들도 있었다. 이때는 전체적으로 볼 때 대체적으로 어떤 경향이 있는지 관찰해 볼 수 있도록 하고, 공학적 도구를 활용하여 더 많은 점을 그려 보거나 다른 자료들을 입력하여 자료의 경향을 추론할 수 있도록 할 수 있다.

- ⬚1⬚(3)에서 직접 손으로 그래프를 그려 원리를 이해했다면 공학적 도구를 사용하여 제시된 자료 외에 다른 자료를 선택하거나 전체 자료를 직접 입력하여 학생들이 여러 각도로 자료를 탐색해 볼 수 있도록 할 수 있다.

- 이지통계(http://ebsmath.co.kr/easyTong)
  ① 설정 : 두 자료 － A : 아버지의 키(입력도구＞붙여넣기), B : 아들의 키(입력도구＞붙여넣기)
  ② 줄기와 잎 그림, 도수분포표, 산점도 등을 확인

[아버지의 키 입력 창]   [아들의 키 입력 창]

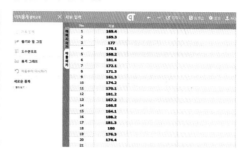

- 지오지브라(http://www.geogebra.org)
  ① 보기 : 스프레드시트창 − A : 아버지의 키(Ctrl+V), B : 아들의 키(Ctrl+V)
  ② 입력값(셀) 선택
  ③ 일변량 분석(줄기와 잎 그림, 도수분포표 등)

- 1 (3)에서 학생들이 60개의 자료 중 선택하여 다른 자료를 골라 입력하여 그려 볼 수 있고, 그래프는 다음과 같이 여러 가지로 나타날 수 있다. **탐구하기 2** 활동에서 관련 내용을 다루므로 다른 자료를 골라 그래프를 그려 보고 가설을 세워볼 수 있도록 수업을 진행할 수 있다.

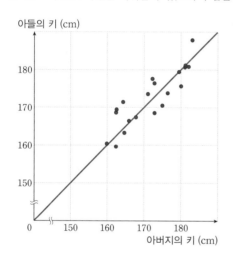
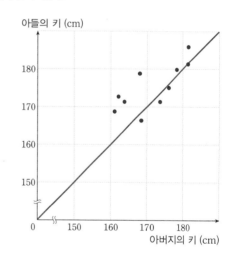

수업 연구

통계 수업에서 학생들은 통계 방법만을 익히는 것도 중요하지만 어떤 대상을 조사하여 자료를 수집하는 것이 연구 결과에 큰 영향을 미칠 수 있는 중요한 요소이며, 수집된 자료를 어떻게 해석하는가에 따라 자신의 주장이 설득력을 가지게 된다는 것을 배울 수 있어야 한다. 이 과제를 해결하는 과정 속에서 연구 대상의 선정과 자료 수집 방법, 수집된 자료를 해석하는 것의 중요성에 대해 이야기해 본다.

탐구 활동 의도

- 이 탐구하기는 두 변량 사이의 관계를 알아보기 위해 그래프를 이용할 수 있으며, 그래프의 점들이 흩어져 있는 정도를 이용하여 두 변량의 상관관계가 어느 정도인지를 파악할 수 있음을 발견하기 위한 과제다.
- 점들이 흩어진 정도에 따라 '양의 상관관계', '음의 상관관계', '상관관계가 없다.'의 뜻을 알고 직관적으로 상관관계를 파악할 수 있도록 하기 위함이다.
- 실생활 속에서 상관관계에 있는 것들을 실제로 조사하고 조사한 자료를 공학적 도구를 활용하여 산점도를 그려 보고, 그려진 산점도에서 상관관계의 종류와 강함, 약함에 대해 스스로 탐구할 수 있도록 하는 것이 목적이다.

예상 답안

1. (1) 점 A(155, 157.2)는 아버지의 키가 155 cm이고 아들의 키가 157.2 cm임을 의미한다.
   점 B(181.4, 190)은 아버지의 키가 181.4 cm이고 아들의 키가 190 cm임을 의미한다.
   (2) 아버지의 키가 클수록 아들의 키도 크다.
   (3) • 대체적으로 아버지의 키가 클수록 아들의 키도 큰 경향이 있으므로 양의 상관관계를 갖는다.
   • 또한 앞에서 호준이의 주장인 아버지의 키보다 아들의 키가 더 큰지 정확하게 알아보려면 아들과 아버지의 키가 같은 경우가 기준이 된다. 따라서 이를 보조선으로 긋고 자료를 나타낸 점들의 분포를 확인해 볼 수 있다.

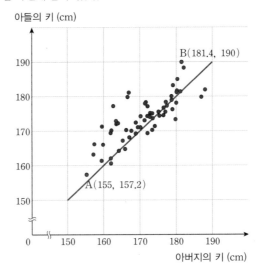

2. 학생들의 답은 다양할 수 있다. 단, 조사 주제는 명확하게 수로 표현할 수 있는 것들이어야 한다.
   • 최고 온도와 야외 수영장의 입장객 수는 어떤 관계가 있을까?
   • 스마트폰 사용 시간과 시력은 어떤 관계가 있을까?
   • 수학 점수와 몸무게는 어떤 관계가 있을까?

- 키와 몸무게는 어떤 관계가 있을까?
- 마을의 넓이와 인구 수는 어떤 관계가 있을까?

수업 노하우

- 공학적 도구를 활용하여 **탐구하기 1**의 자료를 제시된 그림과 같은 산점도로 나타내어 볼 수 있다. 탐구 활동을 위한 데이터 자료(아버지와 아들의 키)는 홈페이지에 탑재되어 있다.
- 이지통계(http://ebsmath.co.kr/easyTong)
  - 설정 : 두 자료
    A : 아버지의 키(입력도구>붙여넣기), B : 아들의 키(입력도구>붙여넣기)
  - 통계그래프 : 두 자료 비교 — 산점도
- 지오지브라(http://www.geogebra.org)
  - 보기 : 스프레드시트창
    A : 아버지의 키(Ctrl+V), B : 아들의 키(Ctrl+V)
  - 입력값(셀 A, B) 전체 선택 — 이변량 분석
- ⬚1⬚(3)은 정확한 키를 제시하는 것이 아니라 산점도를 보고 해당하는 점의 자료를 찾아보는 활동이다. 산점도에 보조선을 그어 그 선보다 위에 있는 데이터(점)들이 있음을 확인해 보도록 한다.
- ⬚2⬚에서 상관관계가 없는 경우에 대해 학생들이 잘 이해하지 못할 수도 있다. 상관관계가 없는 직접적인 예를 찾아보고 실제로 산점도를 그려 봄으로써 상관관계가 없다는 것을 탐구해 볼 수 있다.

참고
⬚1⬚(3)에서 아들의 키가 아버지의 키보다 큰가에 대하여 조사하기 때문에 보조선으로 직선 $y=x$를 긋게 된다. 하지만 이 보조선이 일반적으로 통계에서 말하는 회귀선을 의미하는 것은 아니다. 실세계 현상을 수학적으로 모델링할 때 수집한 정보들을 산점도(scatter plot)로 그려 보고 이 정보를 표현하는 최적(best fit)의 그래프와 함수식을 찾게 된다. 이때 정보를 표현하는 최적의 곡선을 회귀선(regression line) 또는 회귀곡선(regression curve)이라고 한다. 대부분의 공학 도구는 산점도를 만들고 회귀곡선을 찾는 기능이 있다.

탐구 활동 의도

- 공학적 도구를 이용하여 주어진 자료에 대한 산점도를 그려 보고 이를 바탕으로 두 자료의 상관관계를 추론해 보는 활동이다.

- 1은 표를 통해 알 수 있는 사실, 2는 산점도를 통해 알 수 있는 사실을 분석한 것을 토대로 두 자료의 관계에 대한 결론을 내리고 설명할 수 있도록 하기 위함이다.

예상 답안

1　학생들의 답은 다양할 수 있다.

[표 1] 대체적으로 온도가 높아질수록 아이스크림 판매량이 많아진다.

[표 2] 2008년부터 2017년까지 대체적으로 인터넷 사용량이 많아지고 평균 독서권수는 감소한다.

[표 3] 2008년부터 2017년까지 대체적으로 경지면적이 줄어들고 있고 1인당 연간 쌀소비량도 감소하고 있다.

[표 4] 1인당 연간 쌀소비량이 대체적으로 감소하고 있으나 우유생산량은 2008년부터 2011년까지 줄면서 2011년에 가장 적었으나 그 후 다시 우유생산량이 약간 늘어났다.

학생
답안

> PMS 사람들은 온도가 높을수록 아이스크림을 많이 먹는다.
> 인터넷이용량이 많을 수록 독서권수는 줄어듬
> 경지 면적이 많을 수록 쌀소비량이 많아짐
> 쌀소비량과 ~~~~ 우유 생산량은 관계가 없다.

> [1] 온도가 높을수록 아이스크림은 많이 팔린다.　[2] 인터넷 사용량은 갈수록 증가, 평균 독서 권수는 조금씩 줄어든다.
> [3] 경지 면적과 1인당 연간 쌀 소비량은 점점 줄어든다.
> [4] 1인당 연간 쌀소비량은 갈 수록 줄어들고, 우유생산량은 대체적으로 고르다

2　학생들의 답은 다양할 수 있다.

[표 1] 온도와 아이스크림 판매량의 산점도를 보면 양의 상관관계가 있음을 알 수 있다.

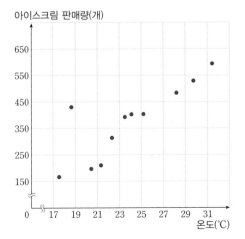

[표 2] 인터넷이용률과 평균 독서권수의 산점도를 보면 음의 상관관계가 있음을 알 수 있다.

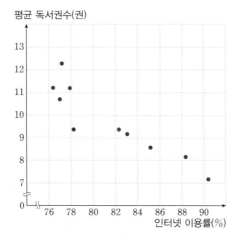

[표 3] 1인당 연간 쌀소비량과 경지면적의 산점도를 보면 양의 상관관계가 있음을 알 수 있다.

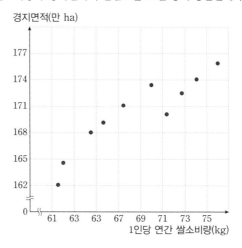

[표 4] 1인당 연간 쌀소비량과 우유생산량의 산점도를 보면 상관관계가 없음을 알 수 있다.

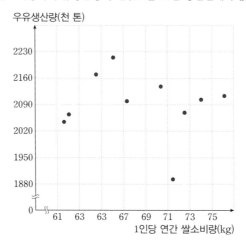

	자료	산점도를 보고 알게 된 사실
(1)	온도와 아이스크림 판매량	온도가 높을수록 아이스크림 판매량이 높다.
(2)	인터넷 사용량과 평균 독서 권수	인터넷 사용량이 높을수록 독서량이 낮다
(3)	경지면적과 1인당 연간 쌀소비량	면적이 넓을수록 쌀 소비량이 높다
(4)	1인당 연간 쌀소비량과 우유 생산량	관계 없음.

	자료	산점도를 보고 알게 된 사실
(1)	온도와 아이스크림 판매량	온도가 높을수록 아이스크림이 많이 팔린다
(2)	인터넷 사용량과 평균 독서 권수	인터넷 사용량은 갈수록 늘어나고, 평균 독서 권수는 조금씩 줄어든다
(3)	경지면적과 1인당 연간 쌀소비량	경지면적과 1인당연간 쌀소비량은 점점 줄어든다는 사실을 알 수 있고, 농사짓는 사람들이 줄어든다는 것을 알수있다
(4)	1인당 연간 쌀소비량과 우유 생산량	상관관계가 거의 없다

3 (1) [그림 1], [그림 2]는 자료 A, B가 상관관계가 없다는 것을 보여준다.

[그림 3]~[그림 6]은 자료 A, B가 양의 상관관계를 갖는다는 것을 보여준다.

그러나 [그림 3]에서 [그림 6]으로 갈수록 한 직선에 점들이 몰려있으므로 점점 더 강한 상관관계를 갖는다는 것을 알 수 있다.

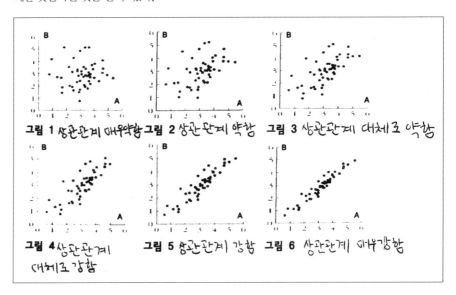

그림 1 상관관계 매우약함 그림 2 상관관계 약함 그림 3 상관관계 대체로 약함

그림 4 상관관계 대체로 강함 그림 5 상관관계 강함 그림 6 상관관계 매우강함

(2) 학생들의 답은 다양할 수 있다.

강한 상관관계 : 키와 몸무게, 소득과 세금

약한 상관관계 : 제품의 생산량과 제품의 가격, 기온과 난방비

- 생활 속에서 학생들이 관심 있는 주제에 대해 직접 조사한 것으로 다양한 상관관계를 찾아 이야기해 볼 수 있다.
- 학생들이 찾은 상관관계를 양의 상관관계, 음의 상관관계, 상관관계 없음으로 분류해 보는 활동을 할 수 있다.
- 강한 상관관계와 약한 상관관계를 판단하는 기준이 무엇일지 학생들과 논의해 볼 수 있다.
- 산점도에서 점들이 한 직선 주위에 가까이 모여 있으면 강한 상관관계를 나타내며 흩어져 있으면 약한 상관관계를 나타낸다. 이 직선(회귀선)에 대한 원리는 모르더라도 학생들이 이러한 설명을 할 수 있다.

참
고

회귀선(regression line)을 찾았더라도 실제로 회귀선을 그릴 때 우리는 그 직선이 데이터에 적합한지에 대해 만족하지 않을 수 있다. 수학자들은 직선이 데이터에 얼마나 잘 맞는지를 수치로 측정했다. 이 측정된 수치를 상관계수(linear correlation coefficient) r라고 한다. 상관계수 r의 절댓값이 1에 가까울수록 적합성이 좋다고 가정하고 독립변수와 종속변수가 높은 상관성을 갖는다고 말한다.

수업 연구

스마트폰이 필요하다고 응답한 사람들이 스마트폰의 구매의향도 높은가에 대한 관계를 분석하는 가장 기본적인 방법이 상관분석이며, 상관분석을 하기 전에 두 자료에 대한 산점도를 작성하여 시각적으로 그 관계를 파악한다. 산점도를 보고 상관계수로 관계를 파악할 수 있는지, 아니면 데이터를 변환해야 하는지를 결정하기 때문이다. 상관관계가 강한지, 약한지는 산점도만 보고 판단하지 않으며 실제로 상관계수를 통해 판단한다. 중학교에서는 상관계수가 아닌 산점도에서 점들이 분포된 형태를 보고 직관적으로 판단해 보도록 한다.

개념과 원리 탐구하기 4 _ 통계 결과 분석의 오류

교과서(하) 108쪽

탐구 활동 의도

- 통계 분석 결과를 해석할 때 발생하기 쉬운 오류를 확인하는 활동이다.
- 상관관계에 대한 통계 보고서를 보고 비판적으로 분석함으로써 통계 자료를 무비판적으로 수용하지 않는 안목과 자세를 갖추기 위함이다.

예상 답안

[보고서 1] 냉장고 수가 늘어날수록 위암 환자 수가 늘어난다는 것이 두 자료 사이의 원인과 결과를 말하는 것이 아니다. 즉, 냉장고 수와 위암 환자 수는 시간에 따른 과학기술의 발전, 환경 변화에 따른 우연한 상관관계라고 볼 수 있다.

[보고서 2] 병원 수와 환자 수는 양의 상관관계를 보일 가능성이 크다. 그러나 그 결과를 해석할 때 원인과 결과를 혼동해서는 안 된다. 즉, 병원 수가 늘어날수록 환자 수가 증가하는 것이 아니라 환자 수가 많기 때문에 병원 수가 늘어나는 것일 수 있다.

학생 답안

보고서 1의 문제점	보고서 2의 문제점
냉장고에 보관된 음식을 먹는 것은 위암의 위험성을 대높이는데이 대한 근거가 자세히 나와있지 않다	병원이 많아지면 환자의 비율이 줄어든다 정확한 근거가 제시되어 있지 않다 단지 병원수와 환자 비율을 제해 양의 상관관계만을 기준으로 그렇게 판단하는 건 옳지 않은 것 같다

보고서 1의 문제점	보고서 2의 문제점
양의 상관관계만 보고 판단하는건 알맞지 않다 냉장고 수만 보고 문제라고 할 수 없다 왜 냉장고가 나쁜지 근거도 없고 위암이 걸리는 요인은 여러가지이기 때문에	병원이 많아서 환자가 많은것이 아니라 환자가 많아서 병원이 많은 것이다.

수업 노하우

• 뉴스나 신문기사 등을 찾아보며 두 자료의 상관관계를 해석할 때 오류가 없는지 좀 더 조사해 볼 수 있다.
• 통계 프로젝트를 진행한 후 결과 발표를 하면서 그 결과에 대한 해석이 적절한지에 대해 학생들이 평가하는 과정과 연결하여 진행할 수 있다.
• 상관관계를 인과관계로 받아들이지 않도록 주의한다. 즉, 상관성이 높다고 해서 반드시 원인과 결과로 해석할 수 있는 것은 아니라는 사실에 주의해야 한다.

④ 실생활 자료의 정리와 해석

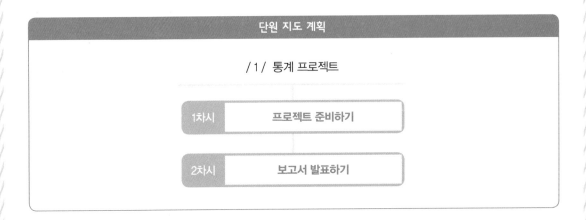

/1/ 통계 프로젝트

학습목표

통계 개념을 실생활과 관련된 다양한 자료를 통해 탐구한 것을 바탕으로 학생들이 중학교 3학년까지 배운 모든 통계적 지식을 활용하여 주제 설정, 자료 수집, 자료 정리, 자료 해석으로 이어지는 통계적 문제 해결 과정을 경험할 수 있다. 이때 여러 가지 공학적 도구를 사용할 수 있다.

/1/ 통계 프로젝트

- 다양한 맥락으로 접할 수 있는 상황에서 통계의 역할을 이해하고, 직접 주제를 선정하고 자료를 수집하여 의도에 맞게 정리해 보는 경험을 하게 한다.

- 6차, 7차 교육과정에서는 다루었으나 중간에 삭제되었던 산점도와 상관관계가 2015 개정 교육과정에서는 다시 학습요소가 되었다. 그러므로 실생활에서 상관관계가 있는지 궁금한 것에 대해 검증해 볼 수 있을 것이다.

- 공학적 도구를 활용하여 자료를 정리하고 해석할 수 있다. 활용할 수 있는 공학적 도구는 많으나, 여기에 서는 학생들이 비교적 쉽게 이용할 수 있는 '알지오매스'와 '이지통계'의 사용법을 소개한다.

- 공학적 도구를 이용하는 방법을 반드시 이 단원의 후반부에 안내할 필요는 없다. 전반부에 이에 대해 설명 하고 다양하게 활용할 수 있도록 한다면 통계에 대한 학생들의 이해도를 높이는 데에 도움이 될 수 있다.

- 통계 프로젝트에 대해 2차시만을 계획하였으나 실제적 준비와 과정을 위해서는 더 많은 시간이 필요할 수도 있다. 학생들에게 프로젝트의 유의 사항과 제작 방법에 대해 충분히 사전 안내를 하고, 부족한 시간 에 대해서는 수업 이외의 시간을 활용하도록 안내해야 한다.

- 주의할 점은 결과 해석을 할 때 학생들이 결과만을 기술하거나 요약할 것이 아니라 종합적으로 결론을 내 릴 수 있도록 하는 것이다. 보고서, 포스터, 신문 등의 자료에는 학생들이 직접 정한 주제를 토대로 기획 하고 연구하며 만들어낸 결과가 제대로 담겨 있어야 하므로 초기에는 교사가 점검해 주어도 좋다. 결과물 을 보는 사람이 다른 부연 설명 없이 이것만으로 내용을 이해할 수 있게 만들도록 지도한다.

- 통계청은 전국학생통계활용대회를 매년 개최하고 있다. 프로젝트 전에 아래 통계청 사이트를 이용하여 수상작품과 심사 기준 및 포스터 작성법 등 여러 가지 정보를 활용하여 학생들이 자신의 프로젝트를 기획 하는데 도움을 줄 수도 있다.

http://www.통계활용대회.kr/report/main.do

MEMO ///

MEMO ///

MEMO ///

MEMO //